JN113665

金 正 恩
著作集
3

朝鮮労働党第８回大会で活動総括報告をおこなう
（2021年1月6日）

娘とともに戦略兵器試験場を訪れる（2022年11月18日）

新型大陸間弾道ミサイル（ICBM）の試射成功を喜ぶ（2022年11月18日）

試射成功式典で娘を伴って記念撮影をおこなう（2022年11月27日）

非常防疫期間中、医薬品を供給するため自ら家庭の医薬品を送る（2022年6月）

黄海北道銀波郡大青里一帯の水害現場を視察する（2020年8月）

金正恩著作集 3

目次

平壌のすべての党員に送った公開書簡（二〇二〇年九月五日）……1
朝鮮労働党創建七五周年慶祝閲兵式でおこなった演説（二〇二〇年一〇月一〇日）……9
朝鮮労働党第八回大会における開会の辞（二〇二一年一月五日）……23
朝鮮労働党第八回大会でおこなった中央委員会の活動報告（二〇二一年一月五-七日）……33
朝鮮労働党第八回大会における結語（二〇二一年一月一二日）……77
朝鮮労働党第八回大会における閉会の辞（二〇二一年一月一二日）……91

五万世帯の住宅建設によってわれわれの首都を今一度壮大に変貌させよう
―平壌市一万世帯の住宅建設着工式でおこなった演説―
（二〇二一年三月二三日）……99
朝鮮労働党第六回細胞書記大会における開会の辞
（二〇二一年四月六日）……109
朝鮮労働党第六回細胞書記大会における閉会の辞
（二〇二一年四月八日）……115
革命の新しい勝利をめざす歴史的進軍で社会主義愛国青年同盟の威力を遺憾なく発揮せよ
―青年同盟第一〇回大会に送った書簡―
（二〇二一年四月二九日）……123

職業同盟は社会主義建設の新たな高揚期を先頭にたってきり拓く前衛部隊になろう
―朝鮮職業総同盟第八回大会の参加者に送った書簡―
（二〇二一年五月二五日）……143

女性同盟は朝鮮式社会主義の前進、発展を促進する強力な部隊になろう
―朝鮮社会主義女性同盟第七回大会の参加者に送った書簡―
（二〇二一年六月二〇日）……163

戦勝世代の偉大な英雄精神はりっぱに継承されるであろう
―第七回全国老兵大会でおこなった演説―
（二〇二一年七月二七日）……185

国防発展展覧会「自衛―二〇二一」の開幕式でおこなった記念演説
（二〇二一年一〇月一一日）……195

三大革命の炎を強く燃えあがらせて社会主義の全面的発展をなしとげよう
―第五回三大革命先駆者大会の参加者に送った書簡―
（二〇二一年一一月一八日）……207

農業勤労者同盟は朝鮮式社会主義農村の発展をめざす闘争で先鋒部隊になろう
―朝鮮農業勤労者同盟第九回大会の参加者に送った書簡―
（二〇二二年一月二七日）……227

新たな建設革命によって朝鮮式社会主義の文明発展を先導していこう
―第二回建設部門活動家大講習の参加者に送った書簡―
（二〇二二年二月八日）……249

朝鮮人民革命軍創建九〇周年慶祝閲兵式でおこなった演説
（二〇二二年四月二五日）……277

各階層の同胞大衆の無限の力によって総聯隆盛の新時代をきり拓いていこう
―在日本朝鮮人総聯合会第二五回全体大会の参加者に送った書簡―
（二〇二一年五月二八日）……287

祖国解放戦争参戦者はわが共和国のもっとも英雄的な世代である
―戦勝六九周年記念行事でおこなった演説―
（二〇二二年七月二七日）……307

防疫戦争での勝利を強固にし、国家と人民の安全をいっそう確実に保証しよう
―全国非常防疫総括会議でおこなった演説―
（二〇二二年八月一〇日）……323

首都の防疫危機を平定した人民軍軍医部門の戦闘員を祝う
―朝鮮人民軍軍医部門の戦闘員のまえでおこなった演説―
（二〇二二年八月一八日）……349

朝鮮民主主義人民共和国最高人民会議第一四期第七回会議でおこなった施政演説
（二〇二二年九月八日）……361

平壌のすべての党員に送った公開書簡

二〇二〇年九月五日

首都平壌《ピョンヤン》の全党員のみなさん。

遠からず盛大におこなわれるであろう朝鮮労働党創建七五周年慶祝行事の準備と歴史的な朝鮮労働党第八回大会を迎えるための緊張した闘争によって誰よりも苦労しているみなさんに挨拶を送ります。

国家の安全と人民の生命がおびやかされる度重なる挑戦のなかで、党中央がくだした重要な決定を血潮たぎる胸にうけとめ、それを貫徹するために奮闘しているみなさんの中核的な役割によって、朝鮮革命の首都平壌は基本的に安寧をたもっています。

しかし、新聞や放送で報道されているように、最近、連続して発生している豪雨と台風によってわが国の各地域では同時多発的な大災害にみまわれており、それを復旧するための熾烈な戦闘がくりひろげられています。

ところが、台風九号のため、東海岸に位置している江原道《カンウォン》と咸鏡南道《ハムギョン》、咸鏡北道が再び被害をうけました。とくに咸鏡南道では、端川《タンチョン》市と新浦《シンポ》市、洪原《ホンウォン》郡をはじめとする一〇余の市・郡で住宅や公共施設が浸水、損害をうけて数多くの被災者が露天に放りだされています。倒壊した住宅だけでも一〇〇〇余戸を数えています。咸鏡北道の被害状況もそれとかわりがないとのことです。

台風九号が数百キロ離れたところから北上してくるのを気をひきしめてするどく注視しながら、あらかじめ諸対策を講じたにもかかわらず、予想外の豪雨と強風によって大きな被害が生じました。

一刻の猶予も許されないこの緊迫した状況下で、しかも社会の多くの基本建設陣と各人民軍部隊がすでに江原道と黄海《ファンヘ》南北道の復旧現場に展開されている状況下で、党中央は、咸鏡南北道の災害復旧を強力に支援する問題をほかならぬ首都の党員たちにうち明けることにしました。

もちろん咸鏡南北道にも数多くの党員と党組織があり、労働者階級の基本部隊があるので、彼らもやはり党中央の意図をよく知り、災害復旧に力を入れるものと信じています。

しかし党中央は、党中央委員会を一番近くで守っている近衛隊である首都の中核党員たちが先頭に立って災害復旧現場にでむくことにより大きな意義があると考えました。

国のすべての地域がつねに自己の心臓部である首都を各方面から守ることも国風ではありますが、困難なときに首都の人民が苦労している地方の人民を誠意をもって支援し、鼓舞、激励するのもわれわれの誇るべき国風であるといえるでしょう。

首都の党員たちはわが党が一番信頼する中核勢力です。首都の党員たちが党の呼びかけにこたえて災害現場へでむいて奮闘すれば、破壊的な自然災害によってうけた経済的損失とは比べようもない大きな力を得ることになります。

平壌から数百里の行軍をもってかけつけた首都の党員たちが現地に到着したことだけでも、当地の党員と人民には大きな励ましとなるでしょうし、試練と難関をともにのりこえていく過程において全党の団結は志と情によっていっそう盤石《ばんじゃく》のごとく強くなるでしょう。

今年にはいって世界的な保健医療危機が持続し、自然災害まで重なってとくに困難に直面していますが、われわれは党と人民の団結した力をもってこれらすべてを果敢に克服しています。

今年はけっして災害と災難の年ではなく、緊張きわまるきびしい闘争のなかで、よりかたい団結をなしとげる闘争の年、前進の年、団結の年です。

七五年のあいだ、勝利の高峰ごとにひるがえってきたわれわれの党旗は、けっして歳月の風によってはためいたのではなく、党中央の呼びかけなら水火をも辞せずに敢然と立ち上がり、突出した貢献をもってこたえてきたわが党員のあつい忠誠と愛国の息吹によってはためいたのです。

わが党と革命の闘争史に特記すべきいま一つの大きな勝利の転機をもたらすべき決定的、かつ責任重大な時期に、首都の党員が旗手となり、突撃隊とならなければなりません。

党中央は、朝鮮労働党創建七五周年と第八回党大会を断固防衛するため、首都の党員たちが決起して、被害をうけた咸鏡南北道の災害復旧現場に勇躍して進出することを要請します。

一〇月一〇日が間近にせまっているのに、状況が困難で時間が足りないからといって、ふたたび被害をうけた咸鏡南北道の多くの人民が野外で祝日を迎えるようにするわけにはいきません。

党中央は、党の気づかいと配慮をもって、首都平壌の温かい情をもって、被災地域の人民を優しく慰め、一日もはやく災害から復旧するように真心をつくして支援し、奮闘することを首都の党員のみなさんに呼びかけます。

首都の党員のみなさん。

いまは、わが人民の不便と苦痛をいやすための災害復旧がくりひろげられる現場がまさに、わが党が全力をそそぐべき最前線です。

それゆえ党中央は、首都のすぐれた中核党員一万二〇〇〇人で、咸鏡南道と咸鏡北道にそれぞれ緊急派遣する最精鋭首都党員師団を編制することを決心しました。

平壌市党と各区域党、市・区域クラスの機関、工場、企業の幹部と党員は、誰でもこの前例のない戦闘隊伍に志願して、党組織の推薦をうけることができます。

最精鋭首都党員師団が現場にむかうまえに、金日成同志と金正日同志のおられる聖地の広場で決起集会を催し、忠誠の誓いをたてて災害復旧現場に駆けつけるならば、金日成同志と金正日同志も非常に喜ぶことでしょう。

みなさんが現場にでむいて遂行すべき主要な課題は、災害復旧にとりくむ勤労青年や軍人の先頭に立って、党政策貫徹の先鋒になり、火種になることです。

みなさんは首都の中核党員らしく、現場到着から撤退にいたる全期間、復旧作業と生活のすべての面で強い気迫と整然とした秩序ある行動をもってりっぱな模範を示すべきです。

被災地域の人民に、禍を転じて福となす奇跡をもたらし、よりよい住宅、よりよい生活環境を保障しようとする党中央の真心をよく知らせて、彼らが確信と楽観にみちて復旧作業を展開していくように誠心誠意支援すべきです。

けっして現地の住民に負担をかけたり、支援してやるといった態度をとるのではなく、謙遜で誠実にふるまい、困難をのりきる地方の人民の強靭《きょうじん》な生活気風や気質を見習うとともに、首都で創造されたすぐれた経験と先進的な技術や技能を着実に教えるべきです。

このたび派遣される首都の最精鋭党員師団は、住宅や公共施設の建設を基本とするのですから、専門建設部隊から除隊した建設技能の高い党員で師団の直属区分隊を編制すべきです。

師団直属区分隊はすぐれた建設工法や技能だけでなく、すべての作業を責任をもって几帳面におこなう教育者としての活動態度でまかされた対象をりっぱに完成するでしょうし、復旧工事全般の質的水準を高め、地方の建設者に先進的な建設技能をおしみなく教えなければなりません。

省や中央機関の党員たちも災害復旧現場へでむく戦闘員であるという立場に立って、復旧工事に必要な資材と設備、物資をそのつど迅速に送ることで、首都で働く党員としての本分を果たすべきです。

咸鏡南北道の人民を支援するために首都のすぐれた党員たちで編制された師団を派遣することになりますが、一番気になるのは党員たちの健康です。

生産現場と実践闘争で強くきたえられ、点検された党員であっても、大災害をこうむった荒地で秋風にさらされながら徹夜で作業をつづけなければならないので、疲労困憊《こんぱい》することもあるでしょう。

党員師団の指揮官や政治幹部は、隊員たちの健康や生活に細心の注意を払い、あたたかい愛情をもって見守ることで、党員たちがみな健康な体で戦闘をしめくくって首都平壌へ、恋しいわが家へ帰ることができるようにすべきです。

わたしは、党中央が直接編制して咸鏡南北道に派遣する首都の最精鋭党員師団が、朝鮮労働党創建七五周年の祝日と第八回党大会を断固防衛する別働隊として、課された栄誉ある使命と戦闘任務をりっぱに遂行し、大きな勝利をおさめるものと確信しています。

偉大なわれわれの人民のために、

偉大なわれわれの一心団結のために、

偉大なわれわれの国家のために、

偉大なわれわれの一〇月の祝日のために、

聖なる闘争へと勇敢に前進しましょう。

首都の党員のみなさん、前へすすめ。

（咸鏡南道の台風被災地にて）

朝鮮労働党創建七五周年慶祝閲兵式でおこなった演説

二〇二〇年一〇月一〇日

喜ばしい一〇月の祝日を迎えた全国の人民と人民軍将兵のみなさん。

社会安全軍将兵と労農赤衛軍、赤の青年近衛隊隊員諸君、党創建七五周年慶祝代表と平壌《ピョンヤン》市民のみなさん。

栄えある一〇月の祝日閲兵《えっぺい》式に参加した閲兵部隊の指揮官、戦闘員諸君。

親愛なる同志のみなさん。

栄えあるわが党の創建節が来ました。

偉大な栄光の夜を迎えました。

なぜか、類を見ない困難に遭遇した今年の党創建節は、この栄光の夜がようやく来たという事実だけでもあまりにも感激的です。

偉大なわが党の創建七五周年を迎えて、わたしは朝鮮労働党中央委員会を代表して、今日の一〇月の祝日を大きな栄光と誇りをもって輝かせたすべての人に心から祝賀の挨拶をささげます。

全人民にあつい感謝と祝賀の挨拶をささげます。

同志のみなさん。

偉大な祝日のこの夜、首都の通りとこの栄光の広場はこのように歓喜と誇りにみちていますが、今日のこの栄光の瞬間がいま、全国各地の数多くの党員と労働者階級、われわれの革命軍隊将兵の目に見えない努力と献身によって守られているということをわれわれは忘れてはなりません。

今日のこの栄光の瞬間をもたらし、守るために今年、どんなに多くの人たちが困難な環境にたえて奮闘してきたのでしょうか。

われわれがどれほど多くの挑戦をはねのけてここまで来たのでしょうか。とくに今年、予想もしなかった防疫戦線と自然災害復旧戦線で人民軍将兵が発揮した愛国的かつ英雄的な献身は、誰しも感謝の涙を流すことなしには向きあうことができません。

祖国防衛、人民防衛、革命防衛は人民軍の当然にして本然の任務ではありますが、われわれの将兵はあまりにも多くの苦労をしました。われわれの将兵はあまりにも多くの仕事をうけもち、多くの苦労をしました。

それであまりにも申し訳なく、この栄光の夜を彼らとともにできないので心がいたみます。

いまこの瞬間にも、数多くのわが軍隊の将兵が栄光のこの金日成広場に来ることができず、国家の安全と人民の安寧を守って防疫最前線と災害復旧戦線で勇敢にたたかっています。

われわれの軍隊はこのように、敵対勢力の軍事的威嚇《いかく》だけでなく、防疫や自然とのたたかいのような突発的な脅威にも、国家防衛の主体としての自分の任務をりっぱに遂行しています。

わが国家と人民に対する彼らの熱烈な忠孝心に最大の敬意を表し、全軍のすべての将兵にあつい感謝を送ります。

また、自分たちにあたえられた災害復旧建設の任務を完遂しても、愛するわが家がある平壌ではなく、すすんでまた他の災害復旧地域に足をむけた愛国者たち、当然この席にいるべきわれわれの中核、わたしのもっともたのもしい首都党員師団の戦闘員にも戦闘的鼓舞と感謝の挨拶を送ります。

そして、全国のすべての勤労者に戦闘的な挨拶と感謝を送ります。

自然の災難をふりはらい、新しい村、新しい家にすみかを構えた世帯と全国の家庭に幸福と喜びだけが訪れることを祈ります。われわれの子どもたちにいつも美しい夢がもたらされることを願います。

この席を借りて、いまこの瞬間も悪性ウイルスによる病魔とたたかっている全世界のすべての人々にあたたかい慰労の念を表し、心から手をあわせて、心底すべての人の健康が守られ、幸福と笑いが守られることを切に願います。

愛する南朝鮮の同胞たちにもこのあたたかい気持ちをつつしんで伝え、一日もはやくこの保健危機が克服され、北と南がふたたび手をたずさえる日が来ることを祈願します。

同志のみなさん。

今日われわれは、一意専心してもたらした価値ある成果と勤労の結実をいだいて一〇月の慶祝広場に集まりました。

われわれがここに来るまでの道のりは本当に生易しいものではありませんでした。きびしいたたかいの連続であり、幾多の困難をのりこえなければなりませんでした。

すぐるわが党の七五星霜の全期間がそうでしたが、とくに今年は、年初から一日一日、一歩一歩が、予期しなかった途方もない挑戦と障害により、じつにきびしく、困難をきわめました。われわれはそれらすべてを勇敢に克服し、誇らしく晴れ晴れとした気持ちで意義深いこの場に列しました。

世人が驚嘆するこの光景自体が、われわれを悩ませ、われわれの前に立ちはだかっていたあらゆる災難が制圧され、われわれがかかげた正義の闘争目標がりっぱに達成されたことを示しています。

親愛なる同志のみなさん。

今日われわれは、わが党の七五回目の誕生日を盛大に迎えています。世界に、われわれのように自分の党の誕生日を全人民が喜びの祝日として、大慶事の日として盛大に祝う国はないでしょう。

全国の心があつく渦巻く、このように胸がおどり、歓喜にみちた夜、この席に立ってみると、全人民に何から話したらよいのかわかりません。

わが党が歩んできた栄光にみちた七五年の歴史を一つひとつふりかえるこの瞬間、今日この席に立てば何から話そうかとあれこれと考えてみましたが、真に人民にうちあけたい心のうち、真情は「ありがとうございます！」の一言につきます。

何よりもまず、今日このように、みなが、すべての人民が無病息災であることを本当にありがたく思います。このことをかならず話したいと思っていました。

一人の悪性ウイルス被害者もなく、みなが健康であってくれて本当にありがとうございます。

世界を恐怖におとしいれている悪性の伝染病からこの国のすべての人をついに守りぬいたというこの事実、わが党が当然なすべきことであり、当然の成果というべきなのでしょうが、なぜか、守りぬいたというこの感激の喜びに目がかすみ、みなさんの健康な姿を見ると、「ありがとうございます」という言葉以外に言うべきことがありません。

世界がおどろかざるを得ない今日のこの勝利は、わが人民がみずからもたらした偉大な勝利です。

わが党にとって人民一人ひとりの生命は何よりも貴重であり、全人民が健在で、健康であってこそ、党もあり、国家もあり、この地のあらゆるものがあるのです。

ところが、この世界には、貴重なわが人民の生をおびやかし、害する不安定な要素があまりにもたくさんあります。それで、年初から世界的な保健危機が到来し、周辺の状況もよくないので、悩みも心配も非常に大きなものでした。

しかし、わが人民は盤石《ばんじゃく》のごとくふみこたえて立ち上がり、党と国家が講じる措置を絶対的に支持してしたがい、自分たちの運命を頑強に守りぬいたばかりか、活気にみちてきびしい苦難と試練を剛《ごう》毅《き》にのりこえました。

たがいに相手のことを心配し、相手のためを思い、かばいあう心の美しい人民、このような人民が強い愛国心と自覚をもち、たがいに協力しあって暮らす社会主義でなかったなら、おそろしい災難を防ぐことはできなかったでしょう。

すべての人民がすすんで防疫の主体となって、国家と自分自身を守り、われわれの子どもたちを守るためのたたかいにこぞって決起したので、あらゆるものが不足し、たちおくれている国の防疫部門が立ち上がり、普通の国なら想像もできない防疫安定形勢を維持することができたのです。

まだ裕福に暮らせなくても、なかむつまじい大家庭をなし、ただ一人の悪性ウイルス被害者もなく、みなが健康であることが、どんなにありがたく、力になるのかわかりません。

国がおかれた困難な状況を深く理解し、自分の家のことのようにひきうけるありがたい人民も、世界にわが人民しかいないでしょう。

いまこの惑星に、苛酷で長期的な制裁のため、あらゆるものが不足している状況のもとで、非常防疫もおこない、ひどい自然災害も復旧しなければならないという途方もない挑戦と困難に直面している国はわが国だけです。

これらの試練はいうまでもなく、わが国の各家庭、各公民にとって重荷となり、痛みとなっています。

しかし、かえって家事より国事を優先させ、国家が直面している困難が一〇であれ、一〇〇であれともにたちむかい、誠実な汗と努力によってこの国をしっかり支えるありがたい愛国者が、ほかならぬわが人民なのです。

それで、わが党は、国情についてありのままに話せばいつも敢然として立ち上がる人民を信じ、人民に依拠してあらゆる国難を打開しているのです。

わが人民はつねにわが党をありがたがっていましたが、本当に感謝の挨拶を受けるべき主人は、ほかならぬ偉大なわが人民です。

わが人民は七五星霜、ひたすらわが党にしたがい、聖なる革命偉業を、自分の血と汗をおしみなくささげて守ってくれました。

もっとも困難で試練にみちた革命の道をふみわけてきたわが党が、この血のにじむ道のりを勝利と栄光によって織りなすことができた主な秘訣は、他ならぬわが人民が党を心から信頼し、したがい、わが党の偉業を守ってくれたからです。

つねに賢明な師となって知恵と英知、無限の力と勇気をあたえ、決死の覚悟で擁護し、誠意をつくして支持し、党の構想と路線を輝かしい現実にしてくれた歴史の全能の創造者である偉大なわが人民をぬきにしては、わが党の栄光に輝く七五年の歴史について一瞬たりとも考えることはできません。

党が大高揚を呼びかければ千里馬《チョンリマ》を駆《か》って呼応し、大建設の作戦を示せば速度戦をもってこたえ、党の決心を水火も辞せず無条件に実践する偉大な人民がつねにそばにいたがゆえに、わが党はいつも心強く、いかなる苦境にあってもこの地に奇跡の年輪をきざんでくることができたのです。わたしは、つきせぬ忠孝心と不屈の闘志、誠実な努力によってあらゆる試練をのりこえ、偉大な一〇月の祝日を勝利の壇上におしあげたわが人民の姿に、今後七五年でなく、七五〇年、七五〇〇年でも党にしたがい、守ってくれる天のごとき力を全身で感じています。

同志のみなさん。

天のようで海のようなわが人民のあまりにもあつい信頼をうけるだけで、ただの一度も満足にこたえることができず、本当に面目ありません。

わたしは、全人民の信頼を得て、金日成同志と金正日同志の偉業を継承して、この国を導いていく重責を担っていますが、まだ努力と真心が足りず、わが人民は生活上の困難を脱することができずにいます。にもかかわらず、わが人民はつねにわたしを信じ、わたしに絶対的な信頼を寄せており、わたしの選択と決心をすべて支持し、支えてくれています。

たとえそれがより大きな苦労を覚悟しなければならないものであっても、わたしとわが党に対する人民の信頼はつねに無条件的で確固不動のものとなっています。

このように強烈で、真心のこもった信頼と鼓舞激励は、わたしにとっていかなる名誉ともかえることができず、億万の富にも比べることのできないもっとも貴重な財産であり、恐怖と不可能を寄せつけない無限の力です。

この世のなんぴとも望むことのできない最上最大の信頼があったがゆえに、わたしは滅私奉仕の使命感と意志をかため、無数の挑戦に躊躇《ちゅうちょ》なくたちむかうことができたのであり、戦争をも覚悟しなければならない決死のたたかいにも臨むことができたのであり、史上はじめての大災難にも強く対処することができたのです。

このようなりっぱな人民につかえてたたかうことを無上の光栄に思います。

わたしは、わが人民の大いなる信頼を守る道で、たとえ全身がひき裂かれ、粉々になろうとも、その信頼だけは命をささげてでも無条件に守り、その信頼にあくまで忠実であることを今一度この場を借りておごそかに確言するものです。

尊敬する全国の人民とみなさん。

本当に、本当にありがとうございます。

金日成同志と金正日同志の心まであわせて、全国の人民に敬虔《けいけん》な気持ちで、感謝にみちる真心を丁重にささげます。

同志のみなさん。

わが人民をしっかり守り、より高くおしあげ、何うらやむことのない生活をいとなむようにさせるのはわたしとわが党の第一の使命であり、確固不動の意志です。

わが党はすでに、わが人民の尊厳であり生命である社会主義を固守し、わが人民が永遠に戦争を知らない地で子々孫々《ししそんそん》繁栄できるように、平和守護のための最強の軍事力をきずきあげました。

威風堂々と整列している今日の閲兵隊伍は、朝鮮労働党が自己の革命軍隊をいかに育成したかを、また、その軍隊の威力がいかに強いかを明確に示すでしょう。

わずか五年前、まさにこの場でおこなわれた党創建七〇周年慶祝閲兵式と比べてみると、誰もがよくわかるでしょうが、われわれの軍事力の近代性は大きくかわり、その発展速度は誰もが容易におしはかることができるでしょう。

われわれは、自分の党の革命思想で武装し、自分の革命の利益に全的に奉仕する忠実で、かつ強力な国防科学技術の大集団と軍需部門の労働者階級を有しています。

われわれの軍事力は、なんぴとも侮ったり肩をならべることができないほど発展し、変貌をとげました。われわれが直面しているか、直面しうるいかなる軍事的脅威も十分統制し管理できる抑止力を保有しました。

われわれの軍事力は、われわれの方式、われわれの要求どおりに、われわれの時間表どおりに、その発展速度と質、量がかわっています。

わが党は、わが国家と人民の自主権と生存権をおかしたり脅威をあたえうる勢力を先制して制圧できる軍事的能力をもっとも確実で、かつ強固な国防力として規定し、それを実践しうる軍事力を保有することに全力をつくしてきたし、いまこの瞬間にも不断の更新目標を達成しつつあります。

われわれは、敵対勢力によって持続的に増大する核の脅威をふくむあらゆる危険な企図と威嚇的行動を抑止し、統制、管理するために、自衛的正当防衛手段としての戦争抑止力をひきつづき強化していくでしょう。

国家の自主権と生存権を守り、地域の平和を守ることに寄与すべきわれわれの戦争抑止力がけっして濫用されたり、絶対に先制してつかわれることはないでしょうが、万が一、いかなる勢力であれ、わが国家の安全をおびやかし、われわれを標的にして軍事力を使用しようとするなら、わたしはわれわれのもっとも強力な攻撃的な力を先制して総動員して懲罰するでしょう。

わたしはけっして、われわれの軍事力が誰かを標的にすることを望みません。われわれは、誰かを標的にしてわれわれの戦争抑止力をつちかうものではないことを明らかにします。それは、ただわれわれ自身を守るためです。もし力がなければ、拳《こぶし》をふりあげても流れる涙と血をぬぐうしかないでしょう。

わが党は、強力な軍事力によって国の主権と領土の確固たる安全を保障し、国家と人民の永遠なる安寧と平和、未来を守っていくでしょう。

同志のみなさん。

朝鮮労働党の革命思想で武装し、祖国と人民に忠孝をつくし、わが人民の力と精神がこもった強力な最新兵器を装備した革命武力があるがゆえに、いかなる侵略勢力も絶対に神聖なわが国家を侮ることはできず、あえて朝鮮人民の行く手を阻むことはできません。

いまのこされた課題は、わが人民がこれ以上苦労をせず、裕福で文化的な生活を思う存分享受できるようにすることです。

わが党は、人民の福祉を増進させ、より多くの恩恵をあたえるすぐれた政策と施策をかわることなく実施し、たえず拡大していくであろうし、人民が夢にさえ思い描く復興、繁栄の理想社会の実現を最大限にはやめていくでしょう。

これまでわが党はきびしい苦難のなかで人民と運命をともにしながら、そしてわが人民の団結した力を体得する過程を通じて、今後われわれが何をなすべきかがよくわかりました。

朝鮮労働党第八回大会はその実現のための方策と具体的な目標を示すであろうし、人民の幸福をもたらすためのわが党のたたかいは近く新しい段階へと移行するでしょう。

われわれが立ち上がるほどあらゆる反動勢力はいっそう無謀にふるまって、予期しない困難に直面することもあるでしょうが、それはこれまでわれわれが経てきた試練に比べれば何でもなく、われわれにはそういったものをすべて粉砕《ふんさい》できる力があり、自信があります。

長きにわたる闘争の道のりでうちかためられた党と人民大衆の一心団結があり、われわれの社会主義が育てあげ、きずきあげた人材の集団と自立の土台は、間違いなくわれわれの前進をうながし、はやめる強力な力となるでしょう。

他人は経験していない無数の苦難と試練をのりこえながら、他人は考えることもできないようなことをなしとげたわが党と人民は、より大きな勇気と確信、ほとばしるような熱情と覚悟をもって新たな発展と繁栄にむけた進軍を開始するでしょう。

わたしは、すべての党組織と政府、政権機関、武力機関が、人民のために、人民によりよい明日をもたらすために尽力し、真心をつくして仕事をするよう、要求の度合いをさらに強めてたたかうようにします。

わが人民の理想は偉大であり、その理想が実現する日はかならず来ます。

偉大なその理想を実現することに総力を集中することによって、社会主義建設のより高い目標を達成する道で、誰もが体感できる革新と発展、実質的な変化をもたらすようにします。

同志のみなさん。

われわれは強くなり、試練のなかでいっそう強くなっています。

時間はわれわれの側にあります。

ともに、社会主義の輝かしい未来にむけて、新たな勝利を得るために力強く前進しましょう。

終わりに、全人民が無病息災であってくれたことに対して今一度感謝の挨拶をささげます。

そして、かわることなくわが党に信頼を寄せてくれる真情に、心から感謝をささげます。

偉大なわが人民万歳。

朝鮮労働党第八回大会における開会の辞

二〇二一年一月五日

親愛なる代表者のみなさん。

われわれの数百万の党員が愛国忠誠の心を燃やし、真心をつくして準備し、待ちこがれていた朝鮮労働党第八回大会は、朝鮮革命の発展においてきわめて重要かつ責任重大な時期に招集されました。

わたしはまず、代表者のみなさんと全党の党員、全国の人民と人民軍将兵のかぎりない忠誠心をこめて、朝鮮労働党の創立者、建設者であり、わが党と国家と人民の永遠なる領袖である金日成主席と金正日総書記にもっとも崇高な敬意と最大の栄光をささげます。

代表者のみなさん。

第七回党大会で確定された社会主義建設の当面の目標と任務を遂行するため、わが党と全人民が新しい進軍をはじめたときから五年の歳月が流れました。

この期間、いまだかつてなかった最悪中の最悪がつづいた難局は朝鮮革命の前進に大きな障害をもたらしましたが、わが党は自分の闘争綱領を実現するための頑強で正確な実践行動をもって大きな勝利をおさめました。

総括期間にいっそう強化されたわれわれの主体的な力といちだんと高まった国の対外的地位は、社会主義建設の新たな高揚期、壮大な激変期が到来したことをはっきりと示しています。

昨年八月に開かれた党中央委員会第七期第六回総会は、革命発展の新たな推移と当時の主客観的情勢の要求を深く分析、判断し、今回の党大会の招集を決定しました。

いまの困難な状況で党大会を招集するのは、内外情勢の変化、発展におよぼす影響からしても、社会主義政権党であるわが党の闘争展望からしても、大きな意義をもつ特記すべき政治的できごとです。

党大会の招集に関する歴史的な決定が公表されると、全国の人民は大きな感激につつまれて熱烈に支持し、われわれの偉業を敵視しさまたげようとするあらゆる反動勢力は甚大な打撃をうけました。

それは、党の最高会議の招集そのものが革命を勝利のつぎの段階に導いていこうとする朝鮮労働党の確固たる自信のあらわれであり、国家の将来を担って自己の責務をりっぱに果たすことによって、人民の大いなる信頼と期待にこたえようとする強烈な意志、厳粛な誓いとなるからです。

わが党中央委員会は、朝鮮労働党第八回大会を活動する大会、闘争する大会、前進する大会にするということを全世界に明らかにしました。

これは、総括期間の中央委員会の活動を厳正に総括し、朝鮮式社会主義の建設で新たな勝利を得るための正確な闘争方向と任務を今一度確定し、そのための実際の対策を講じるということを党員と人民に対し約束したものです。

この五年間の苦難と栄光にみちた闘争の道のりで、わが党が革命闘争と建設事業においておさめた成果はけっして少ないものではありません。

第七回党大会以後、五〇〇〇年の民族史に特記すべき奇跡的な勝利とできごとをもたらすことによって、祖国と人民の運命をとわにたのもしく守ることのできる強力な保証を手にするとともに、経済建設を促進し、人民生活を向上させうる一連の有意義で貴重な成果と土台もきずきました。

しかし、国家経済発展五ヵ年戦略の遂行期間は昨年までに終わりましたが、ほとんどすべての部門がかかげた目標を甚だしく達成できませんでした。

社会主義建設でたえまない新たな勝利をおさめるためにたたかうわれわれの努力と前進をさまたげ

阻害するさまざまな挑戦は、外部にも内部にも依然として存在しています。

現在の折り重なる困難をもっとも確実に、もっともはやく突破する妙策は、まさにわれわれ自身の力、主体的力量を全面的に強化するところにあります。

欠点の原因を客観にではなく主観に求め、主体の役割を強めてすべての問題を解決する原則から出発して、今回の党大会では、総括期間の経験と教訓、誤謬《ごびゅう》を全面的にほりさげて分析、総括し、それにもとづいてわれわれが遂行できる、またかならず遂行すべき科学的な闘争目標と闘争課題を確定する予定です。

われわれにはこれまでの成果も貴重ですが、同時に蓄積したにがい教訓もきわめて貴重なものです。これらすべては金銭をもってしても買えないものであり、今後の新たな勝利のための貴重な元手となります。

われわれは、血と汗をもって得た勝利と成果はいっそう奨励し、拡大、発展させ、失敗は教訓化しくりかえさないように予防しなければなりません。

とくに、そのまま放置しておくとより大きな障害、ネックとなる欠点を思いきって認め、二度とそのような弊害がくりかえされないように断固たる対策を講じなければなりません。

今回の党大会はこのような胆力と信念にもとづいて開かれました。

第八回党大会が闘争の大会としてその活動を着実にすすめ、正しい路線と戦略戦術的方針をうちだすならば、朝鮮革命は新たな飛躍期、高揚期を迎えることになるでしょう。

また、この大会を分水嶺《ぶんすいれい》にして、国家の復興、発展と人民の幸福のための朝鮮労働党の闘争は新たな段階へ移行することになるでしょう。

代表者のみなさん。

党中央委員会は、今回の大会を活動する大会、闘争する大会、前進する大会にする準備を着実にすすめるためにこの四か月間つぎのような活動に主力をそそぎました。

まず、第七回党大会の決定の実行状況を全面的かつ立体的に、細部にわたって分析、総括し、今後の前進と発展のための経験と教訓をくみとる活動をおこないました。

そのために党中央委員会は、非常設中央検閲委員会を設置し、下部に派遣して実態を把握し、現場で働く労働者、農民、知識人党員の意見を真摯《しんし》に聞くようにしました。

実態調査は、グループを各道に派遣して実態を把握させたうえで、各省、中央機関に方向別、部門別に派遣して電撃的に、全面的に、具体的におこなうようにしました。

実態調査グループは、第七回党大会の決定の貫徹でおかしたあやまりは何か、十分できることもせずにおこたったのは何か、実利的におこなったのは何で形式的におこなったのは何か、間違ったことがあればその原因は何か、党の指導において欠点は何かといったことをはじめその真相を解剖学的に調べました。

党大会の準備期間、党中央委員会の各部署と全国の党組織は、この五年間の活動状況を総括した資料とともに、今後の闘争目標と計画に関する革新的かつ具体的な意見を党中央委員会政治局と大会準備委員会に提出しました。

この過程でわれわれは、大衆こそりっぱな師だという貴重な真理を今一度確認し、党大会の準備をすすめながら党組織と党員の意見を広く聞くようにしたのがまったく正しかったということを確信しました。

このような活動は、われわれの党大会が名実ともにすべての党員の総意を反映させた革命的大会、戦闘的大会となり、今後採択される党大会の決定が全党の組織的意思となるようにするうえで重要な意義をもちました。

党大会の準備活動の一環としてこの五年間の党の財政活動を分析、総括し、改善対策を研究する活動もおこないました。

また、わが党の規約で、以前の古いもの、他人のものを機械的に踏襲して現実とかけ離れていた諸問題を、発展する革命の要請と主体的な党建設原理に即して是正するための深みのある研究をおこないました。

これとともに、第七期党中央指導機関のメンバーの活動状況を全面的に検討し、党の強化、発展と革命活動にどれほど寄与したかを評価しました。

党大会を控えて全党的に、基層党組織と道・市・郡党委員会、同等の機能を果たす党委員会で指導機関の活動総括を着実におこない、今後党大会の決定の貫徹において中核的役割を果たしうる党員を基本にして党大会の代表者を選出する党会議も成功裏におこなわれました。

朝鮮革命の新たな闘争の道を示す第八回党大会のために、全党の党員と全国の人民は正面突破戦の意気高く党創立七五周年を大慶事として輝かせ、忠誠の「八〇日間戦闘」に総決起し、めざましい成果を達成して党大会が成功裏に開催されることを保障しました。

党大会をまえにした尊厳ある自己の党に栄光と力を添えるために誠意と努力をつくしたわが党員と人民の高い政治的熱意は、いまの世界ではどこにもみられない強い革命性のあらわれです。

非常に困難をきわめた昨年の一年間、かつてなく長引いている史上初の世界的な保健危機のなかでも難関を果敢《かかん》にのりこえながら防疫活動で全人民的な自発的一致性を堅持し、それを愛国的義務として防疫の安定的形勢を一貫して保障し、自然災害復旧闘争にこぞってたちあがって全国各地に二万余世帯のりっぱな住宅を新しく建設した功績は、わが党の戦闘記録集にいま一つの誇らしいページをのこしました。

この他にも、全国各地の多くの戦域でわれわれの党員と各階層の勤労者は、貴重な数々の成果が記録された戦闘成果報告書を党中央委員会に送ってきました。

わたしは、幾多の困難をのりこえる苦難にみちた闘争のなかで、党のまわりに盤石《ばんじゃく》のごとく結集した団結の威力をいっそう強く発揮し、燃えるような愛国献身と偉大な勝利をもって第八回党大会をしっかり守った全党の党員と全国の人民、人民軍将兵に心からの謝意と戦闘的な挨拶を送ります。

そして、栄えあるこの席を借りて、総聯（在日本朝鮮人総聯合会）をはじめとする海外同胞組織とすべての海外同胞にあたたかい挨拶を送ります。

わたしは朝鮮労働党第八回大会の名で、党の強化、発展と祖国の富強、繁栄のために、人民の幸福と子孫の未来のために貴い命をおしみなくささげた革命同志たち、ここに参加できなかった忘れえぬ戦友たちを敬虔《けいけん》に追憶しながらすべての愛国烈士に崇高な敬意を表します。

親愛なる代表者のみなさん。

いまわれわれは、このうえなく光栄で聖なる使命を担い、きわめて重要で責任重大なときに意義深いこの大会場に集まりました。

白頭《ペクトゥ》できり拓かれたチュチェの革命偉業を今一度新たな勝利へと飛躍させる偉大な転機、栄えある朝鮮労働党の七五年の執権の歴史を八〇年へとしっかりつなぐ決定的な時期にたっており、数百万の朝鮮労働党員と数千万の朝鮮人民の運命と未来、英知と知恵を代表してこの場に列しました。

きびしい挑戦と不安定がつづくこの世界で、わが朝鮮をもっとも強大で裕福な道に導き、わが人民に幸福をたぐり寄せる早道をさし示すべき重い任務がわれわれに負わされています。

いま、この五年間の革命活動を総括し、新しい道をきり拓くための闘争路線と戦略戦術的方針を確定する本大会に対する全党の党員と全国の人民の関心と期待、熱望は非常に大きくあついものです。

つねに党と運命をともにし、党を絶対的に信頼してしたがい、おしみない献身と努力をもって第八回党大会を守った人民の大きな信頼と期待にかならずこたえるために、われわれは大会の活動で最大の責任感と熱情を発揮すべきでしょう。

本大会には、第七期党中央指導機関のメンバー二五〇名と全党の各級組織から選出された代表者四七五〇名が参加しました。

代表者の構成をみると、党および政治活動家の代表一九五九名、国家行政、経済部門の活動家の代表八〇一名、軍人の代表四〇八名、勤労者団体の活動家の代表四四名であり、科学、教育、保健医療、文学芸術、出版報道部門の活動家の代表三三三名、現場で働く中核党員の代表一四五五名です。

代表者のうち女性は五〇一名で一〇%です。

大会にはまた、オブザーバーとして二〇〇〇名が参加しました。

朝鮮労働党の聖なる歴史において八回目となる今回の大会のすべての参加者を代表して、本大会が偉大な金日成同志と金正日同志の革命思想と偉業に徹底的に忠実であることを厳粛に誓いつつ、本大会がわが党の強化、発展と社会主義偉業の遂行において、国力の強化と人民の生活向上のための闘争において画期的な飛躍をもたらす踏み台、歴史的な里程標になるものと確信しつつ、すべての代表者の真摯で、責任的かつ積極的な参加を望みつつ、朝鮮労働党第八回大会の開会を宣言します。

朝鮮労働党第八回大会でおこなった中央委員会の活動報告

二〇二一年一月五日～七日

わが党と革命の発展において重大な政治的できごととなる朝鮮労働党第八回大会では、二〇二一年一月五日から七日にかけて、第七期党中央委員会の活動を総括する報告がおこなわれた。朝鮮労働党委員長、朝鮮民主主義人民共和国国務委員長、朝鮮民主主義人民共和国武力最高司令官である、わが党と国家、武力の最高指導者、金正恩同志が党中央委員会の活動報告をおこなった。

金正恩同志は九時間にわたる報告で、第七期党中央委員会の活動状況を全面的に深く分析、総括し、社会主義建設の画期的前進のための新たな闘争路線と戦略的、戦術的方針をうちだし、祖国統一偉業と対外関係を進展させ、党活動を強化、発展させるための重要な課題を提起した。

党中央委員会の活動報告は、当面の対内外の形勢のもとで、われわれの前進をさまたげる主客観的要因と深刻な欠陥を認め、党と国家活動全般を革新し、社会主義偉業を勝利のつぎの段階へと移行させるうえで提起される明確な闘争課題と方途を明示した偉大な実践綱領である。

現段階における朝鮮革命の進路を明示した第七期党中央委員会の活動報告の真髄は、われわれみずからの力、主体的力量を全面的に強化して現存する脅威と挑戦を果敢に突破し、朝鮮式社会主義の建設において新たな飛躍を実現し、確実な前進をとげなければならないということである。

わが党の卓越した思想理論が集大成されている活動報告は、わが国の繁栄、発展と人民の幸福のための新たな段階の闘争過程でとらえていくべき戦闘的旗じるしであり、チュチェ偉業の歴史的根源とこんにちや未来をしっかりとつなぐ革命的文献である。

自己の偉業の正当性と勝利を確信してきびしい闘争の各年代を屈することなく力強くつないでいく道のりで、朝鮮式社会主義の全面的発展をとげるための綱領的指針をうけたことは、わが党と人民のこのうえない光栄であり、大きな鼓舞となる。

朝鮮労働党中央委員会第七期活動報告は、つぎのような体系で構成されている。

一　総括期間におさめられた成果

二　社会主義建設の画期的前進のために

三　祖国の自主的統一と対外関係の発展のために

四　党活動の強化発展のために

金正恩同志は党中央委員会の活動報告の序論で、朝鮮労働党第七回大会が付与した重大かつ栄誉ある使命を果たすために党中央委員会が総括期間におこなった指導活動について、概括的に言及した。

党中央委員会は、党総会をはじめとする主要党会議を定期的におこなって第七回党大会の決定を貫徹するための時宜を得た対策と措置を講じ、その実行へと全党、全国、全人民を積極的にふるいたたせて大きな成果をおさめた。

報告では、きびしい対内外の形勢のなかで経済活動をはじめとする各分野の活動に深刻な欠陥があらわれたが、これは新たな発展段階、社会主義偉業の前進過程にあらわれた偏向であり、われわれの知恵と力で十分是正し解決できる問題であると指摘した。

一、総括期間におさめられた成果

金正恩同志は報告の第一の体系で、総括期間に、わが党と人民がおさめた大きな成果について誇り高く総括した。

第七回党大会以降の五年間、朝鮮労働党は遭遇するすべての障害を大きな勝利に転じるための不屈の攻撃闘争を組織、展開し、この過程に獲得した勝利は新たな発展の時代、わが国家第一主義の時代を開いたことで特徴付けることができる。

報告で言及されたように、わが国家第一主義の時代は、朝鮮労働党が歴史のあらゆる挑戦に敢然とたちむかって人民のために一意専心し、みずからの力を頑強に増大させた結果によって、国家の尊厳と地位を高めるための決死のたたかいの結果によって誕生した自尊と繁栄の新時代である。

報告ではまず、総括期間に、人民大衆第一主義政治を具現する過程でおさめられた成果について総括した。

第七回党大会の決定を貫徹するためのこの五年間の闘争でおさめられたもっとも輝かしい成果は、朝鮮革命の第一の原動力である政治的思想的力がかつてなく拡大、強化されたことである。

党中央委員会は総括期間に、人民大衆第一主義政治を党の存亡と社会主義の成敗を左右する根本問題、基本的政治方式として前面におしたて、強力に一貫して実施することで、党と人民の一心団結をいっそう磐石《ばんじゃく》のごとくうちかためるうえで、社会主義偉業の主体を強化しその役割を強めるうえで、明確な成果をおさめた。

「すべてを人民のために、すべてを人民大衆に依拠して！」、これは総括期間に、党中央委員会が一寸のちがいも、いささかの譲歩もなく堅持した指導思想の中核であった。

党中央委員会は、人民大衆第一主義を党と国家の活動に徹底的に一貫させるための活動を力強くおしすすめる一方、その実現で障害となるあらゆる反人民的要素を排除する闘争を中断することなくおこなった。

報告では、党中央委員会が人民大衆第一主義を国家の強固な政治風土や党風、国風として定着させるための用意周到な政治攻勢を展開したことについて分析した。

政治思想陣地を強化するための党中央委員会の活動において特別な意義をもつのは、チュチェの革命偉業の継承期、発展期の要求に即して革命伝統教育をより強くおこなったことである。

白頭《ペクトゥ》の革命伝統でしっかりと武装し、その偉大な伝統にもとづいた不屈の攻撃精神、パルチザン精神をもって難局を打開し、開拓路をきり拓く全党的全社会的な気風を確立したこと、そうして朝鮮革命家の貴い闘争精神と気質が確固と継承されるようにしたことは、総括期間におさめた重要な成果の一つである。

党中央委員会は、情勢の要求と党の意図、革命課題を党員と人民にくわしく知らせ、力強い闘争へと決起させる政治活動を適時に、活発におこなった。

革命発展の原動力を人民大衆の心のなかに探しだし、大衆の心に火をつける人民大衆第一主義政治の威力は、立ちはだかる難局と情勢の変化に対処して人民の精神力と創造力を最大に発揮させるうえで集中的にあらわれた。

報告では、党と国家のすべての活動が人民に対する献身、奉仕で徹底的に一貫したことについて指摘された。

党は路線と政策を樹立しそれを施行するにあたって、人民の切実な生活上の要求と意思を尊重し、すべての生産と建設を人民の便宜をはかることを第一とし、人民の反応と評価を基準にしておこなうようにする原則を一貫して固守し、すべての党組織と国家機関が人民のために献身する気風を強く発揮するように特別な力をかたむけた。

党中央委員会が人民軍を軍事的脅威だけでなく、突発的な非軍事的脅威からも祖国と人民を鉄壁のように守る国家防衛の主体、真の人民の軍隊としての使命と本分をまっとうするようにしたことは、人民大衆第一主義政治の重要な構成部分となった。

党中央委員会は、全党の党組織が生活上の曲折を経たり、苦労している人たちを心から助け、真に導くようにして、わが社会を一つの大家庭に団結させるうえで貴重な成果をおさめた。

信頼と献身、報恩と信義にみちた朝鮮労働党の人民大衆第一主義政治によって、朝鮮革命の政治、思想の陣地が強固になり、いかなる障害と挑戦もきりぬけられる不可抗力的な力が蓄積され、人民大衆中心の朝鮮式社会主義の優越性と生命力ははっきりと実証された。

報告では、情勢がいかにきびしく難関が折り重なっても、そして内在する欠陥があるとしても、人民大衆第一主義政治をしっかりと具現すれば、不利なすべての主客観的要因を十分克服し、社会主義建設で提起される膨大な課題を容易に解決できるということが総括期間に再実証された貴重な哲理であると強調した。

金正恩同志は報告で、朝鮮労働党と人民が総括期間に、みずからの力を増大させるための闘争でおさめた成果について総括した。

第七回党大会の決定を貫徹するための朝鮮労働党と人民の闘争は、自力更生を自尊と自強の生命線、強力な発展の原動力としてとらえ、折り重なる難関をのりこえて社会主義建設の新たな活路をきり拓くための積極的な攻撃戦であった。

第七回党大会が強調した自力更生の精神とその実現のための闘争方針は、各党総会でより深く具体化されて実践に具現され、この過程で朝鮮労働党の自力更生の戦略は、敵の卑劣な制裁策動を自強力の増大、内的原動力の強化の絶好の機会に反転させる攻撃的な戦略、社会主義建設において恒久的に堅持すべき政治路線として深化発展した。

自強力を増大させて社会主義建設をうながすための全人民的な闘争のなかで、自力更生はチュチェ朝鮮の国風、朝鮮革命の唯一無二の闘争精神としていっそう強固になった。

報告では、経済建設分野で予定した戦略目標に到達できなかったものの、今後、自力で経済発展を持続させていける大切な元手がもたらされ、ここで有意義な成果は、朝鮮式社会主義の存立の物質的基礎であり、生命線である自立的民族経済、社会主義経済の基盤を堅持し、その命脈を守りぬいたことであると指摘した。

党中央委員会は、経済活動に対する国家の統一的指導と戦略的管理を強化するための革命的措置をとり、経済分野で社会主義の原則をしっかりと守るようにすることで、経済全般を再整備し、強化、発展させていくことのできる新たな潜在力を蓄積した。

総括期間中、党は建設事業を、全般的国力を向上させ、人民を社会主義文明へ先導する重要な政治的活動として重視し、力強くおしすすめて国の面貌を一新させた。

農業部門では、例年にない旱魃《かんばつ》と大水があいつぎ、あらゆるものが不足するなかでも、科学的農業、多収穫の熱風を強くまき起こして穀物生産量をかつてなく高めるという成果をおさめた。

自立経済の二本柱である金属工業と化学工業部門ではチュチェ化、自立化の実現のための突破口が開かれ、電力や石炭、機械、鉄道運輸部門をもりたて、情報通信分野を発展させるための技術準備と土台の構築においても一連の成果がおさめられた。

軽工業部門では主要工場や企業を改造して一般消費財の質と生産量をいちじるしくふやせる潜在力を確保し、水産部門では生産を系統的に成長させることのできる土台をきずいた。

国の山林資源をふやすための全国家的、大衆挙げての闘争によって一〇〇余万ヘクタールの山林が新たに造成され、治山治水と国土環境保護、都市経営活動に必要な陣容と手段がもたらされた。

科学技術分野では、国家重点対象の課題をふくむ価値ある科学技術上の成果と発明がもたらされ、教育部門では教育の内容と方法を革新し、教育条件と環境を改善するための活動が力強くおしすすめられた。

保健医療部門の物質的技術的土台がいっそう強固になり、世界的に大流行している感染症を予防するための先制かつ強力な非常防疫活動を通じて、衛生防疫部門に整然とした活動体系と土台が構築された。

スポーツを科学化し、スポーツ熱風をまき起こすための積極的な活動が展開され、国家的な災害防止と危機管理体系を確立するための活動がすすめられて、自然災害をはじめとする各種の災難に機動的に対処できるようになった。

みずからの力をたえまなく増大させるためのこの五年間のたたかいでおさめた成果は、長期にわたる極悪な制裁、封鎖とひどい災難のなかで自力でなしとげたものであるため、平穏な時期の経済建設の数字とは比べられない数十倍の強力な奮発力、発展力の結実であり、難関をのりこえて蓄積した自強力があるため、社会主義強国をめざしてすすむわが党と人民の荘厳な進軍は、より大きな幅と深さをもってより勢いよく加速するだろう。

金正恩同志は報告で、国家の核戦争抑止力と自衛的国防力を強化するための闘争でおさめた成果について言及した。

朝鮮労働党と人民にとって国家核武力建設の大業を完成するのは、われわれの理想である強力な社会主義国家建設の道のりでかならず優先的に達成すべき戦略的かつ支配的目標であった。

世界初の核使用国であり、戦争の首魁《しゅかい》である米国によって国土と民族が分断し、この侵略勢力と世紀をまたいで長期的に直接対峙している朝鮮革命の特殊性と朝鮮の地政学的特性は、人民の安泰と革命の運命、国家の存立と自主的発展のためにすでにはじめた核武力の建設を中断することなく強行推進することを求めた。

金正恩同志を首班とする党中央は、核武力建設大業の完成のための強行突破戦を作戦し、全党と全人民を並進路線の貫徹にふるいたたせるとともに、国防科学者と核科学者を真の革命家、愛国者、決死隊として準備させるための一大思想戦を展開した。

祖国と民族の運命をかけて党中央がおこなった精力的かつ卓越した指導活動は、朝鮮労働党式の戦略兵器の誕生をもたらす奇跡の歴史を開いた。

報告では、核武力の近代化目標の達成を志向した完全に新しい核能力をそなえるための革命的な大転換を主導した歴史的過程について詳細に言及した。

党中央の直接の指導のもとに「火星砲」系列の中距離、大陸間弾道ロケットと「北極星」系列の水中および地上発射弾道ロケットが特有の作戦的使命に即して朝鮮式に生まれたことは、核保有国としてのわが国の地位に対するより明確なイメージをあたえ、完全無欠の核の盾を構築し、いかなる脅威にも対応できる強力でたのもしい戦略的抑止力をうちかためていくようにした。

総括期間中、すでに蓄積された核技術がより高度化されて核兵器を小型軽量化、規格化、戦術兵器化し、超大型水爆の開発が完成し、二〇一七年一一月二九日、党中央委員会は大陸間弾道ロケット「火星砲15」型の試射の大成功によって、国家核武力完成の歴史的大業、ロケット強国偉業の実現を全世界に誇り高く宣言した。

既存の常識では二〇～三〇年かかってもなしとげられない国家核武力建設大業の完成を、経済建設と核武力建設の並進路線が提示されてから四年で、そして第七回党大会がおこなわれてから一年でりっぱに実現したのは歴史にまたとない奇跡であり、第七期党中央委員会が党と革命、祖国と人民に対し、次代に対してたてたもっとも意義ある民族史的功績である。

党中央は、歴史的な二〇一七年一一月の大事変以降も、核武力の高度化のためのたたかいを中断することなくねばり強く導いて、新たな大勝利をおさめた。

報告では、党中央がより強力な核弾頭と弾頭制御能力が向上した全地球圏打撃ロケットの開発を決心し、この歴史的課題を国防科学者の愛国忠誠心に依拠してりっぱに貫徹したことについて指摘し、朝鮮労働党創建七五周年慶祝閲兵《えっぺい》式で一一軸自走発射台車に装着されて公開された新型の巨大なロケットは、われわれの核武力が到達した最高の近代性と打撃能力をあまねく誇示したと確言した。

国家核武力建設大業の完成と持続的な発展は、金正恩同志を首班とする党中央委員会の組織指導力の勝利であると同時に、不屈の自主の信念と強靭な精神をもって不死鳥のような闘争を展開してきた国防科学者とすべての朝鮮人民の偉大な勝利である。

報告では、総括期間、敵のヒステリックな軍事力増強策動に対処し、国防科学部門で新たな先端兵器システムをあいついで開発、完成するようにして、わが国の軍事技術的強勢を不可逆的なものにし、戦争抑止力、戦争遂行能力を最高の境地にひき上げたことについて総括した。

国防科学部門では、世界の兵器分野で概念さえもなかった超強力多連発攻撃兵器である超大型ロケット砲を開発、完成し、常用弾頭の威力が世界を圧倒する新型戦術ロケットと中長距離巡航ミサイルをはじめとする先端核戦術兵器をつぎつぎと開発することによって、たのもしい軍事技術的強勢を確保した。

国防科学者と軍需工業部門の労働者は、世界的な発展推移に追いつく朝鮮式の主力戦車の開発方向を正しく定めて生産工程を一新し、その新たな発展軌道にのりはじめ、対空ロケット総合体、自走平曲射砲、対装甲兵器を世界的水準で開発するという成果もおさめた。

報告では、総括期間中、国防科学研究部門では多弾頭個別誘導技術をさらに完成するための研究が最終段階にはいっており、新型弾道ロケットに適用する極超音速滑空飛行戦闘部をはじめとするさまざまな戦闘的使命をもつ弾頭の開発研究を終え、試験製作にはいるための準備をおこなっていることについて指摘した。

また、中型潜水艦武装の近代化目標の基準を正確に設定し、モデル改造して海軍の現存の水中作戦能力をいちじるしく向上させうる確固とした展望を開き、新しい原子力潜水艦の設計、研究が終わって最終審査段階にあり、各種の電子兵器、無人打撃装備と偵察探知手段、軍事偵察衛星の設計を完成したことについて、そして、わが軍隊を世界最強の軍事力を保有する強兵に飛躍させるうえで大きな意味をもつ国防研究成果をおさめたことについて誇り高く公開した。

報告では、国防科学部門、軍需工業部門でとげられた飛躍的発展は、われわれの国家防衛力を世界の前列に堂々と立たせると同時に、全般的朝鮮革命を上昇させるための党中央の戦略的構想を実現するうえで大きな意義をもつと評価した。

報告では、総括期間中、人民軍を最精鋭化、強兵化するための活動において大きな進展がとげられたことについて総括した。

党の指導のもとで人民軍は、祖国防衛と社会主義建設の二つの戦線で偉勲をたて奇跡を生みだし、自己の革命的本分を忠実に遂行するとともに、もっとも先鋭かつ峻厳であったこの五年間、鉄壁の警戒勤務と戦闘動員態勢をもって祖国の領土、領空、領海をたのもしく守り、敵の挑発脅威を断固として制圧し、社会主義建設の平和的な環境を守った。

総括期間中、党中央委員会は国家核武力建設の大業をりっぱに完成し、国家防衛力の強化において大きな変革をもたらすことによって、わが国を名実ともに世界的な核強国、軍事強国に浮上させ、諸大国がわが国と民族の利益をほしいままに駆け引きしようとしていた時代を永遠に終わらせた。

わが人民と次世代が、尊厳ある強大な国で永遠に戦争の惨禍を知らず、繁栄と幸福を思う存分創造できるようにしたのは、金正恩同志を首班とする第七期党中央委員会が党大会の決定貫徹においておさめたもっとも意義深くて誇り高い大勝利である。

金正恩同志は報告で、総括期間中、共和国の対外的地位が飛躍的に向上したことについて総括した。

党中央委員会は、並進路線の偉大な勝利をおさめて以降、積極的な対外活動を展開してわが国の尊厳と地位を高い境地におしあげた。

米国の常軌を逸した攻勢とそれに追随する勢力の必死の圧迫、封鎖策動によって、総括期間中、わが共和国をめぐる対外環境は建国以来、かつてなくきびしかった。

最悪の形勢のなかで党中央委員会は、自主的芯をより強く堅持しながら国の最高の利益と尊厳をおかそうとするいかなる企図も断固排撃し、革命的原則をいささかも譲歩しなかった。このことは共和国の自主権はいかなる者も侵害できず、自主権の尊重をぬきにした共和国との関係改善は絶対にあり得ないということを全世界に知らしめた。

党中央委員会は、大胆な路線転換と攻撃的な戦略で国際社会が共感する平和の気流を醸成《じょうせい》して対話の雰囲気をつくりだし、共和国の国際的地位を高めるための霊妙な対外活動を策定、指導した。

報告は、わが党が長い歴史的根源をもつ特殊な朝中関係の発展に優先的に力を入れることで、中国との親善関係を新世紀の要求に即して発展させ、社会主義を中核とする朝中親善関係の新たなページを開いたことを強調した。

共同の偉業のための闘争で切り離しがたい一つの運命で結ばれた朝中両党、両国人民の兄弟のような友情と団結をひきつづきつないでいくべき時代の要求から、党中央は、五回にわたる朝中首脳会談を通じて戦略的意思疎通とたがいの理解を深め、両党間の同志としての信頼をあつくすることで、朝中関係を新たに強化発展させるための確固とした保証をもたらした。

また、伝統的な朝ロ関係の新たな発展を重視し、両国間の友好協力関係を発展させるための対外活動をおこなって、ロシアとの親善関係を拡大発展させるための礎石《そせき》をきずいた。

キューバとの平壌《ピョンヤン》首脳対面とベトナムとのハノイ首脳対面を通じて、社会主義偉業の実現をめざす共同闘争で結ばれ、実証された二国間関係をいっそう同志的な関係、戦略的関係に昇華、発展させることによって、社会主義諸国との団結と連帯をいちだんと強化した。

党中央委員会がおこなった積極的な対外活動は、国際的範囲で社会主義偉業を強力に促進し、自主と正義、平和守護の新たな政治の流れを主導していくわが党と国家の地位と威信を大きく誇示した。

党中央委員会は総括期間中、朝米間の力関係を劇的に変化させて、わが国の尊厳と地位をあまねく誇示した。

敵対的な朝米関係史上、はじめて開かれた両国最高首脳の直接会談で党中央は、強い自主的芯をもって新たな朝米関係の樹立を確約する共同宣言を成立させた。

超大国を相手にして自己の自主的利益と平和と正義を守る共和国の戦略的地位を全世界に誇示した数回にわたる朝米首脳会談は、世界の政治史に特筆すべきできごととなった。

党中央委員会は総括期間中、わが人民の透徹した自主精神と共和国が蓄積した偉大な力にもとづいて、わが共和国の戦略的地位を大きくおしあげた。このことは朝鮮労働党の尊厳と権威、偉大な朝鮮人民の地位を象徴している。

報告では、領土や人口もさほど大きくなく、帝国主義反動勢力の四面包囲のなかにある共和国の対外的地位で飛躍的な向上という変化が生じたのは、党と人民が長期間の苦難にみちた闘争によってもたらした貴い結実であり、ひたすら自分の党の路線と政策を絶対的な真理として信じてしたがい、困難できびしいほど党のまわりによりかたく結集した人民の偉大な団結が生んだ大きな歴史的奇跡であると強調した。

二、社会主義建設の画期的前進のために

社会主義建設でたえまない新たな勝利をかちとるための正確な闘争方向と任務を明白に確定し、そのための実際の対策を講じることは、第八回党大会がかかげた重要な課題である。

金正恩同志は報告の第二の体系で、総括期間中、経済、文化建設と国防建設、国家社会管理、勤労者団体の活動状況について欠陥と教訓を主として分析、総括し、今後の新たな前進と発展のための重要な課題を提起した。

金正恩同志はまず、国家経済発展五ヵ年戦略の遂行状況と新たな展望計画に対する厳正かつ詳細な分析をおこなった。

報告では、きびしい対内外情勢が持続し、予想外の挑戦が重なるにつれて経済活動を革命的に改善できなかったことから、国家経済の成長目標を甚だしく達成できず、人民の生活向上において明確な進展がとげられなかった結果がきびしく総括され、各部門に山積している不振状態とその原因につい

て指摘した。

国家経済発展五ヵ年戦略の遂行に影響をおよぼした主客観的要因を分析しながら、まず客観的要因として米国と敵対勢力が強行した最悪の野蛮な制裁、封鎖策動をあげた。

その他、毎年こうむったひどい自然災害と昨年発生した世界的な保健危機の長期化も、経済活動において深刻な障害になったと分析した。

そのため、国家経済発展五ヵ年戦略において主要経済部門をもりたてるために予定していた国家の投資と保障活動が円滑に実行されなかったと言及した。

報告では、客観的条件にかこつければ何事もできず、主体の作用と役割が不要になり、不利な外的要因がなくならないかぎり、革命闘争と建設事業をおしすすめることはできないという結論に達することになると深刻に指摘し、総括期間中、国家経済発展五ヵ年戦略の遂行が未達成となった原因に関する党中央委員会としての分析と評価をくだした。

党中央委員会は、国家経済発展五ヵ年戦略が科学的な見積もりと根拠にもとづいて明確に作成されず、科学技術が実際に国の経済活動を牽引する役割を果たせず、不合理な経済活動体系と秩序を整備、補強するための活動が順調に推進されなかった実態を分析した。

報告では、いままで蔓延してきたあやまった思想観点と無責任な活動態度、無能力をそのままにしては、そしていまのような旧態依然とした活動方式をもってしては、いつになっても国の経済をもりたてることができないという総体的な教訓に言及した。

党と国家の活動全般を、めざましい革新、大胆な創造、たえまない前進を志向し、奨励する方向へ確固として転換し、われわれの前進をさまたげる古い活動体系と不合理かつ非効率的な活動方式、障害物を断固ととりのぞくための措置を講じるべきであると強調し、報告はこうすることによってのみ、今後達成すべき国家経済の展望目標をはじめとする社会主義建設をめざすわれわれのたたかいを、人民に実際の福利をもたらす偉大な革命活動にすることができると言明した。

報告では、今後の五年間の経済分野における闘争戦略を明示した。

現段階において、わが党の経済戦略は整備戦略、補強戦略であり、経済活動体系と部門間の有機的連携を復旧、整備し、自立的土台をかためるための活動をおしすすめて、われわれの経済をいかなる外部の影響にも左右されることなく、円滑に運営される正常な軌道に乗せることを目的としていると強調した。

国家経済発展五ヵ年計画の総体的方向は、経済発展のキーポイントに力を集中して人民経済の全般を活性化し、人民の生活を向上させるための強固な土台をきずくことである。

新たな五ヵ年計画の中心的課題は、金属工業と化学工業をキーポイントとしてとらえて投資を集中して、人民経済の各部門で生産を正常化し、農業部門の物質的技術的土台を強固にし、軽工業部門に原料、資材を円滑に保障して一般消費財の生産をふやすことに設定された。

金正恩同志は報告で、国家経済の現況と潜在力にもとづいて、持続的な経済上昇と人民の生活の明確な改善、向上へとすすむことを目標として作成された新たな五ヵ年計画を上程した。

新たな五ヵ年計画は、主として内閣が国の経済司令部として経済活動に対する内閣責任制、内閣中心制にもとづいた役割を円滑に果たし、国家経済の主要命脈と全一性を強化するための活動を強くおしすすめ、経済管理を決定的に改善し、科学技術の力で生産の正常化と改造、近代化、原料資材の国産化を積極的に推進し、対外経済活動を自立経済の土台と潜在力を補完、補強する方向へ志向させることを前提としている。

新たな五ヵ年計画は、現実的可能性を考慮して国家経済の自立的構造を完備し、輸入依存度を下げ、人民の生活を安定させるための要求を反映している。

新たな国家経済発展五ヵ年計画の基本種子、テーマは、依然として自力更生と自給自足である。

朝鮮革命発展の要求、社会主義建設の切なる要求から新たな展望計画期間の自力更生は、国家的な自力更生、計画的な自力更生、科学的な自力更生に発展すべきである。

金正恩同志は報告で、主要経済部門別の現況と整備、発展に関する問題について具体的に言及した。

報告では、人民経済の基本命脈をなし、全般的経済発展と人民の生活向上のために優先的にもりたてるべき基幹工業部門の実態と整備、発展方向を上程した。

金属工業部門でチュチェ鉄の生産システムを技術的に完成し、能力を拡張し、鉄鋼材の生産を画期的にふやすことについて強調した。

新たな五ヵ年計画に反映された鉄鋼材生産目標を達成するために、主な製鉄製鋼所で現存の生産工程を先進技術に転換し、省エネ型の新しい製鉄炉を建設して生産能力を拡張し、鉄鋼の生産を活性化し、北部地区の褐炭を銑鉄生産に利用するための科学技術上の問題を解決することについて指摘した。

報告では、自立経済の建設と人民の生活向上の命脈ともいえる国の中核工業である化学工業の発展方向に言及した。

新たな五ヵ年計画期間の化学工業部門の中心課題は、自己の技術陣を強化する活動を先行させるとともに、国の化学工業の構造の改善をすすめ、経済建設と人民の生活向上に必要な化学製品の生産を大幅にふやすことである。

化学工業部門では、主体的な化学工業を創設するたたかいの全過程が先端技術の命脈をとらえるための過程になるようにし、国の化学工業の構造をわれわれの原料にたよるチュチェ工業にかえる活動を力強くおしすすめなければならない。

報告では、自立経済の基本原動力である電力生産をふやすことを、経済建設を推進し、人民の生活を向上させるための先決条件として提起した。

新たな五ヵ年計画期間の電力工業部門の基本課題は、当面の電力需要をみたすための増産運動を展開する一方、生産土台を全般的に整備、補強し、将来を見通して拡大して、国家経済の安定的発展と人民の物質文化生活を確実に保証することである。

報告では、展望的な需要、今後の主客観的変化にも対処できる中長期的な戦略をもって潮力発電所の建設に国家の力を集中し、核動力工業の創設に本格的にすすむための計画に言及した。

報告では、自立経済の発展の前哨基地である石炭工業を発展させるための重要な問題について強調した。

国家的に石炭工業部門に設備と資材、労働力と資金を集中的に保障する活動を大胆に展開して強力におしすすめる問題、石炭工業部門で探査と掘進を先行させて採炭場をより多く確保する問題、有煙炭工業の発展に力を入れる問題、炭坑夫の労働条件と生活条件を改善するための活動を石炭増産の先決課題としてとらえる問題、石炭を効果的に利用するための対策を講じる問題が上程された。

報告では、機械工業を、経済全般を主導し牽引すべき重要な工業部門と規定し、国の機械工業の現況と原因が究明され、ついで当面の発展方向が提起された。

新たな五ヵ年計画期間の機械工業部門の基本課題は、国の機械工業を基礎が強固な工業にし、開発創造型の工業へ方向転換することである。

機械工業部門では工作機械、運輸機械、建設機械、電気機械、採取機械、流体機械をはじめとする近代的かつ能率的な機械製品を積極的に開発、生産しなければならない。

報告では、国家経済の正常な発展のために採掘工業を重視し、もり立てることが強調された。

採取工業部門の基本課題は、新たな五ヵ年計画期間に生産的土台を補強、拡大し、非鉄金属と非金属鉱物に対する人民経済の需要を基本的にみたすことである。

そのために、地質探査部門の能力を強化し、国の地下資源を統一的かつ効果的に開発、利用するための活動を現実に即しておしすすめ、採掘工業部門の鉱山や製錬所、工場の生産能力を拡張しなければならない。

報告では、林業部門において原木の生産と山林造成のバランスをとりながらみずからの物質的技術的土台を強化し、人民経済の原木に対する需要を円滑にみたすことを強調した。

活動報告に上程された基幹工業の部門別の発展方向は、自立経済の潜在力と威力をいっそう強化して経済建設全般を力強く牽引するための科学的かつ革新的な活路を明示し、いかなる条件と環境のもとでも経済の持続的な発展を促進できる確固とした政策的保証をもたらしたことになる。

報告では、交通運輸部門の実態と明確な改善のための課題について言及した。

新たな五か年計画期間の鉄道運輸部門の基本目標は、鉄道の近代化を積極的におしすすめ、輸送活動を革命的に改善して鉄道輸送の需要を円滑にみたすことである。

鉄道運輸部門では鉄道の安全性を保障し、重量化し、標準鉄道区間をふやし、ひいてはすべての鉄道を改善するための活動を計画的に、力強くおしすすめなければならない。

これとともに、平壌地下鉄の技術改造と平壌地下鉄駅の近代化工事を推進し、地下鉄の管理、運営水準を一段と高めなければならない。

陸海運輸部門で造船技術の世界的な発展趨勢《すうせい》に即して大型貨物船をひきつづき建造し、自動車統合運輸管理システムを構築し、輸送指揮の情報化を実現し、輸送のネックを解消するための課題が提起された。

新型の地下鉄電車とトロリーバス、路面電車、旅客バスをはじめとする公共交通手段をより多く生産して、人民の便宜をはからなければならない。

報告では、総括期間中、建設部門でおさめられた飛躍的な発展と成果が評価され、一連の偏向が指摘され、新たな課題と目標を提起した。

新たな五か年計画期間の建設部門の基本課題は、住宅建設をはじめとする基本建設を大々的におこなって人民により文化的な生活条件を提供し、国の面貌を一新することである。

建設部門では、国の経済土台を強化するための産業建設と人民の物質的文化的需要をみたすための建設の両部門を同時に力強くおしすすめなければならない。

建設部門では、平壌市の五万世帯の住宅建設に力を集中して、今年から毎年一万世帯の住宅を建設するための年次別計画をたて、その実行のための作戦と指導を綿密におこなって、首都市民の住宅問題を基本的に解決しなければならない。

屈指の非鉄金属鉱物生産基地であり、労働者階級が大勢住んでいる検徳《クムドク》地区に二万五〇〇〇世帯の住宅を建設して、世界にまたとない鉱山都市をきずかなければならない。

専門建設単位をしっかりと整え、建設機械工場に必要な建設装備と機具や工具を積極的に開発、生産しなければならない。

報告は、建設が前例のないスピードですすめられている現実の要求に即して、建材工業をいっそう発展させるという課題を提起した。

新たな五ヵ年計画期間に建材工業部門が遂行すべき基本課題は、八〇〇万トンのセメント生産目標を達成し、仕上げ建材の自給自足を実現することである。

現存のセメント工場を近代的に改造するとともに、原料条件、動力条件、輸送条件が有利な地区に能力が高く先進技術が導入されたセメント工場を新たに建設して、国のセメント生産能力をいっそう拡大しなければならない。

建築物の外観を決める仕上げ建材を国内生産で充足させるためのたたかいをくりひろげるとともに、国内の原料による塗料や外装塗料の生産基地をより充実させてその質を高め、屋根ぶき材の生産技術も発展させなければならない。

世界的な建築発展の趨勢に即してゼロ炭素建築、ゼロエネルギー建築を多く建設できるように必要な建材生産の準備を先を見通して着実にすすめ、各道では地元の原料に依拠する実利あるさまざまな建材の生産基地を整えて多様な建材を量産しなければならない。

報告では、逓信部門が時代の要請に積極的に応じて、たえまない飛躍と革新を起こすための課題を提示した。

逓信部門では、通信インフラの技術更新を推進し、移動通信技術を発展させて次世代通信へはやく移行しなければならない。

有線放送やテレビ放送システムを整備し、その技術水準をより高い段階にひき上げ、都市から山奥までどこでも人民がよりすばらしい文化的生活を享受できるように十分な条件を提供しなければならない。

報告では、国営商業を発展させ、給養や便益サービスの社会主義的性格を生かすことを現在のきわめて緊切な問題として上程し、われわれの商業を、人民の生活を保障し物質的福利を増進させる名実相ともなう人民サービス活動として復元するための課題を提起した。

現在、われわれの商業がかならず解決すべき重要な課題は、商業サービス活動全般にわたって国家の主導的役割、調整統制力を回復し、人民に奉仕する社会主義商業の本態を生かすことである。

商業サービス単位では、正しい経営戦略をもち、商業サービス活動において人民性、文化性、現代性、多様性を具現して、朝鮮式の新しい社会主義サービス文化を創造しなければならない。

報告では、国土管理と生態環境保護活動を、人民の生命と健康を守り、祖国の山河をいっそう美しくするための重大事、国の将来にかかわる戦略的な活動として提起した。

新たな五ヵ年計画期間に国土部門に提示された課題は、国土建設と生態環境保護において決定的な前進をもたらして、全国を社会主義の理想郷、労働党時代の錦繍江山にいっそうりっぱに変貌させる活動をねばり強くおしすすめることである。

山林をはじめとする生態環境の全般的な実態を調査、把握し、季節別、年度別の変化に対する分析結果にしたがって正確かつ機敏に対応する問題、国土環境保護に関連する法規範と細則を正しく制定して厳格に施行する問題、治山治水事業に力を入れて自然災害を未然に防ぐ問題、道路の建設と管理にひきつづき大きな力を入れる問題、国家的に東西海岸の建設を大がかりにおしすすめて人民の生命の安全と国土を保護し、国の海岸沿線を海洋国の面貌にふさわしく一新する問題を指摘した。

報告では、一から一〇まで人民の生活と直結している都市経営部門の活動の重要性を強調し、必要な課題について上程した。

都市経営部門では住宅補修対策をしっかりとたて、飲料水の供給能力を拡張してその質を改善し、新しい汚水浄化場を増設して環境汚染をなくすべきである。

園林設計水準をいちだんと高め、公園と遊園地を美しく整備し、良種の樹木と草花、地被植物をバランスよく配置して都市の面貌を一新しなければならない。

報告では、対外経済活動の実態と国の主客観的条件と環境を綿密に分析したうえで、対外経済部門で科学的な戦略をたて、対外経済活動を目的指向性をもって発展させるという方向的問題が提起された。

報告では、観光部門の活性化を、人民により文化的な生活を享受させ、日ごとに変貌するわが国の姿を世界に広く宣揚するための重要な事業として提起した。

観光の対象をよりしっかりと整えて、その紹介、宣伝方法を改善し、観光コースと案内も多様化すべきである。

金剛山《クムガン》地区を朝鮮式の近代的な文化観光地にかえなければならない。

高城港《コソン》の埠頭にある海金剛ホテルをはじめとする施設をすべてとりこわし、金剛山の美しい自然景観によくマッチしながらも朝鮮人民の情緒と美感にあう典型的な朝鮮式建築形式の建物を建設するという課題が提示された。

金剛山観光地区総開発計画にしたがって、高城港海岸観光地区と毘盧《ピロ》峰登山観光地区、海金剛海岸公園地区とスポーツ文化地区を特色があるように整備する事業を新たな五ヵ年計画の期間に年次別、段階別におこなわなければならない。

報告では、経済管理を改善するための課題が重要な問題として提起された。

われわれの国家経済は自立経済、計画経済であり、人民に奉仕する経済である。

国家経済の自立性と計画性、人民性を強化するには、国家の経済組織者としての機能を高め、経済活動の結果が人民の福利増進にふりむけられるようにする原則にたって生産物に対する統一的な管理を実現すべきである。

社会主義経済管理改善の根本要求、根本方向は、社会の主人である人民大衆を中心にすえて人民の要求と利益を優先することである。

また、コストの低下と質の向上を経済管理改善の基本としてとらえていくことについて強調した。

国家経済指導機関は、社会主義経済管理の改善の根本要求、根本方向に立脚して経済を整備し、補強するための活動を実質的におこなうべきである。

報告では、経済活動に対する国家の統一的指導を実現するための綱紀を確立し、国家的な一元化統計システムを強化し、国家経済の命脈をもりたてるための活動を正しく展開し、工場、企業の経営活動条件を改善することについて指摘した。

全人民経済的な範囲で経済的効率をあげられるように生産力を合理的に再配置し、各経済部門の弱点をさがしだし、経済の均衡的発展に切実な部門を補強すべきである。

計画化活動を改善し、財政と金融、価格など経済的テコを正しく利用し、経済を合理的に管理しなければならない。

報告で明示された主要経済部門別の現況と整備、発展に関する科学的な分析と明確な方針は、自立経済の物質的技術的土台を強固にし、外的環境の変化にかかわりなく経済建設を計画的に安定的におしすすめていけるようにする威力ある実践的武器となる。

金正恩同志は報告で、新たな五ヵ年計画の期間に人民の食衣住問題の解決でかならず突破口を開き、人民が実際に肌で感じられる変化と革新を起こすというわが党の確固とした決心を明示した。

報告では、農業生産を増大させて人民の食糧問題、食の問題を完全に解決するための積極的な対策について提起された。

農業部門に提起された五ヵ年計画の中心目標は、党がすでに提示した穀物生産目標を無条件に達成し、農業の持続的発展のための物質的技術的土台をきずくことである。

農業生産をふやすためには、種子革命、科学的農業、低収穫地での増産、新しい土地の開墾《かいこん》と干拓地の開墾に力を入れ、農産と畜産、果樹栽培を発展させ、農業の水利化、機械化を重要な戦略的課題としてとらえていかなければならない。

報告では、いかに不利な気象、気候条件のもとでも農業生産を安定的に増大させるための科学技術的対策と物質的技術的土台を整え、農業勤労者の生産の熱意を高め、農村に対する国家の支援を強化するという政策的問題が強調された。

農業部門に提示された重要目標は、食糧の自給自足を実現し、社会主義建設を促進するために、どんな代価を払ってでも達成すべき国家の重大事業である。

報告では、人民に裕福かつ文化的な生活を提供するうえで絶対的な役割を果たす軽工業の重要性と発展方向について言及した。

軽工業部門で原材料の国産化、再資源化を生命線、主たる方向としてとらえ近代化に拍車をかけ、弱い部分や欠けている部分の工程は補強しながらたえず肉付けをするという課題が提示された。

また、先質後量の原則にたって製品の質を高め、新製品の開発に力を入れる問題も強調された。

報告では、水産部門を人民の食生活と直結した三大部門の一つと規定した。

水産部門では、漁船と漁具を近代化し、漁獲を科学化し、水産事業所と船舶修理拠点をしっかりと整えなければならない。

国の水産資源を保護、増殖する活動を計画的に、実質的にすすめ、養魚と養殖を大々的におこなって水産物の生産を系統的にふやさなければならない。

報告では、市・郡の自立的かつ多角的な発展のための重要な政策的問題が提示された。

市・郡を拠点にして革命陣地をかため、農業と地方経済の発展、人民の生活向上をおしすすめることは、わが党が社会主義建設において一貫して堅持している戦略的方針である。

市・郡は、わが党の政策の末端執行単位であり、農業と地方経済を指導する地域的拠点であり、国の全般的発展を支える強力なとりでである。

報告で提示された市・郡強化の総体的目標は、すべての市・郡を文明富強の社会主義国家の戦略的拠点、それぞれ固有の特色をもつ発達した地域とすることである。

市・郡では、それぞれの地域的特性に合致する発展戦略と展望目標を現実的にたて、目的意識的に、計画的に、年次別に頑強に実行すべきである。

「新たな勝利のために！」というスローガンを高くかかげ、社会主義農村建設に力を入れて、農村特有の文化発展、朝鮮式の新しい発展をとげなければならない。

農村建設の展望目標は、農村で三大革命をおしすすめ、社会主義農村テーゼを貫徹して労働者と農民の差、工業労働と農業労働の差、都市と農村の差をなくすことであり、当面の課題は農業勤労者を革命化、労働者階級化する活動を先行させ、農村に対する国家の支援を強化し、農村を地域的特性が生かされるようにバランスよく建設することである。

報告では、農村の中核陣地の強化に党的、国家的関心を払うことについて強調した。

地方経済をその地域の特性に即して、その地域の原料と資材を利用して発展させることを一貫した政策的要求として提起した。

これとともに、市・郡所在地の面貌を一新する活動をおしすすめ、都市経営と治山治水、環境保護の改善に大いに力を入れるべきであると指摘した。

報告では、市・郡党委員会、人民委員会が当該地域の発展を導いていく強力な牽引機となり、市・郡の主婦、当該地域内の人民の生活に責任をもつ戸主になるという課題が提起された。

金正恩同志は、国家存立の礎石であり、国と人民の尊厳と安全、平和守護の確固とした保証である国家防衛力を持続的に強化するという革命的立場をおごそかに言明した。

報告では、朝鮮半島と世界の平和と安全を保障しようとする一念から、地域の緊張激化を防ぐために朝鮮労働党と共和国政府は善意の努力と最大の忍耐力を発揮したが、米国の対朝鮮敵視政策は弱まったのではなく、むしろより甚だしくなっていることについて分析した。

わが国をねらった敵の先端兵器がふえているのを目のまえで見ているのに、自分の力をたえずつちかわず、平穏無事にすごすことより愚かで危険きわまりないことはない。

現実は、国家防衛力を瞬時も停滞させることなく強化してこそ、米国の軍事的脅威を抑止し、朝鮮半島の平和と繁栄をもたらすことができるということを示している。

報告では、強力な国家防衛力はけっして外交を排除するのではなく、それを正しい方向へすすませ、その成果を保証する威力ある手段になると強調し、当面の情勢のなかの現実は、軍事力の強化だけでは満足というものはあり得ないということを今一度実証していると分析した。

地球上に帝国主義が存在し、わが国に対する敵対勢力の侵略戦争の危険がつづくかぎり、われわれの革命武力の歴史的使命は絶対にかわらず、われわれの国家防衛力は新たな発展の軌道にそってたえず強化されなければならない。

報告では、人民軍が全軍金日成・金正日主義化を軍建設の総体的任務としてとらえ、朝鮮労働党化した革命的な党軍、先端化した近代的な軍隊、わが国と人民のたのもしい守護者にきたえあげるための重要な課題を提示した。

報告では、国防工業を飛躍的に強化発展させるための中核的な構想と重要な戦略的課題に言及した。

核技術をいっそう高度化する一方、核兵器の小型、軽量化、戦術兵器化をさらに発展させて、現代戦で作戦任務の目的と打撃対象に応じてさまざまな手段に適用できる戦術核兵器を開発し、超大型核弾頭の生産も持続的にすすめることによって、継続する核脅威をともなう朝鮮半島地域での各種の軍事的脅威を、主動性を維持しながら徹底的に抑止し、統制、管理できるようにすべきである。

これとともに、一万五〇〇〇キロ射程圏内の任意の戦略的対象を正確に打撃、掃滅できる命中率をさらに向上させて、核先制および報復打撃能力を高度化するという目標が提示された。

近いうちに極超音速滑空飛行戦闘部（弾頭）を開発、導入する課題、水中および地上固体エンジン大陸間弾道ロケットの開発を計画通りにおしすすめ、核長距離打撃能力を向上させるうえで重要な意義をもつ原子力潜水艦と水中発射核戦略兵器を保有する課題が上程された。

そして、近いうちに軍事偵察衛星を運用して偵察情報収集能力を確保し、五〇〇キロ前方縦深まで精密に偵察できる無人偵察機をはじめとする偵察手段を開発するための最重要な研究活動を本格的におしすすめることについても言及した。

報告では、国防科学技術を高度に発展させ、先端兵器と戦闘技術機材をより多く研究、開発して人民軍を在来式構造から先端化、精鋭化された軍隊に飛躍的に発展させることを、こんにち、国防科学部門に提起される基本課題と規定した。

武装装備の知能化、精密化、無人化、高性能化、軽量化の実現を軍需産業の中核的な目標として定め、研究開発活動をこれに志向させなければならない。

報告では、国家防衛力をうちかためるうえで、けっしておろそかにしてはならない重大な事業である全人民抗戦準備を完成することに関する深みのある課題に言及した。

報告で提起された国家防衛力を強化するための重要課題は、米国と敵対勢力の無分別な軍備増強によって国際的な力の均衡がくずれている状況のもと、この地で戦争の瀬戸際と緩和、対話と緊張の悪循環を永遠に解消し、敵対勢力の威嚇と恐喝という言葉自体が終息するときまで、国の軍事力を持続的に強化していくという鉄の信念と意志の表明となる。

金正恩同志は報告で、科学技術の発展をうながして自力富強、自力繁栄の活路を確実にきり拓くための課題を提起した。

報告では、科学技術の発展を社会主義建設における中核的な課題、最善の手だてと規定し、科学技術重視路線を貫徹する過程にあらわれた偏向を全面的に分析し、新たな五ヵ年計画の期間に達成すべき各部門の科学技術発展目標とその実行方途について言及した。

新たな国家経済発展五ヵ年計画の遂行で提起される緊要な科学技術上の問題を積極的に解決し、中核的かつ先進的な先端技術の開発を促進すべきである。

科学技術を発展させるための党的、国家的行政的指導と管理体系を確立し、科学研究の成果をたがいに共有し、全人民の科学技術人材化を実現するための活動をねばり強くおしすすめなければならない。

金正恩同志は報告で、総括期間中、社会主義文化建設でおさめた成果と経験、欠陥と教訓について指摘した。

社会主義文化の新たな開花期を開いて、人民を新世紀の朝鮮式文明へと導こうとすることが、わが党の遠大な目標であり、理想である。

報告では、社会のすべての構成員を力強い存在に育てあげ、前進する革命に活力をあたえ、社会主義建設を成功裏におしすすめるうえで重要な役割を担っている教育、保健医療、文学芸術、出版、報道、スポーツ部門の総括期間中の活動状況が分析、評価された。

教育を、われわれの未来を安心してまかせることのできるものにするという教育の総体的目標が今一度強調され、新世紀の教育革命を力強くうながしてわが祖国を教育強国、人材強国にするための教育発展目標と具体的な課題が上程された。

中等および高等教育部門では、現代教育の発展の趨勢と教育学的要求に即して教育の内容と方法、授業管理制度をたえまなく更新し、教育革命の担当者である教員の能力と水準を向上させる活動を方法論をもっておこなうべきである。

国家的に教育部門に対する投資と支援を強化して、学校の建設をはじめとする教育の条件と環境を一新するための活動を力強く展開すべきである。

報告では、社会主義保健医療をもっともすぐれた先進的な人民保健医療に発展させて、人民によりよい医療上の恩恵を提供するための具体的な計画に言及した。

保健医療部門では、治療、予防機関と製薬および医療機器工場を改造する活動を着実におしすすめ、保健医療従事者の陣容を整え、いかなる世界的な保健危機にも対処できる防疫基盤を強固にきずかなければならない。

報告ではまた、総括期間の文学芸術部門の活動を深く分析し、文学、芸術の各部門で一大革命を起こしてチュチェ文学芸術の新しい開花期を開くための課題を提起した。

文芸部門の創作指導幹部と創作家、芸能人は、高い眼識と進取的な活動気風を発揮して、主体性と民族性、現代性が具現されたすぐれた作品を創作し、特色ある公演活動を活発に展開し、後進の育成を、正しい体系と発展戦略、明確な発展目標をかかげて目的指向的に将来を見通しておこなわなければならない。

出版、報道部門では、社会主義建設の新たな激変期、高揚期の要求に即して、新たな新聞革命、報道革命、放送革命、出版革命の炎を強く燃えあがらせて、党大会がうちだした思想と路線、政策の真髄を全人民に深く認識させ、党大会の決定貫徹へと総決起、総発動させるための報道戦、言論戦を力強く展開し、スポーツ部門では、尊厳あるわが国の権威と地位にふさわしく果敢に発奮して、わが国をスポーツ先進国にすべきであるとの課題が提起された。

社会主義文化建設の革新的な方向は、総括期間の成果と経験、欠陥と教訓を前進と飛躍の足場にし、社会主義文化の各分野で一大革命を起こして、新しい朝鮮式文明を創造しようとする雄大な構想の反映である。

報告では、非社会主義、反社会主義的傾向を一掃し、全国に社会主義的生活様式を確立する活動を全党的、全国家的、全社会的な活動として展開して、人々の精神道徳生活領域で革命的な転換をもたらすことが重要な問題として提起された。

全人民が社会主義に対する信念、自分のものに対する愛着と信頼をもって朝鮮式の高尚かつ文化的な新しい生活を創造し発展させ、社会主義的生活様式に反する傾向との大衆的闘争を強力に展開しなければならない。

金正恩同志は報告で、わが共和国の地位が急速に高まり、革命が新たな段階にはいっている現実に合致した、国家社会制度をいっそう強固にし発展させるための課題を示した。

報告は、朝鮮式社会主義制度の本質的特性に即して国家の人民的性格を強め、統一的、科学的、戦略的管理を実現し、社会主義法治国家建設の要求に即して全社会に革命的順法気風を確立し、司法、検察、社会安全、保衛機関が社会主義制度のたのもしい防衛者として体制防衛、政策防衛、人民防衛の聖なる使命と責任を果たすことを強調した。

金正恩同志は報告で、党の紐帯《ちゅうたい》であり、外郭団体である勤労者団体組織を強力な政治組織、社会主義建設の威力ある力に強化するための重要な課題を提起した。

報告では、勤労者団体組織が思想教育団体としての本分にふさわしく同盟の内部活動を基本としてとらえて、全同盟を党の革命思想で武装させ、とくに青年同盟を党の交代者、後続部隊としてしっかりと準備させることが強調された。

社会主義建設の画期的前進の進路を明示した金正恩同志の報告は、当面の形勢のもとで経済と国防、科学技術と文化建設をはじめとする国家活動全般において朝鮮式社会主義の優越性と威力をあまねく発揚させて、つぎの段階の新たな勝利へと力強く鼓舞、激励する戦闘的旗じるしとなる。

三、祖国の自主的統一と対外関係の発展のために

金正恩同志は報告の第三の体系で、祖国の自主的統一と対外関係の発展のための重要な問題について言及した。

報告では、当面の形勢と変化した時代の要請に即して対南問題を考察し、北南関係に関するわが党の原則的な立場を明らかにした。

報告に指摘されたように、いまわが民族は、北南関係の深刻な膠着状態を収拾し、平和と統一の道をすすむか、それとも対決の悪循環と戦争の危険のなかでひきつづき分裂の苦痛をなめるかという重大な岐路に立たされている。

北南関係の現状は、板門店《パンムンジョム》宣言発表以前の状態に逆戻りしたと言っても過言ではなく、統一という夢はよりはるかに遠のいた。

南朝鮮では、依然として朝鮮半島の情勢を激化させる軍事的敵対行為と反共和国謀略騒動がつづいており、そのため北南関係の改善の見通しは不透明である。

報告では、いまの北南関係の冷却局面はどちらか一方の努力だけで解決される問題ではなく、時間が経てばおのずと解消されることでもないと判断し、真に国の平和と統一を願い、民族の運命と次世代の将来を憂慮するならば、この重大な状況をこれ以上座視してはならず、破局に瀕した現在の北南

関係を収拾し改善するための積極的な対策を講じなければならないと強調した。

報告は、北南関係に関する原則的な立場をつぎのように明らかにした。

北南関係では、根本的な問題から解決しようとする立場と姿勢を持たなければならず、相手に対する敵対行為を一切中止し、北南宣言を慎重にうけとめ、誠実に履行しなければならない。

報告では、以前良好に進展していた北南関係が一挙に凍りつき、対決状況に逆戻りした主な原因について指摘した。

現在、南朝鮮当局は防疫協力、人道的協力、個別観光のような非本質的な問題をもちだし、北南関係の改善に関心があるかのような印象をあたえている。

ハイテク軍事装備の搬入と米国との合同軍事演習を中止すべきだというわれわれの再三の警告には依然として背をむけ、朝鮮半島の平和と軍事的安定を保障するという北南合意の履行に逆行している。

甚だしくは、われわれの正々堂々たる自主権に属する各種の通常兵器の開発について「挑発」と言いがかりをつけ、武力の近代化をさらに強化している。

もし南朝鮮当局がそれを論難したいならば、先端軍事資産の獲得や開発の努力を加速化すべきとか、すでに保有している弾道ミサイルや巡航ミサイルよりも正確で、強力で、遠くまで飛んでいくミサイルを開発するようになるだろうとか、世界最大水準の弾頭重量をそなえた弾道ミサイルを開発したとかいう執権者の発言から説明すべきであり、ひきつづき先端攻撃装備を搬入する目的と本心を納得できるように説明すべきである。

報告では、南朝鮮当局が二重的で、公平性のない思考観点に立ち、「挑発」だの、何だのと言ってひきつづきわれわれに難癖をつけようとするならば、われわれもやむをえず、以前とはちがったやり方で南朝鮮に対するしかないだろうと厳重に警告した。

南朝鮮当局が不正常で反統一的な所業を厳正に管理し、根本的にとりのぞいてこそ、強固な信頼や和解にもとづく北南関係改善の新しい道が開かれるだろう。

北南関係が回復し、活性化するかどうかは、完全に南朝鮮当局の態度如何にかかっており、代価は支払った分だけ、努力した分だけうけるようになっている。

報告では、現時点において南朝鮮当局に以前のように一方的に善意を示す必要はなく、われわれの正しい要求にどう肯定的にこたえるか、北南合意を履行するためにどう動くかによって対しなければならないと強調した。

報告では、南朝鮮当局の態度次第で北南関係は、近いうちにふたたび三年前の春のように全同胞の念願通り平和と繁栄の新たな出発点へもどることも十分可能だと分析した。

金正恩同志は報告で、対外関係を全面的に拡大、発展させるためのわが党の総体的方向と政策的立場を明示した。

報告では、現在の国際情勢とわが共和国の対外的環境について深い分析をおこなった。

総括期間中、わが党の対外活動の主たる総括と結論は、不法無道にのさばる敵対勢力と強権をふりかざす大国に対しては強対強でたちむかう戦略を一貫して堅持すべきだということである。

報告ではこれについて確言し、わが国の戦略的地位にふさわしく対外関係を全面的に拡大、発展させ、社会主義建設を政治外交的に確実に保証することを現段階における対外活動の総体的方向と規定した。

このことから報告は、対外活動部門で堅持すべき原則的問題を明らかにした。

わが党の尊厳の固守と国威の発揚、国益の守護を共和国の外交の第一の使命とし、対外活動で自主の原則を確固として堅持しなければならない。

われわれの自主権を侵奪しようとする敵対勢力の策動を粉砕し、わが国の正常な発展権を守るための外交戦を攻勢的に展開しなければならない。

対外政治活動を朝鮮革命発展の主な障害、最大の主敵である米国を制圧し、屈服させることに焦点をあわせ、指向させていかなければならない。

報告では、米国で誰が権力の座についても米国という実体と対朝鮮政策の本心は絶対にかわらないと指摘し、対外活動部門で対米戦略を策略的に樹立し、反帝自主勢力との連帯をひきつづき拡大していくことを強調した。

また、対外宣伝部門の役割を強めて敵の反動的攻勢を粉砕し、国家の地位を高める問題について言及した。

報告は、対外活動部門で社会主義諸国との関係をいっそう拡大発展させ、自主性を志向する革命的党や進歩的党との団結と協力を強化し、世界的範囲で反帝共同闘争を果敢に展開して、国家の対外的環境をいちだんと有利にかえることについて指摘した。

報告では、朝鮮半島と世界の平和と安定をしっかりと守りぬこうとする朝鮮労働党の確固とした意志が表明された。

この惑星にわが国のように恒常的な戦争の脅威をうけている国はなく、それだけ平和に対するわが人民の渇望はきわめて強烈である。

われわれが最強の戦争抑止力を備蓄したえず強化しているのは、われわれ自身を守るためであり、永遠に戦争のない真に平和な時代をきり拓くためである。

われわれの国家防衛力が敵対勢力の脅威を領土外で先制して制圧できる水準にできあがっているため、今後、朝鮮半島における情勢の激化は、すなわちわれわれをおびやかす勢力の安保不安定につながるだろう。

報告では、新しい朝米関係樹立のキーポイントは、米国が対朝鮮敵視政策を撤回するところにあるとし、今後も強対強、善対善の原則にもとづいて米国に対するだろうというわが党の立場を厳粛に言明した。

また、わが共和国は責任ある核保有国として、侵略的な敵対勢力がわれわれをねらって核をつかおうとしないかぎり、核兵器を濫用しないだろうということを今一度確言した。

党中央委員会の活動報告で、われわれの自主権を尊重する世界のすべての国との友好団結を強化し、真の国際正義を実現するためのわが党の対外政策的立場が明示されることにより、新たな総括期間中、共和国の対外的威信と国際的影響力をさらに強めることのできる戦略戦術的指針がもたらされた。

四、党活動の強化発展のために

金正恩同志は報告の第四の体系で、総括期間中、党の強化発展のための活動でおさめた成果を総括し、時代と発展する現実の要求に即して党活動を改善強化するうえで提起される課題と方途を示した。

報告は、全党に党中央の唯一的指導体系が確立し、党の戦闘力と指導力がいちだんと強化され、党の基礎が全面的に細部にわたって整備、強化されたことが総括期間に党活動でおさめた貴重な成果であると評価した。

報告では、わが党が人民大衆第一主義を政治理念とするその使命と任務に忠実であったことについても強調した。

党の戦闘力と指導力をたえず強めていくとき、いかなる障害や難関に直面しても人民の絶対的な信頼のなかで社会主義建設偉業をいつも確信をもって勝利のうちに導くことができるということ、まさにこれがこの五年間の党活動の主な総括であり、貴重な経験である。

報告では、朝鮮革命が新たな発展期、跳躍期にはいった状況に即して、党活動で根本的な革新を起こすための重要な課題と方途に言及した。

党中央の唯一的指導体系を確立するための活動を主眼としてとらえ、ひきつづき深化させることを第一の課題として明示した。

報告に言及されたように、党組織と活動家は、いつどこにあっても党中央の権威を絶対化し擁護しなければならず、それに反するささいな要素に対しても黙過せず、妥協のない闘争をくりひろげなければならない。

党の指導業績を擁護、固守し輝かせるための活動を終始一貫ゆるがせにせず、とくに指導業績単位、現地指導単位をしっかりと整備し、党政策の貫徹でモデルになるようにすべきである。

党組織は、党の方針を実行するための手配と掌握、総括活動を綿密におこなってあくまで貫徹すべきである。

報告では、党の内部活動を着実におこない、党と革命隊伍の一心団結を全面的にかためることを重要な課題として上程した。

報告では、党の基本的な中核の力量、革命の指揮メンバーである幹部の陣容をうちかためることに主眼をおき、幹部が思想的に変質しないように教育と統制をたえず強化することについて、そして党勢拡大で党の原則、客観が認める厳選の原則を徹底的に守って党隊伍を質的に強固にすることについて強調した。

また、党の基層組織である初級党と党細胞を強化することにひきつづき大いに力を入れ、党生活の手配と指導を党活動のキーポイントとしてとらえて着実におこなうことについて、大衆との活動に力を入れて広範な大衆を党のまわりにいっそうしっかりと結集させることについて指摘した。

党思想活動は革命を指導する党の基本任務の一つであり、革命と建設を導く全期間にわたって一時もおろそかにしてはならない重要な活動である。

報告では、党の思想活動において唯一管理制の原則を徹底的に守るとともに、党の宣伝部門に内在している根深い欠陥を克服し、発展する現実の要求に即して思想教育活動の形式と方法を抜本的に改善するための課題を提起した。

報告では、革命と建設に対する党の指導、政策的指導を強化するための課題に言及し、当該単位の政治的参謀部である党委員会をしっかりとかため、その役割を強める問題、党組織が党の決定を正確に採択し無条件に実行する革命的気風を確立する問題、党組織が行政代行、追随主義を徹底的に警戒し、提起されるすべての問題を党の方法、政治的方法をもって解決する問題を強調した。

報告は、党活動において抜本的な改善をもたらすための方途を提起した。

まず、発展する現実の要求に即して不合理な党活動システムと方法を改善し、また、わが党の以民為天の思想を体して党活動を親人民的、親現実的な活動にかえなければならない。

党活動において親人民性、親現実性がはっきりと具現されるほど、全党が真実と真理へさらに近づき、わが党の戦闘力は倍加するだろうということが報告に示された重要な思想である。

報告では、現在わが党がもっとも警戒し、第一の闘争対象にすべき標的は権柄《けんぺい》と官僚主義、不正腐敗行為であることについて再三強調し、党組織がそのささいな要素とも妥協のない闘争をくりひろげる問題について言及した。

報告では、党内で批判と思想闘争、学習を強化し、職能通りに活動する革命的規律を確立し、党活動家の水準と能力を決定的に高めることも党活動を改善する方途になると強調した。

金正恩同志は報告の最後の部分で、党中央委員会の活動報告を通じてわれわれの活動でおさめられた成果と欠陥、その原因と教訓について、今後の闘争方向と具体的な方途について深みのある認識をもつようになり、集団討議を経て共通の見解にもとづく戦略的戦術的方針を確定できるようになったと指摘した。

金正恩同志は、すべての代表者がわが党の指導思想に立脚し、強い党的責任感をもって提起された内容と問題を深く研究、討議するものとの期待を表明し、偉大な金日成・金正日主義の旗じるしを高くかかげて党中央のまわりにかたく団結し、社会主義建設における新たな飛躍と勝利のために、偉大なわが国のために、偉大なわが人民のために力強くたたかっていこうと熱烈に呼びかけた。

党と革命の活動全般を新たな高揚へとひき上げるうえで提起される綱領的指針を全面的に明示した金正恩同志の歴史的な報告は、すべての大会参加者の全幅の支持と賛同をうけ、朝鮮式の社会主義偉業の勝利の前進と明るい前途を確かに約束している。

金正恩同志が第八回党大会でおこなった第七期党中央委員会の活動報告は、偉大な思想と指導力でチュチェ革命をもっとも輝かしい勝利と栄光の道へと導く朝鮮労働党の聖なる年代記に不滅の記念碑として長く光り輝くだろう。

（朝鮮労働党第八回大会でおこなった中央委員会の活動報告の要旨を紹介した朝鮮中央通信の記事です）

朝鮮労働党第八回大会における結語

二〇二一年一月一二日

親愛なる代表者のみなさん。

朝鮮労働党の歴史において八回目となる本大会は、革命と建設の新たな高揚期、激変期をきり拓くための当面の闘争計画と党を強化し発展させるための重要な問題を上程し、真摯《しんし》な討議をおこないました。

本大会はまず、第七期党中央委員会の活動状況を全面的かつ立体的に、細部にわたって分析、総括し、社会主義建設の画期的前進のための新しい闘争路線と戦略戦術的問題について深みのある討議をおこないました。

報告と討論、部門別協議会では、党と国家、軍隊の活動と社会生活の各分野に内在している偏向や欠点が具体的かつ辛辣《しんらつ》に批判、総括され、それを克服するためのおごそかな決心と意志が表明されました。

そして、新たな五ヵ年計画期間に達成すべき目標と課題の遂行方途を見いだすための研究と討議が活発におこなわれ、この過程で提出された建設的な意見が党大会決定書草案作成委員会に集約されました。

第一議題の討議を通じて、わが党と国家と人民が今後、何をどうすべきかということがより明確になり、朝鮮革命の新たな勝利を勝ちとるための闘争方略がいっそう確実なものになりました。

わが党がこれまでの党大会とは異なり、今回の大会で自己の活動を肯定的な面ではなく、批判的な立場にたって冷静に分析、総括したことは、総括期間におさめた成果におとらぬ大きな意義をもちます。

本大会では、第七期党中央検査委員会の活動総括も批判的に厳正におこない、党事業と党活動で以前の古いもの、現実とかけ離れていた諸問題を党建設の原理にあうようにわれわれの方式で是正するための決定的な対策を講じました。

党建設と党活動の原理、発展する現実の要求を正確に反映して朝鮮労働党規約を改正することによって、党の指導力と戦闘力を強化し、健全な発展をなしとげるための重要な基盤がきずかれました。

本大会が第八期党中央委員会を党と革命に忠実で実務能力のある人たちでかため、党内に新しい規律監督体系を樹立したのは、わが党が革命の強力な参謀部としての使命と役割を果たすうえで画期的な転機となります。

代表者のみなさん。

本大会でわたしは、代表者のみなさんと全党の党員のあつい信頼を得て、朝鮮労働党の最高指導職責をふたたび担いました。

すべての党員たちがわたしに尊厳ある朝鮮労働党総書記の重責をまかせてくれたことを最大の光栄と思いながらも、恐縮で重い気持ちを禁じえません。

わたしは、偉大な金日成・金正日主義党を代表し責任をもつという聖なる使命感を深く自覚し、党大会がうちだした闘争綱領を実現するために全力をつくすであろうし、偉大なわが人民をわたしの運命の天のごとくみなし、真の人民の忠僕として為民献身の道で決死奮闘するであろうことをおごそかに誓います。

代表者のみなさんの全幅の支持と賛同を得て選出された第八期党中央委員会は、全党の党組織と党員の高い期待と信頼にこたえて朝鮮式社会主義の建設で新たな勝利を勝ちとるために正確で洗練された自己の指導力を発揮し、時代があたえた任務を忠実に完遂するでしょう。

代表者のみなさん。

こんにち、朝鮮革命の外部的環境は依然としてきびしくするどく、今後われわれの革命活動が順調にすすまないときもあるでしょう。

しかし、最悪の条件と試練のなかで他人なら想像もつかない偉大な勝利をおさめたわが党と人民にとって克服できない難関はありえません。

われわれは新たな信念と勇気をもって党と革命隊伍、国家の威力を全面的にかためるための闘争を力強くくりひろげて、持続的な前進と発展の道にすみやかにはいらなければなりません。

社会主義建設の主体的な力、内的原動力を一段と強化し、各分野において偉大な新たな勝利を達成しようというのが朝鮮労働党第八回大会の基本思想、基本精神です。

言いかえれば、われわれの内部の力を全面的に整備し再編成し、それにもとづいてすべての難関を正面突破して新しい前進の道をきり拓かなければならないというのが、本大会を通じて再確認された朝鮮労働党の革命的意志です。

朝鮮革命に提起された重大な歴史的課題は、全党が以民為天、一心団結、自力更生を今一度肝に銘じ、さらに高くかかげていくことを求めています。

以民為天には、全党が人民に奉仕することを党建設と党活動の出発点、不変の原則とする革命的党風を確固と堅持するというわが党の恒久的な要求が反映されており、一心団結と自力更生には、朝鮮革命の生命線と前進の原動力に関する思想的理論的観点と政策的要求が集約されています。

「以民為天」「一心団結」「自力更生」、まさにここにわが党の指導力を強められる根本的秘訣があり、わが党が大衆のなかにいっそう深く根をおろすための根本的方途があり、われわれが生きつづける唯一の道、前途をきり拓くことのできる根本的保証があります。

わたしは、今回の党大会で何らかのものものしいスローガンをかかげるよりも、わが党の崇高な「以民為天」「一心団結」「自力更生」という三つの理念を今一度銘記することで、第八回党大会のスローガンに代えることを提起します。

全党が新しい道のりを歩みはじめる強い覚悟と自信、熱情を抱いて、党大会がさし示した歴史的な進軍方向にそって勇敢にすすまなければなりません。

何よりも、新たな国家経済発展五ヵ年計画をかならず遂行するために決死の闘争をくりひろげなければなりません。

社会主義経済建設は、こんにち、われわれが総力を集中すべきもっとも重要な革命課題です。

われわれが現在直面している難局を打開し、人民生活を一日もはやく安定、向上させ、自力富強、自力繁栄の確固とした保証をもたらすためには、もっとも難題となっている経済問題から早急に解決しなければなりません。

まず、経済部門の主要攻略対象を正しく定め、そこに力を集中しなければなりません。

新たな国家経済発展五ヵ年計画の中心的課題は、金属工業と化学工業を経済発展のキーポイントとしてとらえて、基幹工業部門間の有機的連係を強めて実際の経済活性化をうながし、農業部門の物質的技術的土台を強固にし、軽工業部門で原料の国産化の比重を高めて人民生活をいちだんと改善することです。

金属工業と化学工業部門から正常の軌道、活性化の段階に確固とおしあげるための活動に力を集中し、それにもとづいて他の部門もともにもりたてる方向へすすまなければなりません。

金属工業と化学工業の発展を先行させる原則にたって、国家的な経済組織活動を綿密におこなうべきです。

何の見通しもなしに国の経済力を分散させることなく、鉄鋼材と化学製品の生産能力を大幅にのばすことに最大限合理的に活用できるように、経済の作戦と指揮を強めることが重要です。

すべての経済活動を、人民の生活をバランスよく安定、向上させることに指向させなければなりません。

ここでも基本となるのは、農業生産にひきつづき力を入れて人民の食糧問題を基本的に解決することです。

新たな五か年計画期間に農業部門がいっそう奮闘し、国家的な投資をふやして穀物の生産目標をかならず達成しなければなりません。

とくに、今後二～三年のあいだに毎年国家義務買付け計画を二〇一九年度の水準に定めてかならず達成し、将来は買付け量をふやして人民に正常に食糧を供給できるようにすべきです。

軽工業部門では新たな五か年計画期間、原料、資材の国産化、再資源化をキーポイントとしてとらえ、消費財の生産をふやして人民の生活向上のための闘争で新たな前進をもたらさなければなりません。

軽工業部門に原料、資材を供給するすべての部門で生産を正常化できるように、国家的な経済技術的対策を強く講じなければなりません。

つぎに、すべての部門、すべての単位では、新たな国家経済発展五ヵ年計画を遂行するための具体的な課題と方途を見いだし、確実に実行しなければなりません。

党大会は総括期間の教訓にてらして、今回は客観的かつ厳正に検討し、現実に最大限近づけて実現可能な新しい闘争目標を示しました。

すべての部門、すべての単位で今後の条件と環境を先を見通して判断しながら段階別、年次別の計画から綿密に作成することがきわめて重要です。

当該単位でいったん計画をたてた後は、その実行のための科学的かつ具体的な作戦と指揮を実現して、どんなことがあっても無条件完遂し、国家的に人民経済計画の遂行状況を指標別に厳格に掌握、推進、総括する強い規律を確立しなければなりません。

新たな国家経済発展五ヵ年計画遂行の成否は、経済管理をいかに改善するかにかかっています。

党中央の経済部署と内閣、国家計画委員会、工場、企業をはじめすべての部門が協力し、経済管理を改善するための決定的な対策を講じるべきです。

テストケースとして研究、導入している方法と、経営管理、企業管理をきちんとおこなっている諸単位の経験を結びつけることをはじめ、われわれの実情にあっていて、かつ最良化、最適化の効果をあらわす経済管理方法を研究、完成する活動を積極的におしすすめなければなりません。

新たな五ヵ年計画期間、国家の統一的な指揮と管理のもとに経済を動かす体系と秩序を復元し、強化することに党的、国家的な力をそそぐべきです。

党大会以降にも特殊性を云々し、国家の統一的指導を妨害する行為に対しては、どの単位を問わず強い制裁を加えなければなりません。

内閣と国家計画委員会は、人民経済の自立性を強め、生産を増大させる立場にたって部門と工場、企業が生産的連係と協同を円滑に実現できるように経済の組織と指揮を強めるべきです。

科学技術の実際の発展をもって、経済建設と人民の生活向上を確固と保障しなければなりません。

科学技術は社会主義建設を牽引する機関車であり、国家経済の主たる発展の原動力です。

科学技術部門では、国家経済発展の新たな五ヵ年計画を達成するための重点課題、研究課題を標的と定め、ここに力を集中すべきです。

新たな五ヵ年計画期間、国の科学技術水準をいちだんと引き上げ、科学者、技術者と生産者のあいだの創造的協力を強めて、経済建設と人民の生活向上で提起される科学技術上の問題から一つひとつしっかりと解決しなければなりません。

市・郡の自立的で多角的な発展をうながして地方経済を発展させ、人民の生活水準を向上させることのできる土台をきずくべきです。

現在、農村をはじめとする市・郡の住民の生活は非常に困難でたちおくれています。

これからは、地方経済の発展と地方人民の生活向上に関心を払うべきです。

国家的にすべての市・郡に毎年一万トンのセメントを保障する活動を強くおしすすめなければなりません。

国家経済指導機関は、市・郡が自体の経済的土台を円滑に構築できるように、地元の特性に即して発展できるように特恵措置を講じるとともに、正しい指導と援助を追いつかせるべきです。

農村で思想、技術、文化の三大革命を力強く推進し、国家的支援をふやして農村基盤を決定的にかため、農業生産の物質的技術的土台を強固にし、文化的で裕福な社会主義農村にかえなければなりません。

新たな五ヵ年計画期間に教育と保健医療の発展に国家的な力をそそぎ、中央と地方とを問わず、人民が社会主義教育制度と保健医療制度の優越性を肌で感じられるようにすべきです。

全党的、全国家的、全人民的に強力な教育と規律を先行させて、社会生活の各分野であらわれているあらゆる反社会主義的、非社会主義的傾向、権力乱用と官僚主義、不正腐敗、税金以外の徴収などあらゆる犯罪行為を断固阻止し、統制しなければなりません。

国防力を質的、量的にいっそう強めることを重要な課題としてとらえていくべきです。

核戦争抑止力をさらに強化するとともに、最強の軍事力をそなえることに全力をつくすべきです。

人民軍の最精鋭化、強兵化にひきつづき拍車をかけて、いかなる形態の脅威と不意の事態にも国家防衛の主体としての使命と役割を果たせるようにしっかり準備させるべきです。

国防科学技術をより高い水準に引き上げ、軍需生産の目標と課題を無条件完遂して、新たな五ヵ年計画の期間、わが党の歴史的進軍を最強の軍事力をもって保証すべきです。

こんにち、われわれに提起された責任ある、重大な革命課題をりっぱに遂行するためには、何よりも党を強化し、その指導的役割をいっそう強めなければなりません。

全党の党組織が忠誠の前衛隊伍として強化され、革命的に、進取的に活動し、当該単位の政治的参謀部としての役割を円滑に果たすとき、党と革命発展の偉大な全盛期が開かれるのです。

すべての党組織は、党の内部活動に力を入れて幹部陣容と党隊列を精幹化、精鋭化し、党生活の指導をいっそう強めることによって、党の組織的思想的基礎を不断にかためなければなりません。

わが党が活動する党、闘争する党、戦闘力のある党になるように、全党に整然たる党活動体系をたて、斬新な党活動方法を確立すべきです。

党組織が決起して、新たな闘争路線と戦略戦術的方針を貫徹するための組織、政治活動を本格的に、力強くくりひろげ、当該単位の活動で舵取りの役割を果たさなければなりません。

経済実務にとらわれて行政代行をするような傾向を打破し、革命と建設で提起されるすべての問題をあくまで党的方法、幹部と党員と勤労者の精神力を発揮させる政治的方法によって解決することをたがえることのできない鉄則としなければなりません。

とくに、組織指導部、宣伝扇動部をはじめ党中央委員会の各部署が党大会の決定貫徹のための党の指導、政策的指導を綿密に、攻勢的に強化すべきです。

革命の指揮メンバーである幹部は、前進する隊伍の先頭にたって自分の責任と本分を果たさなければなりません。

幹部の能力と役割に一つの単位、一つの部門の運命がかかっています。

こんにち、朝鮮革命の前途に横たわっている幾多の難関と試練、われわれの世代に課された強国建設の大業は、幹部が重荷を担い、すぐれた活動能力と熱情、献身性を発揮することを求めています。

いまこそ、党と国家の苦悩と心配を少しでも軽減するためにいつも忙しく努力する幹部、ひたすら革命と仕事しか知らず、人民のためになることなら一つでも多くなしとげようと奔走《ほんそう》する幹部、まかされた仕事で目にみえる実績をあげる幹部が必要なときです。

すべての幹部は、自分の党性、革命性、人民性が実際の活動能力と実績によって評価されるという覚悟をもち、党大会以後の壮大な道のりのはじめからしっかりと手はずを整えてとりくむべきです。

すべての幹部は人民の期待を片時も忘れず、一日一日を誇らしく良心的に総括できるように発奮し、また発奮しなければなりません。

幹部は、わからないことがあれば謙虚に学び、能力が足りなければ徹夜してでも水準を高め、活動において自己満足や停滞を絶対に許してはならず、自分自身に対する要求の度合いをたえず強めて闘争気風と活動態度において革命的な改善をもたらすべきです。

全党の党員が党大会が示した課題貫徹のためのたたかいで中核的、先駆的役割を果たすべきです。

党員が発奮し、決起してこんにちの苦難を先頭にたって真っ向から突破すれば、克服できない難関、占領できない要塞《ようさい》はありません。

すべての党員は、不屈の精神力と英雄的闘争によって、祖国解放戦争の偉大な勝利をもたらし、困苦欠乏に耐えながらも戦後の復興建設を短期間にりっぱになしとげた戦勝世代の精神をうけ継いで、もっとも困難で骨のおれる部門で一役買わなければなりません。

第八回党大会がうちだした聖なる闘争目標と課題をりっぱに遂行するうえで、新しく選出された党中央指導機関のメンバーと代表者のみなさんに担わされた任務はもっとも重いものです。

新しく選出された第八期党中央指導機関のメンバーは、いつどこにあっても党員と人民の貴い信頼と期待を片時も忘れず、党大会の課題貫徹のためのたたかいで強い責任感と献身性を発揮して充実した活動結果をもたらすべきです。

代表者のみなさんは、自分自身が直接討議、決定した党大会の課題が自分たちの持ち場と職場でりっぱに貫徹されるよう心魂をかたむけ、ねばり強くたたかわなければなりません。

党と革命のさしせまった要求を誰よりもよく知っている代表者のみなさんは、党大会の思想と精神を大衆の心に深く植えつけ、率先垂範して大衆を立ち上がらせ、自己の部門、自己の単位の活動で著しい発展をもたらすべきです。

代表者のみなさん。

社会主義偉業の新たな勝利を勝ちとり、赫々《かっかく》たる前進をとげるには、より困難な正面突破戦を覚悟しなければなりません。

敵対勢力はさらに躍起になってわれわれの前進を阻もうとするだろうし、世界はわが党の政治宣言と闘争綱領がどのように実現するかを注視するでしょう。

党の構想と決心を徹底した実践的行動をもって実現するすべての党員と人民、人民軍将兵の燃えるような忠誠心と一心団結の不敗の力があるかぎり、われわれの勝利は確定的です。

ともに、第八回党大会が示した闘争綱領のりっぱな実現のために、栄えある朝鮮労働党の強化、発展とチュチェ革命偉業の勝利の前進のために、偉大なわが人民のためにいっそう力強くたたかいましょう。

朝鮮労働党第八回大会における閉会の辞

二〇二一年一月一二日

親愛なる代表者のみなさん。

わが党の強化発展と朝鮮式社会主義建設の道のりできわめて重要な時期におこなわれた朝鮮労働党第八回大会は、代表者のみなさんの高度の熱意によって、上程されたすべての議題を十分に討議、決定し、その活動を終えることになります。

大会の全期間、代表者のみなさんは最大の党的自覚と責任感をもって問題の討議に誠実に参加し、建設的な意見を積極的に提起して意思を一致させながら、活動する党、闘争する党、前進する党としてのわが党の戦闘的面貌《めんぼう》をあますところなく示しました。

いままで全党的に重要な政治的な集会や大会合が数多く開かれ、そのたびに党中央の政策と思想に対する参加者の熱意がきわめて高く発揮されましたが、今回の第八回党大会のように満場が問題の討議に集中し熱中する、このような参加者の高い熱意に接するのははじめてです。

すべての代表者がみな一人のように、わが革命活動の成否と自分自身や子孫の運命を結びつけて苦心し心配しながら、討議されるすべての問題を積極的に真摯《しんし》に研究し、緊張した大会の活動に積極的に参加しました。

わたしは代表者のみなさんが、大会を見守るわれわれの数百万の党員と数千万の人民の期待がこもった心と視線をつねに自覚し、革命活動の前進と発展のために重い責任感をいっしょに抱き、もっとも正確でもっとも力強いわれわれの闘争方向と戦略戦術を確定することに心魂をかたむけたことに非常に感動し、そこから大きな力を得たばかりでなく、これをたいへんありがたく思っています。

第八回党大会が確定した革命的な路線と当面の闘争計画は、すべての党員と人民にわれわれの明日への大きな希望を抱かせ、大衆を新たな闘争と偉勲《いくん》へふるいたたせるであろうし、わが党を組織的思想的にいっそう強化し、革命と建設全般に対する指導力を強めるうえで決定的な転換をもたらすでしょう。

代表者のみなさん。

今回の第八回党大会を通じて、折り重なる挑戦と試練のなかでも一つの思想意志でかたく団結し、新たな闘争目標をめざしてたえまなく前進し、飛躍するわが党と人民特有の団結力と革命的熱情が今一度力強く発揮されました。

第八回党大会を防衛するために全党の党員と人民、人民軍将兵は、自分の職場と哨所《しょうしょ》をしっかり守り、たぐいのない活動成果をもって今回の党大会への熱烈な支持と期待を表明しました。

わたしは、第八回党大会の成功を保障するために高度の緊張を堅持し、かぎりない献身性と革命性を発揮したすべての党員と人民、人民軍将兵に本大会の名であつい感謝を送ります。

代表者のみなさん。

朝鮮労働党第八回大会は、金日成・金正日主義の旗じるしをかわることなく高くかかげ、勝利への確信と勇気をもち、朝鮮式社会主義の富強発展をかならずなしとげようとする革命家の確固不動の意志を誇示した闘争と前進の大会となりました。

大会は、するどい内外情勢の変化と、それが朝鮮革命におよぼす主客観的環境を細部にわたって分析し、この五年間の活動を正しく総括し、それにもとづいて、当面の新たな環境と革命情勢に立脚して国家の経済的土台の再整備と発展、そして国家社会制度の強化のための科学的で正確な戦略戦術的方針を提示することによって、党と国家の活動全般の前進方向を明示しました。

これは確かに、われわれの前進のための新たな原動力をもたらし、明白な里程標をたてたことになり、したがってわれわれの聖なる偉業を力強く牽引する契機になったと確信します。

第八回党大会は、党の強化発展においてもきわめて重要な意義をもちます。

わが党の強化、発展の道のりでいま一つの偉大な過程を経たわれわれは、いつにもましてわれわれの闘争に対する確信と自負にみちており、われわれ自身が担った責任の重大さを今一度深く感じています。

党大会の決定は、朝鮮式社会主義の建設で新たな勝利を勝ちとるためのわが党の戦略戦術であり、朝鮮労働党が革命と人民にたてた誓いであると同時に、偉大なわが人民が党中央委員会にあたえた至上の命令です。

われわれの党員たち、代表者のみなさんは、党大会の決定にこのような崇高な観点で接し、重く栄えあるものとしてうけ入れなければなりません。

国家経済発展五か年計画をはじめとする本大会で決定された課題をどのように貫徹するかによって、社会主義偉業の前途が左右されます。

われわれは、党大会がうちだした綱領的課題を無条件貫徹して朝鮮革命を今一度高揚させ、一日もはやく人民によりよい、安定した生活条件と環境を提供しなければなりません。

われわれは、党大会の決定貫徹のための全党的な学習を組織して、大会で確定された闘争課題と任務を徹底的にうけとめ、果敢《かかん》な闘争を展開して社会主義建設を新たな段階へと移行させなければなりません。

それゆえ各級党組織は、党大会の文献と決定で武装するための集中的な学習を組織し、その貫徹のための討議と組織、政治活動を着実におこない、党大会の決定を貫徹するための戦術を綿密にたてて力強くたたかわなければなりません。

まず党員大衆を先にふるいたたせ、彼らが先駆的な闘争をくりひろげて集団を新しい奇跡と偉勲へと導くようにし、すべての単位、全国が党大会の決定貫徹のためにわきたつようにしなければなりません。

新しく改正した党規約に対する全党的な学習をおこなって、党組織と党員が党活動と党生活のすべての過程と契機に党規約上の規範を遵守《じゅんしゅ》する気風を確立すべきです。

代表者のみなさん。

われわれの前途には依然として幾多の試練と難関が横たわっていますが、われわれの決心は確固たるものであり、未来は楽観的です。

わが党はこれまでと同様、今後ともかわることなく人民大衆第一主義にかぎりなく忠実であり、社会主義建設におけるたえまない新たな勝利を獲得するために全力をつくすでしょう。

金日成・金正日主義を百戦百勝の旗じるしとして高くかかげた朝鮮労働党が革命と建設を正しく導いており、党と人民大衆の一心団結の不敗の威力がある以上、朝鮮革命はいかなる困難ものりこえて力強く前進するでしょう。

ともに、社会主義の偉業、チュチェの革命偉業の勝利への確固たる信念を抱き、党中央委員会のまわりに鉄のように団結し、革命の新たな勝利をめざして力強く前進しましょう。

わたしは、全党の党組織と党員、すべての人民と人民軍将兵の高度の戦闘力と団結力、強い愛国的熱意と堅忍不抜の努力によって、本大会が提示した闘争戦略と方針がりっぱに貫徹され、朝鮮式社会主義の建設で画期的な前進がもたらされるものと確信しつつ、朝鮮労働党第八回大会の閉会を宣言します。

五万世帯の住宅建設によってわれわれの首都を今一度壮大に変貌させよう

―平壌市一万世帯の住宅建設着工式でおこなった演説―

二〇二一年三月二三日

栄誉ある首都建設に決起したすべての建設者と人民軍将兵のみなさん。

今日われわれは、わが国の首都建設史にいま一つの意義深い里程標をしるす光栄にあずかりました。今年度の初頭に開かれた朝鮮労働党第八回大会と朝鮮労働党中央委員会第八期第二回総会では、五か年計画期間に全国的に住宅建設を力強くおしすすめるとともに、われわれの首都だけでも五万世帯の住宅を建設し、そのために毎年一万世帯ずつ建設することを決定しました。

党大会で決定された重大かつ壮大な闘争課題のなかでもっとも張りあいのある誇らしい革命事業が今日、ついに本格的なスタートをきることになりました。

わが国家の首都平壌《ピョンヤン》に五万世帯の近代的な住宅を建設することは、首都市民により安定した文化的な生活条件を提供するためにわが党が大胆に構想し、準備してきた宿願事業です。

党と政府は、首都の不足する住宅の世帯数を掌握してその解決策を深く検討してきたし、これはわが党と政府にとってもっとも重大な課題となっていました。

党中央委員会は、この重大な課題をいかなる不利な条件と環境のもとでも、どんなことがあってもかならず果たすべき栄誉ある革命課題としてうけとめ、人民大衆第一主義をいっそう確実に具現する原則にたって建築発展の構想と建設政策を再確定しました。

建設の方向と順序を改めて策定し、国家建設総予算の多くを住宅建設に支出するようにし、その実行のための作戦と準備活動をおこなったうえで第八回党大会で五万世帯の住宅建設を政策化しました。

わが党と国家が示した大規模の住宅建設作戦は、何らかの経済的利益のためのものではなく、徹頭徹尾、国家の財産と勤労者大衆の創造的労働の結果がそのまま勤労者自身の福利となるようにするための崇高な事業です。

今日を出発点として今後党創建八〇周年に当たる二〇二五年までに毎年一万世帯ずつ五万世帯の住宅を新たに建設すれば、いま建設中の一万六〇〇〇余世帯を含めておよそ七万世帯の住宅が建設され、首都の住宅問題は確実に解決されるでしょう。

首都にスケールが大きく大々的に住宅を建設することは、折り重なる困難にたちむかって力強く前進するわが国家、わが人民の不敗の闘争気概を誇示するうえでも大きな意義があります。

周知のように、今年の平壌市の一万世帯住宅の建設はようやくのことで決まりました。

実際、挑戦と障害がいつにもましてきびしくなるいまのような状況下で、このような大規模な建設をおこなうこと自体が想像を絶する途方もないことだと言わざるを得ません。

今年の一万世帯の住宅建設は、五年前の黎明《リョミョン》通りの建設をはじめるときとはまったく異なる状況下でおこなわれるものであり、さらにはその何倍もの作業量を短時日内にやりとげなければならない膨大な工事です。

しかし、わが党は一万世帯の住宅建設が首都市民の生活と直結しており、党大会の決定を予定通りに貫徹するための初年度の重要な政治的活動であるため、無条件におしすすめることにしました。

われわれには、もっとも困難な時期にもっとも壮大、かつりっぱな大建設をくりひろげるという大きな誇りと自負、胆力があり、この膨大な建設課題を完全に実行できるという自信と経験、土台があります。

いまはまだ建築形成案でしか見られない特色のある高層、超高層住宅が今年の末にこの松新《ソンシン》、松花《ソンファ》地区に林立するようになれば、わが国家の潜在力とわが人民の創造力は今一度大きく誇示されるでしょう。

この過程に、われわれのチュチェ建築はいちだんと飛躍し発展するであろうし、自分の方式、自分の力、自分の手で新しい生活を創造し、発展させていくわれわれの建設は、より大きな前進力をもつようになるでしょう。

グリーン建築、乾式工法のような先進的な建築技術、建設工法が大胆に、革新的に導入され、建設装備と建材を生産する工業基地の土台がいっそう拡大強化されるであろうし、われわれの建設部隊と建設者はより強力になり、有能になるでしょう。

こんにちの大建設は、首都の建設史においても記念碑的な意義を有します。

これからはじまる五万世帯の住宅建設は、首都平壌の都市区画を東西方向と北の方向に拡大し、大規模で近代的な新しい市街を形成する歴史的な建設事業です。

平壌市の松新地区と松花地区、西浦《ソポ》地区、金泉《クムチョン》地区、九・九節通り地区に毎年順次に一万世帯の住宅と独特な公共建物が建設されれば、わが国家の首都はいっそう壮大華麗に様変わりするであろうし、これはもっとも困難かつ栄えある二一世紀の二〇年代を象徴する意義深い記念碑となるでしょう。

将来、われわれが建設する新しい市街で暮らすことになる市民と次世代は、最悪の挑戦をはねのけて世界に堂々と誇れる巨大な建築群を建設したわれわれの時代の主人公を、英雄的な世代としていつまでも追憶するでしょう。

このように、こんにちの大建設は栄光の時代を歴史に記録する偉大な事業です。

同志のみなさん。

建設は時代の到達した精神的高さと国力の集合体であり、文明と発展のための大きな第一歩です。

わが国家第一主義をかかげて富強と繁栄へとすすむこんにち、首都の五万世帯の住宅建設場は社会主義建設の新たな高揚期、激変期を象徴する主要攻撃戦線となるでしょう。

われわれは五万世帯の住宅建設を通じて、首都の面貌を今一度変えるだけでなく、社会主義建設を段階別に確信をもって強化発展させる新しい前進の時代、活力の時代を拓くことになるでしょう。

党中央委員会は、膨大な大工事を作戦しながら建設の主役となる強力な主力部隊の編制に優先的な関心を払いました。

党中央が五万世帯の住宅建設を決定する際、真っ先に信頼したのは言うまでもなく、党と人民にかぎりなく忠実な革命武力です。

人民軍は祖国と人民をしっかり守る国家防衛の使命と責任をまっとうしながら、人民の幸福を創造するうえでもつねに大きな役割を果たしてきました。

これまで数多くの大建設戦域と被害復旧建設で英雄的偉勲《いくん》をたてた人民軍が基本戦線を担当してこそ、全般的な建設大戦で確実な成果をおさめることができます。

わたしは、われわれの人民軍を誰よりもよく知っています。

わたしは、われわれの将兵が創造的な建設闘争においても、自分の戦闘的気質をあますところなく発揮して、党と人民の期待にかならず徹底した任務の貫徹をもってこたえるものと確信します。

これまで黎明通りの建設をはじめ重要な建設現場でめざましい勲功をたてた首都建設委員会と速度

戦青年突撃隊、革命史跡地建設局、対外建設局をはじめとする社会の主要建設部隊も今回の大建設戦闘に参加することになります。

大建設戦闘の成否は、直接の担当者である指揮メンバーと人民軍軍人、建設者にかかっています。わが党と国家の建設政策と指導は、最終的にはそれぞれの建設部門の幹部の創造的熱意と努力によって現実化し、党はわれわれの建設者の熱烈な愛国心と才能を何よりも大いに信じています。

設計部門に提起される任務がもっとも重要です。

建設そのものが高度の創造的活動であり、建築物が造形化、芸術化、多機能化、知能化しているこんにち、設計の重要性はより大きくなっています。

設計部門に対するわが党の要求は、設計図の一つの線、一つの点にもわれわれの時代の思想と精神、躍動する気概が宿り、世界と堂々と張りあう高い理想と文明水準が反映されるようにすることです。

設計部門の活動家はすでに確定、示達された市街形成案と設計案通りに、すべての対象設計を党の建築美学的思想がりっぱに具現された満点のものに作成し、当該の設計図を施工部門に早急に提供しなければなりません。

施工をうけもった各建設単位は、建設工事に即刻着手して日程計画を日別、週別、月別にかならず遂行し、今年の上半期内に担当した建築物の骨組工事を基本的に終えなければなりません。

すべての建設部隊と単位では、施工の質を高めることを主な課題とし、建設工事の全工程の質を保証しなければなりません。

すべての幹部と建設者が党と国家に対し、人民と次世代に対し、そして歴史に対して自分の忠誠心と愛国心、良心を検証されるという姿勢と立場をつねに堅持するとき、すべての建築物は名実ともにわれわれの時代のりっぱな創造物となるでしょう。

建設監督部門の役割を強めて、党と国家の建設政策、人民の要求と利益、建築の安全性をしっかり遵守《じゅんしゅ》し保障するようにすべきです。

一万世帯の住宅建設に必要な資材と設備を最優先的にそのつど保障すべきです。

セメントや鉄鋼材、各種の建材品や設備の生産をうけもった工場、企業では、労働者たちの革命的熱意と創造力を最大限に発揮させ、まかされた生産課題を期限内にりっぱに遂行することによって、首都の住宅建設の成果を保証しなければなりません。

鉄道運輸をはじめとする輸送部門でも、超過輸送運動を力強くくりひろげて、首都の大建設場と鉄鋼材や建材の生産基地に必要な貨物を迅速に運搬すべきです。

すべての活動で政治活動、思想攻勢を優先させて、人民軍軍人と建設者の忠誠心と愛国心、創造的知恵をあますところなく発揚させ、建設のはじめから終わりまですべての建設現場が天をもつく勢いでわきたつようにしなければなりません。

こうして、大衆を張りあいのある建設闘争にふるいたたせるだけでなく、こんにちの壮大な首都建設戦闘場が新たな時代精神を生みだし、勇敢な実践家、たくましい社会主義的勤労者に育てる熾烈《しれつ》な革命戦域、りっぱな学校になるようにすべきです。

また、建設に参加した軍人と建設者の健康と生活に気を配り、よく見守ることをもっとも重視すべきです。

国家非常防疫システムの要求に即して建設全域に防疫哨所《しょうしょ》と施設を手ぬかりがなく整え、防疫規定を自発的に徹底的に守る気風を確立するとともに、各種の事故と災害を防止し、建設者が何の不便もなく作業に専念できるように最善をつくすべきです。

軍人や建設者への給養活動を当該単位にのみまかせるのでなく、国家的な保障システムを強めて、すべての建設戦闘員に所定の供給量が確実に提供されるように綿密に手配しなければなりません。

同志のみなさん。

今日はわれわれが鍬《くわ》入れをしますが、数か月後にはこの地域に新しい人民の通り、われわれが誇りとするすばらしい大建築群が生まれるでしょう。

他でもなく、この世で一番りっぱで偉大なわが人民のすばらしいよりどころとなる理想的な市街の建設に汗と熱情をおしみなくささげることより誇らしく幸せな、誉れ高いことはありえません。

より美しく、より壮大に変貌するわれわれの首都の明日のために、そのなかで、新しい文明を思う存分創造し享受するわれわれの父母兄弟と子どもたちのために、第八回党大会の決定のりっぱな実行のために、みなともに力強くたたかっていきましょう。

朝鮮労働党第六回細胞書記大会における開会の辞

二〇二一年四月六日

親愛なる細胞書記のみなさん。

全国が朝鮮労働党第八回大会と党中央委員会第八期第二回総会の決定を貫徹するためのたたかいによってかつてなく高揚した環境のなかで、朝鮮労働党第六回細胞書記大会が開かれることになります。

わたしは、党と革命にかぎりなく忠実な全党の党員や勤労者とつねにいっしょに働き、生活している党細胞書記のみなさんと席をともにしたこの場を借りて、わたしと党中央委員会の名で、わが党の強化と祖国の復興発展のために献身的にたたかってきた大会の参加者と全党の細胞書記、そしてすべての党員にあつい感謝とあたたかい挨拶を送ります。

細胞書記のみなさん。

わが党の強化と革命の発展において重要な峠とも言える要の時期に同志のみなさんに課された任務はきわめて重大なものです。

それは、たぐいない幾多の挑戦をきりぬけなければならないきわめて困難な状況下でも、経済活動と人民生活をはじめとする各分野で実質的ないちじるしい変化と発展をなしとげて、朝鮮式社会主義偉業をいちだんと前進させようとする党大会決定の実行いかんが、他ならぬ党の末端基層組織である党細胞の役割にかかっており、党細胞の戦闘力は細胞書記によって左右されるからです。

党大会と党中央委員会総会が示した闘争綱領と方針は、全党の党組織、具体的には党細胞が確実にうけとめ、その貫徹のためのはげしい闘争に立ち上がってこそ徹底的に実行され、りっぱな結実がもたらされるのです。

全党的にみると、細胞書記の交代がはやくなり、いま活動をはじめたばかりの細胞書記が少なくありません。

　こうした状況下で、周期的に全党の細胞書記に会って細胞活動をともに討議をしたり、指導的援助もあたえたりして、党細胞を強化する活動をたえまなくおこなおうというのがわが党中央委員会の意図です。

　そのためわが党大会は、党の路線と政策を貫徹する直接的戦闘単位をうけもっている細胞書記を政治的実務的に武装させる活動を重視し、党大会にあわせて五年に一度ずつ細胞書記大会を定例的に開くということを党規約に規制しました。

　世界には共産党や労働党が多くありますが、末端基層党組織の責任者の大会を定期的に招集し、党中央が直接対座して活動を討議する党はわが党しかありません。

　基層組織を強化して全党を強化することは、わが党特有の独創的な党建設原則であり、誇るべき伝統です。

　わが党中央が、つねに党員大衆のなかで活動する党細胞書記にたびたび会って意見を聞き、教えるのは、その過程を通じて広範な党員大衆や勤労者と心をふれあい、彼らの意思や要求に即して革命と建設を導くためです。

　党中央と大衆を一つの血脈につなぎ、党員と勤労者を党中央の路線と政策の貫徹へと直接組織動員する位置にある党細胞書記をしっかりときたえる活動は、わが党中央委員会がもっとも重視する重大事項です。

　党中央委員会が細胞書記大会を党大会におとらぬ重要な大会とみなし、大会開催の成功のために大きな力を入れている理由がここにあります。

第五回細胞委員長大会以後、党細胞を強化し、その役割を強めるための活動ではある程度の成果もありましたが、欠点も少なくありません。

党細胞の活動に内在している欠点を早急に正すことは、党の健全かつ持続的な発展のためにかならず経なければならない必須の工程であり、それを通じてのみわが党が大衆のなかに深く根をおろし、革命と建設を導く戦闘的参謀部としての使命をりっぱに果たすことができます。

たとえ欠点が部分的で小さいものであっても、決してそれをおろそかにしてはなりません。

党の末端基層組織である党細胞をすべて、団結した戦闘力のある集団につくるための実質的な方法を見いだして細胞活動に積極的に具現することによって、全党強化の早道をいっそううながし、社会主義建設を力強く前進させるところに、細胞書記大会を盛大に開いた重要な目的があるということを自覚しなければなりません。

同志のみなさん。

細胞書記はわが党の中核であり、党政策の貫徹の旗手であり、実行者です。

党中央委員会は、みなさんが党細胞を強化する活動をより積極的に、責任をもっておこなうことを期待しています。

今回の大会では、第五回細胞委員長大会以後の細胞書記の活動状況を全般的に分析、総括するとともに、今日、細胞活動を根本的に改善強化するうえで提起される課題と方途を討議することになります。

みなさんは、大会に高い政治的自覚と熱意をもって参加して、党員と勤労者を党大会決定の貫徹へと立ち上がらせ、労働党の初級政治活動家としての品格をそなえるためにはどうすべきかを真剣に学習すべきです。

大会で討議される問題と、これまでの成果と経験、欠点と教訓に照らして自分の活動をふりかえり、党細胞活動を人々の心との活動、感情、情緒との活動に確固ときりかえ、性格や水準が相異なる細胞党員や勤労者を一つの家族のごとく団結させるための方法論を見いだすのが重要です。

今回の大会には、生産現場で活動する模範的な細胞書記を基本とし、各部門の党細胞書記、道党や同等の機能を果たす党委員会の責任幹部、各市・郡と連合企業所の党責任書記、そして党中央委員会の当該活動家など、合計一万人が参加しました。

わたしは、本大会が党の基礎をいちだんと強固にし、われわれの革命隊伍をいっそう不敗のものにうちかため、党大会決定の貫徹と社会主義建設において画期的な前進をもたらす意義深い契機となるものと確信しつつ、朝鮮労働党第六回細胞書記大会の開会を宣言します。

朝鮮労働党第六回細胞書記大会における閉会の辞

二〇二一年四月八日

細胞書記のみなさん。

全党の強化、全党の団結の礎石《そせき》であり、基本である党細胞の強化において画期的な改善をもたらすために開かれた朝鮮労働党第六回細胞書記大会は、すべての参加者の高い政治的熱意のもとにその目的を達成し、日程を終えることになります。

大会では、党細胞の活動状況が肯定的な側面と否定的な側面で深く分析、総括され、こんにち、党細胞が堅持していくべき重要な課題と党細胞書記の役割を強めるうえで提起される実践的方途が示されました。

本大会を通じて、全党の思想、意志の統一団結をいっそう盤石《ばんじゃく》のごとくうちかため、社会主義建設を力強くおしすすめるうえで党細胞の強化がもつ意義と重要性が今一度実証され、党細胞の戦闘力を強化してわれわれの当面の闘争目標をりっぱに遂行するかたい意志が表明されました。

朝鮮労働党第六回細胞書記大会は、わが党の独創的な基層組織建設思想をさらに発展させ豊富にし、全党の細胞書記に明確な行動指針をうちだした意義深い大会としてチュチェの党建設史にはっきりと記されるでしょう。

細胞書記のみなさん。

朝鮮労働党第六回細胞書記大会の基本思想は、すべての党細胞を人間的にかたく団結した健全で、かつ血気旺盛な細胞にしようということです。

人間的に団結していない党細胞は、忠誠の細胞とはなりえません。

すべての党細胞を人間的にかたく団結した集団にかえるのは、全党を強化するための先決条件であり、現段階においてかならず解決すべき焦眉の問題です。

そのため党中央は本大会で、党細胞に提起される一〇大課題と細胞書記が身につけるべき一二の基本的品性を提示しました。

党細胞書記は、細胞を人間的に団結した一つの家族にするうえでかならず柱となり、そのためにはほかならぬ同志のみなさん、党細胞書記が人知れぬ気をつかい、苦労の道もより多く歩かなければなりません。

党細胞書記は、わが子の生活と成長につねに関心をはらい、正しい道に導く母親のようにあたたかい愛情と献身をもって党員をたゆみなく教育し導いて、党と革命にかぎりなく忠実な闘士、志と情をともにする真の革命戦友となるようにすべきです。

そうしてこそ、党細胞を人間的に団結した一つの集団に、苦楽をともにしながら困難にうち勝ち、課された革命任務をりっぱに遂行する前衛隊伍につくることができます。

党細胞書記は、党大会が示した戦略的課題を遂行するための党細胞の活動を手際よく導かなければなりません。

党細胞書記が力強い政治活動によって大衆の精神力を発揮させ、隊伍の先頭にたって進撃路をきり拓いてこそ、どの戦場でも奇跡と革新が生みだされるのです。

つねに大衆とともに生活している党細胞書記の言葉と行動は、人々の心にただちに作用し、大衆に大きな影響をおよぼします。

党細胞書記は、真情という大きな力をもって大衆の心を動かすすぐれた政治活動家になるべきです。

困難で骨の折れる仕事にはかならず率先して身を挺し、革新的な考え方と仕事ぶりをもって新しいものをたえず創造する先駆者になるべきです。

細胞書記のみなさん。

みなさんは本大会を通じて、党と革命に対し担っている自分たちの責任の重大さをあらためて深く自覚したことでしょう。

わが党がゆるぎなく強固なのは、総書記がいたり、党中央委員会に政治局や書記局があるからではなく、党の路線と政策を貫徹する直接の戦闘単位であり、末端基層組織である党細胞があり、これをうけもっているわが党細胞書記がいるからです。

党の構想が具現される生産現場で大衆と同じく働きながら、党が進撃するときはたたかいの先頭にたって大衆を導き、党が試練に直面したときは命を賭して党を擁護する党の親衛隊、突撃隊であり、いつどこにあっても犠牲的な努力と闘争によって黙々と党をゆるぎなく支える党細胞書記をぬきにしては、わが党がなしとげた偉大な変革と歩んできた勝利の道のりについて考えることができません。

職責や特典、報酬という面で普通の人々と区別はありませんが、わが党の礎石となり、わが党が展開する偉大な事業の旗手、前衛闘士となっているたのもしい党細胞書記は、特別な地位のない職業的革命家であり、報酬を望まず党のために献身するかくれた英雄のなかのかくれた英雄です。

それゆえ、わたしはつねにみなさんをありがたく思っており、わが党の中核のなかの中核であるみなさんに今一度、わが革命のために、わが党のためにより多く努力したたかってくれることをたのみたいと思いました。

細胞書記のみなさん。

われわれの前進途上には幾多の障害と難関が横たわっており、そのため第八回党大会の決定を貫徹するための闘争は順調ではありません。

わが人民の前途をきり拓き、社会主義共産主義へむかう偉大な目標、偉大な理想を実現するうえでわが党は、何らかの偶然の機会にめぐりあえるということをけっして信じていません。

われわれはどこかに期待をかけたりたよったりすることもなく、ひたすら数百万の労働党員、とくに数十万の細胞書記の心を信じているだけです。

わが党を母なる党として信頼ししたがい、自己の党を守るために数十年間もあらゆる苦難に耐えてきた人民の苦労をいまは一つでも軽減し、人民に最大限の物質的文化的福利をもたらすために、わたしは、党中央委員会からはじめて各級党組織、全党の細胞書記がよりきびしい「苦難の行軍」をおこなうことを決心しました。

いま、わが人民はうれしいときにも苦しいときにも、かわることなくわが党を母なる党と呼んで慕っています。

この呼び名は、この世で朝鮮労働党だけがさずけられた尊い称号であり、億万の金でも得られず、何ものともかえられない最高の栄誉であり、最上の光栄です。

これからわが党は、気兼ねなく党を母と呼ぶ人民の偉大な信頼に命を賭してかならずこたえなければなりません。

そのためには、わが党が人民の真の「忠僕」党にならなければなりません。

細胞書記のみなさん。

朝鮮労働党の底知れない力であり、不敗性の象徴であり、特有の称号であり、呼称である、わが人民が呼んでくれた母なる党という偉大なこの呼び名に恥じることなく、この栄誉をとわに固守し輝かせるために、われわれのすべての党活動家、党細胞書記が一〇〇倍に奮起してたたかっていくことをこの場を借りて今一度戦闘的に呼びかけるものです。

全党の数十万の細胞書記と党活動家が、党中央の指導にしたがって党員をかたく団結させ、彼らの忠実性と愛国心、創造的知恵を積極的に発揮させるとき、朝鮮革命は高揚した勢いで勝利の一路をたどるでしょうし、共産主義の理想はかならず実現するでしょう。

わたしは、大会の参加者と全党の細胞書記が本大会の基本思想と課題を心にうけとめ、党細胞の強化発展のために献身奮闘することによって、全党の強化、全党の団結に大いに寄与するものと確信しつつ、朝鮮労働党第六回細胞書記大会の閉会を宣言します。

革命の新しい勝利をめざす歴史的進軍で社会主義愛国青年同盟の威力を遺憾なく発揮せよ

—青年同盟第一〇回大会に送った書簡—

二〇二一年四月二九日

朝鮮労働党第八回大会がさししめした新しい進軍方向にそって力強くすすむ朝鮮青年の特出した革命的情熱が強く燃えあがるなか、金日成・金正日主義青年同盟第一〇回大会が成功裏におこなわれました。

今回の大会は、朝鮮労働党の指導にかぎりなく忠実で、党の偉業遂行で英雄主義と勇敢さを遺憾なく発揮しようとする数百万の青年の信念と誓いを誇り高く再度表明し、わが国の青年運動を新たな段階に発展させるうえで提起される重要な問題を討議決定しました。

わたしは、金日成・金正日主義青年同盟第一〇回大会がすべての代表の高い熱意と積極的な参加によって、青年同盟活動の革新と強化発展のための意義ある成果を達成したことを満足に思い、党中央委員会の名で熱烈な祝賀を送ります。

わたしはこの機会を通じて、党と革命にたいする忠誠を最上の栄誉、誇りとして貴重な青春時代を輝かせているわれわれのたのもしい全国の青年男女にあつい戦闘的な挨拶を送ります。

また、社会主義祖国の富強繁栄と民族の明るい未来を祈り、愛国の代をしっかりうけ継いでいく在日朝鮮青年をはじめとするすべての同胞青年にもあたたかい挨拶を送ります。

朝鮮革命の前進、発展とともに、この五年間の青年運動でも新しくかつ重大な変化がおこりました。

幼い少年たちが青年隊伍に加わり、昨日の若い青年たちが社会の主力として成長し、青年活動の環境と条件も大いにかわりました。

しかし、党にしたがってまっしぐらに力強く前進し、革命と闘争を好むわれわれの青年のりっぱな品格はかわることなく高く誇示されました。

最悪の挑戦を果敢《かかん》にはねのけ、革命を飛躍的上昇へと導くわが党のまわりにはつねに忠実な青年大軍が城壁をなしており、青春の理想と抱負を党の構想に一致させ、水火も辞せず突きすすんでいく英知に富むたのもしい愛国青年が数えきれないほど多く存在します。

どこを見まわしても、青年期の世代が栄達と享楽のみを追求しているいまの世界で、苦労と試練をたのしみとして、祖国の呼びかけに忠実で、社会と集団に誠実であり、未来のために献身する革命的な青年はわれわれの青年しかいません。

第八回党大会以降、全国の青年たちがこぞって決起し、わずか数ヵ月のあいだに数千人の青年男女が困難かつ骨の折れる部門に勇躍志願したことは、戦時に最前線にでて敵の銃眼をわが身でふさぐような英雄的行為であり、われわれの青年のみが身につけている気高い精神世界を集約的に見せています。

革命をおこなう党にとって自分の交代者、後続部隊をたのもしく育て、前途洋々たる若い主力部隊を有しているのは、何ものにも比べることのできない第一の財産であり、最大の誇りです。

これは、わが党と人民がこんにちの困難をのりこえて社会主義建設の新しい時代へ移行し、共産主義をめざして力強く前進していくことができる確信をあたえています。

朝鮮革命の開拓期は青年運動の発端と一つにつながっており、朝鮮革命の高揚期は青年運動の全盛期とつねに一致しました。

党大会が明示した進路にそって革命の新しい高揚期、激変期をきり拓くうえでも、われわれの青年運動は当然、自己の発展の一大転換によって強力な戦闘的役割を果たさなければなりません。

わが党は今後の五年間を、朝鮮式社会主義建設に画期的な発展をもたらす効果的な五年間、歳月を縮めて山河を今一度大きく変貌《へんぼう》させる大変革の五年間にするための作戦をたてています。

そして、つぎの段階の壮大な闘争を連続的に展開して、今後一五年前後に全人民が幸福を享受する隆盛繁栄の社会主義強国をうちたてるつもりです。

こんにちの状況下でこのように大胆な目標をかかげてたたかおうとするのは、ほかならぬ青年のためであり、われわれの青年の強烈な志向と底知れない力を信じているからです。

朝鮮式社会主義の明るい未来は青年のものであり、青年自身の手でたぐり寄せなければならない聖なる愛国偉業です。

それゆえ党は、われわれの青年大軍の巨大な力をあまねく発揮させ、青年運動を社会主義建設の威力ある推進力に確固ときりかえるために今回の青年同盟第一〇回大会を特別に重視しました。

今回の大会では、金日成・金正日主義青年同盟の名称を社会主義愛国青年同盟に改称するという重大な決定が採択されました。

社会主義愛国青年同盟という新しい名称には、朝鮮革命の現段階における青年運動の性格と任務が直線的に明白にもりこまれており、われわれの時代の青年の理想と品格が集約されており、青年組織としての固有の味わいもよく生かされています。

これには、われわれのすべての青年が社会主義を生命のように貴び、その勝利のために代を継いで断固とたたかう愛国青年として準備され、青年同盟が社会主義建設で突撃隊の威力をあますところなく発揮することを望む党と人民の大きな期待もこもっています。

青年同盟の名称を改めたからといって、全同盟の金日成・金正日主義化を総体的目標、総体的闘争課題としているわれわれの青年組織の本態がかわるのではありません。

社会主義と愛国は、金日成同志と金正日同志の不滅の革命思想と業績を象徴しています。金日成同志と金正日同志の貴い生涯が秘められているチュチェの社会主義祖国を熱烈に愛し、社会主義偉業の完成のためにたたかうのは、すなわち金日成・金正日主義に忠実であることを意味します。

今回の大会で朝鮮青年運動発展の新しい里程標がうちたてられたのですから、社会主義愛国青年同盟は、時代と革命があたえた重大な使命と任務を遂行することに全同盟的な力を集中すべきです。

すべての青年を社会主義を断固擁護し、社会主義建設闘争に献身する愛国青年に育てあげること、これが現段階における青年同盟の基本的任務です。

社会主義愛国青年同盟は、朝鮮革命の新たな歴史的進軍において自己の戦闘力をあますところなく発揮し、朝鮮青年運動の一大全盛期をきり拓かなければなりません。

社会主義愛国青年同盟に提起される重要な課題は第一に、すべての青年を社会主義を信念とする愛国青年としてしっかり準備させることに同盟活動のすべてを指向させることです。

社会主義はわが人民の生命であり、生活であり、青年は社会主義未来の主人公であり、建設者です。ところが、いまの青年世代は国が試練を経ていた苦難の時期に生まれ育ったため、朝鮮式社会主義の真の優越性に対する実際の体験やイメージに欠けており、甚だしくは一部間違った認識までもっています。

いくら困難が折り重なり、なすべきことが多くても、朝鮮革命のつぎの世代を社会主義建設のたのもしい主体として準備させることより緊切で、重要なことはありません。

世界観が形成され、強固になる青年時代に社会主義を確固たる信念とするように正しく教育することこそ、青年組織がおこなうべき優先的な活動です。

青年同盟組織は、青年たちを社会主義思想でしっかり武装させる活動をたえず深化させなければなりません。

社会主義はどんな社会であり、朝鮮式社会主義の本質的特徴と優越性は何であるかを原理的に、対照的に体得させることが重要です。

とくに、社会主義共産主義思想の核心である集団主義思想をわれわれの社会の誇るべき現実と結びつけて深く認識させ、「一人はみんなのために、みんなは一人のために」というスローガンが青年自身の要求となるようにすべきです。

こんにち、われわれの社会主義祖国が到達した国力と地位、人民の尊厳と権益、幸福な未来を全的に責任をもって保障できるわれわれの制度のありがたさ、他の社会ではあえてまねることも、模倣することもできない社会主義大家庭の美しく特有な美徳と美風がわれわれの青年自身の大きな自負、誇りになるようにすべきです。

困難な試練のなかでもわれわれの新しい世代と人民にほどこされるわが国の社会主義制度の恩恵がどれほど大切であり、かけがえのないものであるかをすべての青年がよく理解できるように各面から根気よく教育しなければなりません。

社会主義に対する信念は、その正当性と勝利の必然性、その偉業遂行の合法則性を確信するときにより強固なものになります。

突きあたるあらゆる障害をのりこえ、朝鮮式社会主義を成功裏に建設することのできるもっとも正確な進路と戦略戦術は、わが党の政策に集大成されています。

新しいものを志向し、熱情に燃える青年に、党の声で真の理想と抱負をいだかせ、偉勲《いくん》創造へと奮起させることが、われわれの青年組織の日常的な活動にならなければなりません。

青年同盟組織は青年たちにわが党の政策の真髄をよく認識させ、その実行のための仕事の手配を綿密におこなって、彼らが信念と楽観にみちて社会主義建設に寄与する愛国的な闘争に立ち上がるようにすべきです。

こんにち、われわれの青年を社会主義を信念化した愛国青年として準備させるうえで重要なのは、千里馬《チョンリマ》時代の青年の思想精神と闘争気風に見習うようにすることです。

一九五〇年代、一九六〇年代の青年たちは社会主義共産主義理想を信念とし、刻苦奮闘《こっくふんとう》して千里馬の奇跡を生みだし、この地にもっともすぐれた社会主義をうちたてました。

伝説のような千里馬時代に青年たちが発揮した党への忠実性と勇敢さ、数々の英雄的な偉勲談と美談をもって教育活動を斬新《ざんしん》、かつ着実におこなって、すべての青年が前の世代の青年のように生き、社会主義の明るい未来をたぐり寄せるために果敢に立ち上がるようにすべきです。

これとともに、社会主義、集団主義に反する資本主義思想、利己主義をはじめとする反動的な思想要素との妥協のないたたかいを通じて、青年たちが社会主義にたいする信念をかためるようにすべきです。

社会主義愛国青年同盟に提起される重要な課題は第二に、第八回党大会の決定を貫徹するための実際の闘争を通じてすべての青年を栄誉ある社会主義建設者に育てあげることです。

愛国熱に燃える青年の気概と風貌《ふうぼう》は、自分の世代の歴史的使命を果たすための実践過程、鍛練過程で昇華され、強固なものになります。

第八回党大会は、朝鮮式社会主義をいっそう強大で裕福な道に導くもっとも科学的で発展志向的な標柱をうちたて、政治、経済、軍事、文化をはじめとする各分野の具体的な課題を明確に提示しました。

わが党が構想している社会主義建設の展望目標はすなわち青年の理想であり、青年大衆の進取的で積極的な闘争なくしては、いかなる偉大な変革も期待することができません。

われわれが青年を社会主義建設闘争の突撃隊におしたてるのは、青年隊伍のみちあふれる力をもって革命活動を促進しようとするからですが、それよりもその過程を通じてわれわれの後続部隊を勇敢無比な青年闘士、いかなる困難にも屈することのない社会主義建設者に育てあげるためです。

類例のないきびしい形勢のもとで膨大な革命課題を遂行しなければならないこんにちの時代に、われわれの青年は「社会主義建設の誇らしい闘争で愛国青年の気概をとどろかそう！」というスローガンをかかげていかなければなりません。

青年同盟組織は、すべての青年が社会主義愛国青年の高い栄誉と誇りをいだき、第八回党大会の決定貫徹において青春の知恵と勇猛を遺憾なく発揮するようにしなければなりません。

党政策の貫徹で労働党員があつい火種になり前衛闘士になれば、われわれの青年は燃えあがる炎になり、突撃闘士になるべきです。

五か年計画の遂行において青年が創造と革新の炎を強く燃えあがらせなければなりません。

青年同盟組織は、五ヵ年計画遂行のための同盟活動計画が空言にならないように青年大衆の熱意と創意性を積極的に奮起させ、すべての青年が課された人民経済計画を日別、月別、四半期別に確実に実行するように不断に励まし、助けなければなりません。

奇跡はおのずとおこるものではなく、集団の力がひきだされ、競争の熱風がまきおこるときにのみ創造されるのです。

青年同盟組織は、追いつけ追いこせ、見習い運動と経験交換運動を活発に展開する方向で青年突撃隊運動、青年分組、青年作業班運動をはじめとするさまざまな大衆運動を着実に展開して、経済建設の各部門が青年の集団的連帯的革新によってわきたつようにすべきです。

青年たちが自分の部門、自分の単位に課された困難な課題を率先してうけもって突破口を開くようにし、その過程で新しい基準、新しい記録を創造して偉勲をたてる労働革新者、青年英雄がより多く輩出するようにすべきです。

青年同盟組織は、骨の折れる部門に志願した殊勝な青年たちを大いに励まし、おしたて、彼らがりっぱな決心と理想をあくまで実現するよう組織的な支持と声援をおしみなくあたえるべきです。

新しい革新と大胆な創造、たえまない前進を求めるこんにちの躍動する時代は、現代科学技術で武装し、つきせぬ探究の精神を身につけた青年たちの活動舞台です。

青年同盟組織は、青年科学技術行軍をいっそう積極的にくりひろげて、青年のあいだで新しい技術と発明、創意考案が続々と生みだされ、増産闘争、創造闘争を科学と技術をもって先導する実力家、有望な人材が育つようにすべきです。

科学部門の青年と大学生が、社会主義建設の前途は青年世代の頭脳と科学技術水準にかかっているということを銘記し、世界と競争する大きな胆力と抱負をもって専攻分野の先端科学技術を身につけるため全力をつくすように力強くうながすべきです。

祖国防衛は、社会主義偉業の遂行において一時もおろそかにできない重大な国事であり、血潮たぎる青年のもっとも神聖な義務です。

青年同盟組織は、青年が祖国防衛と青春を一つに結びつけ、軍隊服務を最大の栄誉とし、誇りとする愛国心をもつように教育し、日常的に国家防衛と不意の事態にそなえるように不断に自覚させなければなりません。

武力部門の青年同盟組織は、すべての青年軍人が社会主義祖国の防衛線を鉄壁のごとく守り、人民の安寧を死守する軍事任務の遂行で軍功と偉勲をたてるように導き、彼らが今後も軍隊服務時期のように社会主義建設の持ち場で中核的な役割を果たすように思想的精神的成長に力を入れなければなりません。

社会主義愛国青年同盟に提起される重要な課題は第三に、青年を社会主義道徳と文化の真の主人にすることです。

わが党は社会主義建設をおしすすめるうえで、われわれの社会の固有ですぐれた道徳と文化を固守し、継承発展させることに特別な力をそそいでいます。

われわれが建設する強大な社会主義国家は当然、道徳と文化の面でも優秀で、発展していなければならず、ここで青年の果たす役割は非常に大きいものです。

青年が道徳的に健全で文化水準の高い国はいかなる場合にも微動だにせず、たえず発展することができますが、青年世代が堕落すればそのような国には明日がありません。

党の意図は、朝鮮革命の前の世代が創造した美しくりっぱな社会主義道徳と文化生活気風が青年世代を通じてかわることなく後世にうけ継がれ、いっそう輝くようにするということです。

青年同盟組織は、青年のあいだで高尚な道徳的気風と豊かな文化生活気風を確立することを社会主義偉業の命脈《めいみゃく》をつなぐ重大な課題とみなし、この活動を責任をもってすすめなければなりません。

青年にわが民族の良風美俗と集団主義にもとづく道徳観をしっかり植えつけて、道徳生活、道徳的気風の基礎からよくきずくようにすべきです。

青年の言行や髪型、身なりを見るだけでも、彼の属している青年同盟組織の活動状況がよくわかります。

青年同盟組織は、自分の組織の青年が言葉使いや礼儀作法、公衆道徳をよくわきまえて自発的に守り、つねに身なりを端正に、高尚にする習慣を身につけるよう要求の度合いを強めるべきです。

社会主義建設闘争において障害と難関が多いほどたがいに助けあい、導きあう共産主義的気風がより強く発揮されなければならず、徳と情によって朝鮮式社会主義を完成しようというのがわが党の意志であり、理想です。

わが党は、他人の悲しみを自分の悲しみのように思い、他人の喜びを自分の喜びとみなす気高い共産主義的美徳が青年の生活となり、われわれの時代の真の姿を見せる美しい美風が青年のあいだでより多く発揮されることを期待しています。

青年同盟組織は、青年が文化水準を高め、社会主義の新しい文明の創造で先駆的役割を果たせるようにすることにも関心を払わなければなりません。

重要なのは、青年の特性に即して革命的な歌謡や詩、小説のような文学芸術作品を通じての教育活動を中断することなくおこない、弁論集会、発表会などさまざまな政治文化活動を広くおこなうことによって、青年が豊かな文化的素養を身につけてつねに健全で高尚な生活をいとなむようにすることです。大衆スポーツ活動と大衆文化芸能活動を活発におこなって、全国に喜びとロマン、躍動する雰囲気がみなぎるようにするうえで青年同盟組織と青年が主動的役割を果たさなければなりません。

現段階において朝鮮式社会主義の本態を曇らす危険な毒素は、反社会主義、非社会主義的行為です。いま、全社会的に反社会主義、非社会主義的行為を一掃するための一大掃討戦がくりひろげられていますが、この闘争はわれわれの青年の純潔と未来を守り、すばらしい社会主義のすみかをもたらすいま一つの階級闘争、愛国闘争です。

青年同盟は、反社会主義、非社会主義的行為との闘争に組織の力を最大限にひきだし、青年大衆をこぞってふるいたたせなければなりません。

青年のあいだで悪性腫瘍のような反動的思想文化の弊害と悪結果をはっきりと認識させ、それとのたたかいを彼ら自身の活動にかえ、反社会主義、非社会主義的行為を助長したり青年の健全な精神をむしばむささいな要素も絶対に黙過してはなりません。

基本は、青年のあいだにあらわれる不正常な動向と心理変化を敏感にとらえ、異質な生活風潮が浸透する隙《すき》をもれなく掌握し、必要な事前対策をたてることによって青年の運命をしっかり保護することです。

全同盟が反社会主義、非社会主義的行為との闘争が一寸も退くことのできないするどい対決戦であるという覚悟をもって数百万の青年を総決起させ、青年の熱烈な正義感、肯定の力によって不正の芽、不純の毒草を根絶しなければなりません。

青年活動において提起される問題が少なくありませんが、わが党は以上の三つの課題遂行に同盟の活動を指向させていくならば、社会主義愛国青年同盟が時代と革命に対して担った自分の栄誉ある使命と本分を果たすことができると思います。

発展する革命の要請に即して青年運動を新しい時代の求める高さに引き上げるためには、社会主義愛国青年同盟の戦闘力を全面的に強化しなければなりません。

青年の政治生活に責任をもち、彼らを導いていく青年同盟組織の機能と役割を強めてこそ、すべての青年を社会主義建設に献身する愛国青年としてしっかりと準備させ、同盟活動を活発におこなうことができます。

青年同盟組織は、その使命と任務にふさわしく同盟の内部活動に力をそそがなければなりません。すべての青年同盟組織に党の路線と政策をそのつど正確に伝達、浸透させ、無条件実行する整然たる体系を確立し、ひたすら党の指示通りに活動する強い規律を確立しなければなりません。

同盟の組織思想生活を正規化、規範化し、それに対する指導を改善するのが重要です。

学習会、講演会をはじめとする内部教育体系を定期的に運営し、革命戦跡、革命史跡の踏査と各教育拠点にたいする参観を着実におこなって五大教育をたえず深化させ、同盟活動のすべての契機が威力ある思想教育過程となるようにしなければなりません。

青年の教育で行事式、体裁づくりを徹底的に警戒し、われわれの時代の青年の思想感情と情緒、意識水準にあわせて思想の浸透力、感化力を高めるための新しい教育方法をたえず探求し適用しなければなりません。

青年は新しいものに敏感で、感受性が強いのですから、報道、出版物とマルチメディア編集物など各種の教育手段とともに、発展した情報技術手段を青年の教育に大いに活用するための対策をたてなければなりません。

同盟員にたいする組織生活指導において基本は、すべての青年が同盟規約と規範をよく知り、いかなる条件と環境のなかでも厳格に守る気風をたてるようにすることです。

一部の青年同盟組織が、諸々の条件や口実にかこつけて同盟生活総括と定期総会を正常におこなわず、任務分担もせずに無為にすごしている弊害を克服しなければなりません。

いま、違法行為、犯罪行為にまきこまれる青年たちを見ると、例外なく組織から離脱した者や組織の統制をうけたがらない者です。

青年同盟は組織生活離脱者、無所属者の問題を解決することを急務とし、一人の青年も組織の指導と保護からぬけることがないようにし、革命課題の遂行と経済、道徳生活に問題のある同盟員にたいする教育を方法論をもってねばり強くおこなわなければなりません。

基層組織をしっかりと整え、それを強固にすることに全同盟強化の保証があります。

青年同盟は、「全同盟が初級団体を支援しよう!」というスローガンをひきつづきかかげていくべきです。

青年同盟は、初級団体委員長が独り立ちできるように手間をかけて援助し、模範初級団体をつくり、その経験を一般化する活動を着実におこなうべきです。

ここで関心を払う問題は、初級団体が活発に活動できるように、上級同盟組織が仕事の手配を実情にあわせて正しくおこない、課題をはっきりとあたえてその実行を厳格に掌握し統制することです。

基層組織を強化するうえで中核青年の隊伍を拡大し、彼らの役割を強めることが重要です。

全同盟的に時代の典型に見習うための活動を力強く展開し、基層組織でも手本となりうる青年をさがしだして彼らをおしたて、中核青年がたちおくれた同盟員を積極的に教育、改造するようにして、愛国青年の隊伍をふやしていかなければなりません。

市・郡青年同盟委員会は、同盟組織の強化発展と同盟員に対する組織生活指導で占める位置を深く自覚して初級組織を強化し、青年を組織生活を通じてきたえるための活動を周到におこなわなければなりません。

中央と道・市・郡青年同盟委員会で基層組織に社会的課題をむやみにあたえて、同盟の内部活動をできなくする偏向が絶対にあらわれてはなりません。

変化した現実と環境に即して活動体系と秩序を正しくうちたてなければなりません。

中央から道・市・郡にいたる各級青年同盟組織は、青年教育活動を計画し主管する参謀部としての役割を円滑に遂行することができるように、青年教育活動が現実と密接に結びつけられるように機構と陣容を整備し、任務分担を正確にしなければなりません。

いま、農村をはじめとする一部の地域や単位で青年同盟員の数が減り、同盟員にたいする組織生活指導でいろいろ不合理な問題が提起されているので、基層組織を合理的に構成し、組織生活体系を改善するための対策も講じなければなりません。

青年同盟の活動で実際の転換をもたらすためには、青年同盟活動家の責任感と役割をいちだんと強めなければなりません。

青年同盟強化のキーポイントは、青年同盟活動家の役割の向上、水準の向上です。

いま、青年同盟の活動家のなかには臨時観念にとらわれて活動に専念せず、勤務年限になるまで適当に仕事をする偏向があらわれています。

青年同盟のなかに存在する臨時観念と無責任な活動気風を一掃せずには、青年活動においていかなる革新的変化をも期待することができません。

青年同盟の活動家は、青年を真の社会主義建設者、愛国青年に育てる政治活動家であるという強い自覚をもって彼らの今日だけでなく、明日にも責任をもつ立場にたって同盟活動にとりくまなければなりません。

高い政治的眼識と熱情、強い展開力と統率力をもってうけもった活動に全身全霊をかたむけてりっぱにやりとげ、何事であれ創意的に考え、大胆に革新的に展開していかなければなりません。

全同盟の活動家が青年のなかに深くはいって党政策をわかりやすく解説する近しい宣伝者、青年たちと苦楽をともにしながら彼らを正しい道に導く誠実な援助者にならなければなりません。

青年同盟の活動家は党の革命思想と革命観でしっかり武装し、多方面な知識と高い文化的素養、気高い品性とあつい人情味を兼備した内も外もすばらしい万能家にならなければなりません。

全同盟的に講習、現実体験、再教育など青年同盟の活動家の水準を高めるための活動を着実におこない、とくに市・郡青年同盟委員長をしっかり準備させることに力をそそがなければなりません。

全党的、全社会的に青年同盟の活動を積極的に後押しし、青年の教育に手間をかけなければなりません。

青年同盟の活動を党活動の一部分とみなし、積極的に後押しして、青年が自分の本態と血筋をはっきりと知り、革命の代をしっかりとうけ継いでいくようにするのは、わが党の青年重視思想の基本的要求です。

革命のつぎの世代である青年を育てる活動に手間をかけてこそ、前の世代が流した愛国の血と汗が無駄にならず、祖国の未来が明るくなるのです。

すべての党組織と党活動家は、わが子をりっぱに育てておしたてる親の心で青年同盟の活動と青年の教育に深い関心を払い、真心をつくさなければなりません。

党の責任幹部からして青年の教育問題をつねに気づかい、解決方途を模索し、党委員会の各部署と活動家が青年活動を実質的に助けるように要求の度合いを強め、目的意識的に活動を組織しなければなりません。

青年同盟組織に大きな仕事を大胆にまかせるとともに、同盟組織がおこなう活動も積極的に支持し、りっぱな結実を結ぶように後押しすべきです。

青年同盟の活動家を党にかぎりなく忠実で、軍隊服務や労働現場できたえられた青年たちでかため、彼らの栄誉と自負を高め、将来の問題も責任をもって解決しなければなりません。

すべての党組織は青年同盟の活動にたいする党の指導のモデル単位、典型単位創造運動を着実にすすめて、青年同盟組織が活発に動き、青年の教育で実質的な変化がおこるようにすべきです。

党中央委員会勤労者団体部は、青年活動を第一とし、青年同盟の活動を改善するための革新案をうちだす作戦部署として活動方向を転換し、各級党委員会の勤労者団体部署が活動気風を一新するように正しく掌握、指導すべきです

全人民が青年教育の主人となり、全社会的に青年を愛し、おしたてなければなりません。

すべての幹部と勤労者は、誰もが祖国の未来である青年の教育者、師となって彼らを集団主義思想と愛国主義、高尚な人生観を身につけた社会主義的人間に育て、青年活動で提起される問題を積極的に解決してあげるのが社会的気風となるようにすべきです。

こんにち社会主義愛国青年同盟には、青年同盟第一〇回大会を契機に朝鮮青年運動の新しい全盛期を拓いていくべき栄誉ある課題が提起されています。

わが党と人民は、祖国の数百万の息子、娘たちが革命烈士がゆずりわたしてくれた忠誠と愛国のバトンをしっかりうけ継ぎ、社会主義共産主義の明るい未来をはやめるためのたたかいで朝鮮青年の英知と気概を遺憾なく発揮することを期待しています。

わたしは、すべての青年同盟組織と青年たちが党の指導のもとに社会主義愛国青年同盟の旗を誇らかにひるがえし、革命の新しい勝利をめざす歴史的進軍路で自分の聖なる使命と本分をまっとうするものと確信しています。

職業同盟は社会主義建設の新たな高揚期を先頭にたってきり拓く前衛部隊になろう

―朝鮮職業総同盟第八回大会の参加者に送った書簡―

二〇二一年五月二五日

朝鮮労働党第八回大会が示した偉大な闘争綱領を高くかかげて立ち上がった全国の勤労者たちの革命的熱意と闘争気勢が日増しに強まるなか、朝鮮職業総同盟第八回大会が開催されました。

今回の大会は、朝鮮労働党のまわりにかたく結束したわれわれの労働者階級の革命性と団結力を強く誇示し、すべての職業同盟員をいっそう奮起させて、社会主義建設の新たな高揚をめざす全人民的進軍をおしすすめるうえできわめて重要な意義をもちます。

わたしは、朝鮮職業総同盟第八回大会が社会主義の偉大な新しい勝利、新しい生活をめざしてよりはやく前進しようとする労働者階級と職業同盟員の一致した熱望に応じて、同盟活動において革新と発展をもたらす転機になるものと確信しつつ、党中央委員会の名で熱烈な祝賀を送ります。

わたしはまた、党が示した新たな段階の闘争路線と方針に熱烈に呼応して、社会主義建設のすべての部門で勤労の偉勲《いくん》をたてている全国の労働者階級と職業同盟員にあつい戦闘的な挨拶を送ります。

歳月の流れとともに時代はかわり、世代もひきつづき交代していますが、われわれの労働者階級のように自己の栄えある闘争の伝統と革命精神をかわることなくうけ継ぎ、党の偉業に忠実にしたがうたのもしく誇るにたる労働者階級は他にいないでしょう。

この五年間の困難にみちた闘争の道のりですべての労働者階級と職業同盟員は、英雄的金日成・金正日労働者階級の貴い称号をあたえた党の信頼を心にうけとめ、高い愛国的献身性を発揮してわが国家第一主義時代を開くうえで大いに貢献しました。

近年、史上最悪の逆境のなかでもわが国の国力と地位が急速に上昇し、革命の前進、飛躍のための主体的力がいちだんと強化されたのは、わが党の思想と路線、構想と決心を絶対支持し、決死の覚悟で貫徹してきた労働者階級をはじめとする全国の勤労者たちの高潔な忠誠と英雄的闘争があったからです。

党中央は、つねにかわることなくわが党のみをかたく信頼し、忠実にしたがう労働者階級の姿から力と勇気を得て、国家防衛のための民族自尊という重大事も躊躇《ちゅうちょ》することなく決断し、祖国の繁栄と人民の幸福のための宿願事業も大胆におしすすめることができました。

われわれの労働者階級と職業同盟員が党の路線と政策はすなわち真理であり、科学であり、勝利であるという信念をもって、「並進」の火線の道で、建設の大繁栄期を開いた各戦場とわれわれの経済の自立化、チュチェ化のための最前線で苦心惨憺《くしんさんたん》の末になしとげた誇らしい創造物と成果は、こんにちわれわれがさらなる目標と理想をかかげて前進できるようにする貴い土台となっています。

第八回党大会はこの五年間の経済活動状況を全面的に分析、総括し、国の経済を整備、補強して正常な発展軌道に乗せるための新たな段階の目標を示しました。

われわれは、今後の五ヵ年計画期間に人民経済全般を活性化し、人民生活を向上させうる強固な土台をきずくばかりでなく、五年を周期に今一度大きく飛躍することによって、近い将来にわが国家の自尊と繁栄を確固と保障し、人民が文化的で裕福な生活を思う存分享受できる社会主義強国を建設しなければなりません。これは、われわれの社会主義建設が自分を守り、保存する段階をこえて、革新と変化の新しい局面、急速な発展テンポを要求する新時代にはいったということを意味します。

われわれのまえに到来した偉大な転換の時代、新たな大高揚の時代は、創造と建設の主役である労働者階級をはじめとするすべての職業同盟員が時代と革命に対し担っている重大な使命と任務を自覚して立ち上がり、戦闘力を最大限に発揮することを求めています。

すべての労働者階級と職業同盟員が戦後の復興建設時期と千里馬《チョンリマ》時代の労働者階級のように、生産と建設の現場で、科学と文明創造の持ち場で一日を一〇日、一〇〇日なみにつきすすみ、気をひきしめて献身的な勤労闘争をくりひろげてこそ、社会主義建設において大飛躍的な革新をもたらし、朝鮮人民の理想と夢を党が定めた期間内に、党が望む水準で実現することができます。

われわれの労働者階級は、党と領袖の呼びかけにこたえて、社会主義共産主義へとよりはやくすすもうとする強い革命的熱情をもって消極性と保守主義を打破し、集団的英雄主義の威力によってわれわれの経済建設史で伝説的な奇跡を生みだした戦後の復興建設時期と千里馬時代の労働者階級のその精神と気迫をこんにちの革命的進軍でそのままひき継いでいかなければなりません。

現段階における職業同盟の中心的課題は、労働者階級と職業同盟員を、党と革命に対し担っている時代的使命と任務を自覚し、社会主義の新しい勝利をめざす闘争に献身する革命化、共産主義化された勤労者に育てることです。

職業同盟は、われわれの世代の労働者階級と職業同盟員を党への忠実性と祖国と革命へのかぎりない献身性、組織性と戦闘力、団結力をそなえた前衛闘士に育てることにすべての活動を指向させ、同盟活動において根本的な転換をもたらして新時代の革命的進軍で自己の戦闘的威力を強く発揮しなければなりません。

職業同盟に提起される課題は第一に、労働者階級と職業同盟員を朝鮮式社会主義の明るい未来を確信して闘争する共産主義的信念の持ち主に育てることです。

革命にささげる強い熱情と献身性は、自己の偉業の正当性と未来に対する確信から生まれるものです。社会主義の勝利と未来に対する強い信念があってこそ、いかなる困難のなかでもおそれることなく遠大な抱負と理想をかかげ、信念と楽観にみちてたたかうことができます。

いまわれわれはあらゆるものが不足する状況下で闘争していますが、誰もが何もうらやむことなく豊かに暮らすすばらしい社会主義の生活はけっして遠い将来のことではありません。

わが党が構想している社会主義について正しく認識させることが重要です。

われわれが理想とする強国、社会主義社会は、全人民が食衣住の心配をせず、無病息災でむつまじく暮らす社会、誰もが助けあい、導きあいながら喜びも悲しみもともにわかちあう共産主義的美徳と美風が発揮される人民の社会であり、わが党のすべての活動はこのような幸福な社会を一日もはやく到来させることに指向されています。

職業同盟組織は、労働者階級と職業同盟員にわが党の真情と意志、朝鮮式社会主義の優越性を深く認識させて、彼らが自分と次世代の幸福のために社会主義偉業の遂行に献身するようにしなければなりません。

職業同盟組織は、すべての同盟員に朝鮮式社会主義建設の指針を明示した党の文献と各時期に提示される党の思想と党政策の真髄を正確に伝えて、党がどのような事業を構想しており、自分たちは何をすべきかをよく知って仕事をするようにしなければなりません。

祖国の繁栄と人民の幸福のためのわが党の思想と指導、党政策の正当性と生命力についての教育活動を、社会主義建設でおさめた奇跡的勝利と変革ぶりを通じて納得できるようにおこなうべきです。

そうして、労働者階級と職業同盟員がわが党の偉大さに対する確固たる信念、党の指示通りにすればわれわれはより強大になり、より裕福になるという信念をもち奮起してたたかうようにすべきです。

とくに、第八回党大会が示した社会主義建設の新しい戦闘目標とその実現の科学性、人民に実質的な幸福をあたえるために展開される壮大な事業について具体的によく知らせて、誰もが見違えるほど変貌する祖国の将来を描き見、党大会の決定貫徹にこぞって立ち上がるようにすべきです。ここで重要なのは、労働者階級と職業同盟員が党の信頼と期待を骨の髄まできざみこみ、革命の新しい勝利をめざす闘争の先頭にたってもっとも大きな重荷を担うようにすることです。

戦後の復興建設時期と千里馬大高揚時期の労働者階級が身につけていた社会主義の勝利へのかたい信念と楽観に見習うようにすることが重要です。

いまの労働者階級と職業同盟員は、前の世代のように苛烈な戦争も経験しておらず、ゼロの状態から国を復興する苦難にみちた闘争も体験していません。

戦後の復興建設時期と千里馬時代の労働者階級は、あれほど困難な状況のもとでも金日成同志がおられるがゆえにかならず新しい生活を創造することができ、金日成同志がさし示す道にそって前進するならばかならず勝利と幸福がもたらされるという信念をもって、廃墟の上に社会主義工業国をうちたてました。

労働者階級と職業同盟員に、先達たちの血と汗によってきり拓かれてきた朝鮮式社会主義建設の誇らしい歴史を深く認識させ、党と領袖への忠実性の生きた模範を示した前の世代のその信念が書物にしるされた文章ではなく、こんにちのわれわれの世代の労働者階級の思想的血統としてしっかりとひき継がれるようにしなければなりません。

労働者階級と職業同盟員が、千里馬時代に高くかかげられた「一人はみんなのために、みんなは一人のために」というスローガンをこんにちの進軍路でさらに高くかかげて、誰もが社会と集団、同志のために自分をおしみなくささげる共産主義的美風と美徳を発揮し、自分の創造的労働によって国と人民の繁栄と幸福に寄与することに真の生きがいと人生の誇りを求めるようにすべきです。

職業同盟に提起される課題は第二に、労働者階級と職業同盟員を党が示した五ヵ年計画の遂行で国の長男、前衛部隊の役割をりっぱに果たす自力更生の先鋒闘士、創造の旗手にしっかりと育てることです。

新たな五ヵ年計画を遂行する闘争は、わが国家の将来の発展と人民生活の持続的な向上をめざす飛躍の踏み台をきずくきわめて重要かつ責任ある闘争であり、偉大な大高揚時代はみずからの力を確信して立ち上がった数百万の勤労者たちによって創造されます。

職業同盟組織は労働者階級と職業同盟員に、五ヵ年計画の遂行過程は社会主義自立経済の建設における一大革命であり、われわれの方式、われわれの力によってのみ、チュチェ工業発展の未来をきり拓いていくことができるということを深く植えつけるべきです。

労働者階級と職業同盟員が輸入病と他人への依存心を断固排撃し、徹頭徹尾われわれの原料と資材、われわれの力と技術をもって経済建設と人民生活に必要なものをすべて自給自足する原則を堅持するようにすべきです。何かを一つつくっても、実用的で価値のあるわれわれのものだと堂々と自負できる自力更生の創造物をもって五ヵ年計画の遂行状況を総括できるようにすべきです。

経済部門の職業同盟組織は、不足するものが多い状況下で短期間内に主要工業製品の生産を数倍に成長させ、他人が歩んできた数世紀を一気に飛びこした戦後の復興建設時期と千里馬大高揚の時期の闘争精神がこんにちの総進軍で強く発揮されるようにすべきです。

わが国の経済の二本柱である金属、化学工業部門の労働者階級と職業同盟員が国家の一〇〇年の将来を担っている重大な責任を自覚し、千里馬運動の旗じるしをかかげた前の世代のように金属工業と化学工業のチュチェ化の実現において決定的な突破口を開くようにすべきです。

電力と石炭、機械と採掘工業、鉄道運輸をはじめとする基幹工業部門の労働者階級と職業同盟員が党の整備、補強の戦略をかならず貫徹して生産正常化の土台を強固にきずき、五ヵ年計画の目標をくりあげて達成するよう積極的にふるいたたせなければなりません。

建設部門の職業同盟組織は、労働者階級と職業同盟員がわれわれの方式の設計とわれわれの建材をもってチュチェの建築美学思想がりっぱに具現された人民の理想の街や村をより多く建設するように後押しし、革命の二大戦線の一つである軽工業部門の職業同盟組織は、国産化、再資源化を基本としてとらえ、人民生活に切実に必要な消費財を人民から好評を得られるようにつくり大衆を鼓舞激励すべきです。

軍需工業部門の労働者階級と職業同盟員が朝鮮式の先端兵器の開発という未踏の道をふみわけたその不屈の精神をもって今一度奮起し、国防工業を新たな発展段階にひき上げることに大いに寄与すべきです。

科学技術の力によって新たな五ヵ年計画遂行の早道をきり拓くべきです。

科学技術部門の職業同盟組織は、科学者、技術者が自力更生の先導者、富強な祖国建設の開拓者であるという重大な使命と栄誉を胸にいだき、人民経済のチュチェ化、近代化、科学化を実現するためのたたかいで最大の力を発揮するようにすべきです。

経済分野における真の革新は、生産者大衆が科学技術の主人になってこそ可能なことです。職業同盟組織は、すべての職業同盟員が発明や技術革新、創意考案に積極的に参加し、生産工程の近代化と労働生産性の向上に大きな寄与をする労働者発明家、工場の宝に称揚されるようにすべきです。

職業同盟組織は、党の全人民科学技術人材化方針を貫徹して労働者階級と職業同盟員を現代科学技術を身につけた知識型の勤労者にするための学習熱風をまきおこすべきです。誰もが科学技術普及室を職場の校庭とみなし、熱心に学んで技術知識水準を高め、世界的な発展趨勢《すうせい》にも精通するようにすべきです。

朝鮮式の文明を創造して全人民の愛国熱、闘争熱を高揚させるうえで、教育と保健医療、文学芸術をはじめとする文化部門の職業同盟組織の役割はきわめて重要です。

教育と保健医療、文学芸術をはじめとする文化部門の職業同盟員は、献身的な努力をもってわが国家第一主義時代に人民の革命的熱意と闘争気勢を高めることに大いに寄与すべきです。教育と保健医療部門の職業同盟員は、われわれの社会主義制度のイメージである教育と保健医療の発展に清らかな良心と献身的な努力をつくすべきです。文学芸術部門の職業同盟員は、党の文芸思想と方針をあくまで具現して、朝鮮人民の情緒と美感にあう名作を多く創作して労働党時代の文化的宝庫を豊富にすべきです。

職業同盟組織は、大衆運動を活発に組織、展開して、社会主義建設のすべての部門で集団的英雄主義と集団主義の威力が強く発揮されるようにすべきです。

職業同盟は、五ヵ年計画遂行のための部門間、単位間、職場間、作業班間の社会主義競争と二六号模範機械創造運動や集団的技術革新運動をはじめとする大衆運動を着実に展開して、すべての仕事場が新しい基準、新しい記録の創造でわきたつようにし、見習え、追いつき、追いこすための集団的競争の熱風をたえずまきおこすべきです。社会主義競争の過程を通じて作業を交替する者同士のあいだで助けあい、作業班間で助けあい、工場間で助けあいながら経験をわかちあい、ともに肩を組んで前進する気風が日常的なことに、生活そのものになるようにすべきです。大衆運動の目標と段階を正しく定め、それにたいする掌握、指導と総括を公正かつ正確におこない、相応の評価もして大衆運動の全過程が大衆を奮起させ、競争心を呼びおこす思想動員過程、思想啓発過程になるようにすべきです。

労働者階級と職業同盟員のあいだに労働を愛し、自分の職業と職場を愛する心を植えつけるべきです。労働に対する愛はすなわち祖国愛であり、未来への確信です。職業同盟組織は、労働者階級と職業同盟員が労働をもっと栄誉あるものとし、誠実な汗を流し、努力をつくすとき、われわれが願う強国の夢を実現することができ、より偉大な未来をきり拓いていくことができるということを深く自覚すべきです。

全人民が主人となっているわれわれの社会で職業の貴賤などはありえず、一つひとつの職業はすべて国と人民のために必要であり、かならず守るべき革命の持ち場、愛国の持ち場です。

職業同盟組織は、労働者階級と職業同盟員のあいだに工場を愛し職業を愛する心を植えつけるための教育を根気よくおこなって、誰もが自分の工場と自分の職場を切り離せない生活の一部分とみなし、仕事に励んで自分と次世代の幸福を育み、国の発展に寄与するようにすべきです。数十年間良心的に一つの職種で誠実に働いている技術者、技能工を大いにおしたて、高く評価して、職業同盟員のあいだで職業の貴賤を問う傾向があらわれないようにすべきです。

職業同盟に提起される課題は第三に、労働者階級と職業同盟員を高尚な道徳と高い文化的素養を身につけた社会主義文明の体現者に育てることです。

職業同盟組織は、労働者階級の道徳と文化によって共産主義社会を建設しようとする党の意図通りに労働者階級が革命性と戦闘的気質はもちろん、道徳と文化の面においても社会のモデルになるようにすべきです。

労働者階級と職業同盟員は、闘争する時代、たえまなく前進し飛躍する時代に共産主義的道徳観を体現し、健全かつ革命的な道徳的気風を確立すべきです。職業同盟組織は、自分の単位の同盟員が礼儀作法と公衆道徳、社会秩序を自発的に守り、服装や身づくろいなどの外見を労働者階級の風格が感じられるようにつねに関心を払い、導かなければなりません。労働者階級と職業同盟員のあいだで社会と集団、同志のためにすべてをおしみなくささげてたがいに助けあい、導きあう共産主義的美風が強く発揮されるようにして、集団の親和をはかり、真の同志的団結を実現すべきです。

とくに、千里馬時代の人間の気高い精神世界を見習うことに大きな関心を払うべきです。誰もが「千里馬時代とわたし」という問いに自分を照らし、同志と集団のためになしたことは何か、自分のことばかり考えて同志や集団に不便をきたしたことはないか、同志のために、集団の力を強めるために何かなすべきことはないかをつねに考えながら悔やむことなく生活し、働くようにすべきです。

職業同盟組織は、職業同盟員のあいだで文学芸術作品を通じての教育とさまざまな政治、文化活動も活発におこなって、彼らの政治文化水準と創造的熱意を高めなければなりません。すべての職業同盟員が自分の仕事に励むばかりでなく、本も多く読み、人々のまえで労働者階級の気迫にあふれるアジ演説もでき、芸術とスポーツ活動にもすすんで参加するようにすべきです。大衆文化、芸能活動や大衆スポーツ競技をはじめさまざまな文化、スポーツ活動を定期的におこなって、社会主義建設の大高揚でわきたつ戦場ごとで労働者階級のロマンと情緒、戦闘的気性と歓喜がみちあふれ、全社会にいつも明朗な雰囲気がみなぎるようにすべきです。

労働者階級と職業同盟員のあいだで生産文化、生活文化を確立するための活動と設備を愛護し、管理する活動を着実におこなって、誰もが工場の内外をわが家のように整え、職場を清潔に、文化的に管理し、自分の機械を肉親のように大切にし、ていねいにあつかうことが習慣になるようにすべきです。

職業同盟組織は、労働者階級と職業同盟員がわれわれの思想と体制、道徳と文化をおびやかす反社会主義、非社会主義との闘争を強力に展開するようすべきです。

誰よりも原則に徹し、不正を憎む労働者階級があらゆる否定的現象との闘争の先頭にたつとき、朝鮮式社会主義の本態がより強固になり、全社会の革命化、共産主義化がさらにはやめられるのです。

職業同盟組織は、労働者階級と職業同盟員に反社会主義的、非社会主義的行為との闘争が朝鮮式社会主義の労働者階級的純潔性、命脈《めいみゃく》を守るための決戦であるということを明確に認識させ、彼らが反社会主義、非社会主義の集中掃討戦にこぞって立ち上がるようにすべきです。反社会主義的、非社会主義的行為の表現形態と危険性、弊害を十分に認識させ、彼らの頭のなかにささいな非労働者階級的な要素が浸透する隙間《すきま》も生じないようにたえず自覚させ、周辺であらわれる反社会主義的、非社会主義的傾向に対して黙過せず、仮借なきたたかいを展開して徹底的に制圧、粉砕するようにすべきです。

職業同盟組織は、同盟員の活動と生活につねに深い関心を払い、いささかの異質的な傾向もあらわれないように事前に徹底した教育対策を講じなければなりません。生活上の困難を全面におしだして単位と集団の利益をむしばむ傾向に対しても、ありうることと思わず、強い闘争をくりひろげて克服しなければなりません。

活動上の特殊性がある単位であるほど、社会主義の原則を厳守するよう職業同盟組織が教育と統制をさらに強化して、職業同盟員のあいだで不健全な芽が少しでもでないようにすべきです。

労働者階級と職業同盟員の革命性と組織性、団結力と戦闘力を強めて、彼らが新たな革命的大進軍で先駆的役割をりっぱに果たすようにするためには、職業同盟活動において根本的な革新をもたらさなければなりません。

これまで職業同盟が労働者階級の大衆的政治組織としての本態を生かせず、消極的に現状維持にのみ汲々としてきたのは、同盟組織そのものを強化するための活動を正しくおこなわなかったことに原因があります。

職業同盟は、時代と現実の発展の要求に即して思想教育団体としての任務を責任をもって遂行して、社会主義建設の新たな高揚期を拓くためのたたかいでその本分をまっとうしていかなければなりません。

同盟全体を党の革命思想で一色化することを第一義的な課題とし、思想戦を力強く展開すべきです。

職業同盟組織は、学習会、講演会などの教育システムを定期的に着実に運営し、革命伝統教育、忠実性教育を基本とする五大教育を攻勢的に、さまざまな形式と方法で深化させなければなりません。前の世代の労働革新者との交歓会や職業同盟移動解説講師の講義、職業同盟の出版物による教育や放送編集物、マルチメディア編集物を利用した教育などさまざまな方法と手段を多様に活用し、実効性の高い教育形式と方法をひきつづき探究して教育活動に積極的に利用しなければなりません。職業同盟組織は、文化宣伝室を思想教育の拠点にふさわしくりっぱに整え、教育活動に必要な備品を十分にそろえ、計画的に運営しなければなりません。

思想教育活動には定められた教育場所や決まりきった格式や枠というものがありません。教育活動を出退勤の道でも、仕事をはじめるまえや休憩時間にもおこない、大衆の心にふれる多様な方法で実効性があらわれるようにおこなって、労働と生活の全過程がそのまま党政策の浸透過程となるようにすべきです。上級同盟から下達される教育資料を受け売りしたり、ただ回数をみたすといったやり方で教育活動に代えるような偏向をなくし、同盟員が知りたがる問題を現実と結びつけて認識させることに力を入れて、教育の全過程が同盟員の心と心臓を動かす生きた政治活動の過程となるようにすべきです。

職業同盟組織は同盟員が組織を大切にし、組織規律を厳守するよう要求の度合いを強めるべきです。同盟員のあいだに組織に対する正しい観点をたてて、すべての同盟員が組織を尊び、組織に依拠して活動し生活することを義務としてだけではなく、良心とし、栄誉とするようにすべきです。同盟員のあいだで発揮される肯定の芽を見つけだして育て、おしたて、人生の道をふみあやまらないように親しく導き、見守って、彼らが組織のありがたさと貴さを肌で感じるようにすべきです。

組織生活を正規化、規範化することが重要です。

職業同盟組織は、同盟生活総括と定期総会、任務の分担や総括を所定の日に確実におこなうことを鉄則とすべきです。同盟生活総括の政治的思想的水準を高め、自己批判と批判を強め、任務の遂行過程が同盟員の政治意識を高め、革命課題の遂行に寄与するものとなるようにすべきです。

職業同盟組織は、同盟生活の組織と指導において一歩の譲歩や黙過が同盟員の政治的思想的変質の始発点となるということを銘記し、組織生活を通じた革命的鍛練の度合いをたえず強めるべきです。とくに、対象建設に動員されている同盟員や、分散して働いたり移動の多い同盟員のように組織と離れて仕事をし生活する同盟員のあいだで組織生活に参加しない傾向があらわれないように組織的統制を強化すべきです。組織生活離脱者、組織未所属者の問題を早急に解決して、同盟組織生活体系から外れて勝手気ままな生活をする職業同盟員が一人もいないようにすべきです。

職業同盟活動を改善、強化するうえでキーポイントとなるのは、職業同盟初級組織の役割を強めることです。

根の丈夫な木はどんなにはげしい風にもびくともしないように、同盟の根とも言える初級組織がその役割を円滑に果たしてこそ職業同盟活動がスムーズにおこなわれるものです。

初級組織を強化し、全同盟を強化するためには、すべての初級活動家が有能な実力家、同盟の中核とならなければなりません。

職業同盟初級活動家は、党の思想と路線、政策の真髄を同盟員にたくみに解説できる水準をそなえなければならず、自分の職種の技術実務に明るく、同盟活動の実務的な内容もよく知っていなければなりません。初級活動家はわが党の大衆活動方法を学び、同盟員に真心をつくすことによって、彼らが心からしたがい尊敬する初級政治活動家にならなければなりません。

職業同盟初級活動家の水準を高めるための講習と経験発表会をはじめとするさまざまな活動を計画的に組織し、着実に実行しなければなりません。上級同盟活動家は、定期的に初級組織にでむいて会議も指導し、初級団体委員長学習室の運営も直接執行し、会議報告書や実行計画書を作成する方法も教えて、初級活動家の水準を高めなければなりません。

職業同盟は、忠誠の模範団体称号獲得のための活動を着実におこなって、忠誠の模範初級職業同盟委員会、忠誠の模範職業同盟初級団体の隊伍をたえずふやすべきです。党の指導業績が秘められている単位を、忠誠の模範団体称号獲得の活動でモデルとしておしたて一般化する活動に重点を置いておしすすめることによって、忠誠の模範団体称号獲得運動の熱意を強めなければなりません。

職業同盟は初級組織を合理的に構成し、掌握、指導体系を確立するための対策を講じるべきです。

職業同盟は初級組織の構成実態を全般的に検討して、同盟員の組織生活と生産活動に支障をきたさないようにあやまりは適時に是正すべきです。二重同盟生活指導体系を確立することにも力をそそいで、党の方針の伝達、浸透活動が遅延したり、上級同盟組織の指示と手配がそのつど伝達されない同盟組織がないようにすべきです。

職業同盟内に労働者階級の気概がみなぎる革命的活動気風を確立すべきです。

すべての職業同盟活動家は、つねに労働者階級としての胆力と闘志、決断力と闘争力をもって仕事にとりくむとともに、敗北主義やことなかれ主義を一掃し、活動を創意的に、進取的におこなわなければなりません。職業同盟活動家はみな、変化と革新を求める現実の要求に即して、同盟活動を革新するためにつねに気づかう真剣な活動気風、何事であれ一旦決心すれば頑強におしすすめて決着をつける労働者階級の気性と気概を活動に具現して、全同盟が党の思想と路線の貫徹でわきたち、革新と前進の気性で活気づくようにしなければなりません。

職業同盟活動家はあつい同志愛、人間愛を身につけて、同盟員の活動と生活を実の兄や姉の気持ちで見守るべきです。

職業同盟活動家は、生活上の隘路《あいろ》や心の苦衷《くちゅう》は胸深く秘めながら、自分の家事に気をつかう暇もなくいつも現場で忙しく働く人たち、長いあいだ重要対象の建設現場で働く人たちをはじめ、国と人民のために骨身をおしまず働く人たちを真心をつくして見守り、支援することに力を入れなければなりません。

労働者階級と職業同盟員が集団や同志のための思考と行動をとるように一致させ、たがいに人間的にかたく結束するようにし、集団の威力をもって党政策の貫徹で奇跡的偉勲をたてるようにしなければなりません。

各級党組織は職業同盟の活動を重視し、積極的に後押しすべきです。

党組織が職業同盟の活動を党の立場でよく助け導いてこそ、職業同盟組織が自己の役割をりっぱに果たし、力強く前進することができます。

各級党組織は、職業同盟の活動に対する無関心は職業同盟組織の組織力と戦闘力を弱化させる結果をまねくということを銘記し、職業同盟の活動にたいする政策的指導を正しくおこなわなければなりません。

職業同盟活動家の陣容をしっかりと整えることが重要です。

各級党組織は、党に忠実で、革命的信念が透徹であり、労働現場できたえられた展開力のある人々、政治的実務的に準備され、大衆のあいだで信望のあつい人々で職業同盟活動家の陣容をりっぱに整えなければなりません。

職業同盟活動家が職能通りに仕事ができるように条件を十分に保障し、彼らが栄誉を感じながら活動するように積極的におしたて、後押ししなければなりません。職業同盟活動家を他の仕事に動員したり、職業同盟組織に社会的課題をあたえて同盟活動に支障をきたすことが絶対にあらわれないようにしなければなりません。

職業同盟組織を無視して彼らがおこなうべき活動を代行する傾向をなくし、職業同盟組織と同盟員を信頼して重要な仕事もまかせ、おしたてて彼らの自立性と創意性を強めなければなりません。

わが党は、社会主義建設の新たな高揚期を拓くためのこんにちの進軍で、党の指導に忠実であり、英雄的闘争の伝統をうけ継いだ労働者階級と職業同盟員の革命性と戦闘力に大きな期待を寄せています。

わたしは、すべての労働者階級と職業同盟員が社会主義建設の各部門で創造と建設の力強い勤労闘争によって偉大な変革をもたらし、いっそう勇敢に前進するものと確信しています。

女性同盟は朝鮮式社会主義の前進、発展を促進する強力な部隊になろう

―朝鮮社会主義女性同盟第七回大会の参加者に送った書簡―

二〇二一年六月二〇日

歴史的な朝鮮労働党中央委員会第八期第三回総会が成功裏におこなわれた直後に、わが国の女性の大衆的政治組織である朝鮮社会主義女性同盟第七回大会が開かれたのは非常に意義深いことです。

いま、われわれの社会主義建設をさらに用意周到かつ強力におしすすめることになる今回の党中央委員会総会の決定と特別措置に大きく励まされた全国のすべての人民の革命的熱意と気勢はよりいっそう高まっています。

わたしは、社会主義建設が重大な局面にはいった時期に開かれた今回の大会が、革命の一翼を担っている朝鮮女性運動の位置と任務を再認識し、女性同盟員を党に忠実な女性革命家、堅実な愛国者に育てあげるうえで転機となることを期待しつつ、党中央委員会の名で熱烈な祝賀を送ります。

いまのように不利な主客観的形勢のもとで朝鮮式社会主義の力強い前進、発展をなしとげ、わが国家の威力が日増しに強化されているのは、党が導く勝利の一路にそって革命の片方の車輪を力強くおしすすめているわれわれの女性と女性同盟員の忠誠と愛国の心をぬきにしては考えることができません。

うれしいときにも困難なときにも、ひたすら朝鮮労働党を自己の運命のすべてとしてかたく信頼してしたがい、社会主義祖国に勝利と栄光をあたえるためにかぎりない献身的努力をつくすわれわれの女性と女性同盟員の高潔な精神世界と不屈の闘争はわが党と人民の大きな誇りとなっています。

わが革命が今一度の試練期、鍛練期を経て飛躍的な上昇をなしとげた忘れられないこの五年間の闘争の道のりでも、われわれの女性と女性同盟員は、燃えるような愛国の熱意をもって祖国と人民、次世代に対し顕著な功績をつみあげました。

わが国家と人民のまえにつぎつぎと折り重なった挑戦と災難は、全国の家庭にも幾重もの生活上の困難をもたらしましたが、われわれの女性と女性同盟員は、家計の心配よりも党と祖国に対して担った責任感を先に自覚してわれわれの社会主義制度を支え、国力を強めることに真心をつくしてきました。

社会主義建設の重要部門を支援する一方、困難な仕事をすすんでひきうけて勤労の偉勲をたて、難関を笑顔でのりこえて社会主義大家庭に美徳と美風を花咲かせた全国の女性と女性同盟員の高潔な心と献身の足跡は、わが国家の自尊と繁栄を象徴する偉大な成果と誇るべき創造物にありありと宿っています。

家事の重い負担を担い、愛する夫や子どもを党と革命に忠誠をつくすように後押しし、困難なときに国のためになる仕事を一つでも多く見つけてやりとげるためにいつも忙しく努力してきたわれわれの女性と女性同盟員のあつい真心は、試練にたちむかって前進するわが革命に大きな力をあたえました。

わが国がこんにちのように世人に認められる戦略的地位に堂々と浮上して、尊厳と栄光をとどろかせるまでの一歩一歩には、強靭かつ純潔なわれわれの女性と女性同盟員の献身的な努力と私心のない内助がこもっており、党はその健気《けなげ》ですばらしい姿と美しい心を片時も忘れていません。

わたしはこの機会をかりて、ひたすらわが党にしたがって試練の峠を果敢《かかん》にのりこえ、国の富強、発展と次世代の明るい未来のために、社会と家庭の団結と親和のために誠心誠意努力したすべての朝鮮女性に深い感謝を送ります。

われわれのまえにたちはだかった難局がいかにきびしくても、人民の生命と生活にあくまで全的に責任をもち、社会主義の新しい勝利をめざして頑強に前進することによって、世界で一番すばらしいわが人民、わが女性によりよい未来と何の心配もない安定した、幸せな生活を保障しようとするのは党の確固たる意志です。

このため、党中央委員会第八期第三回総会では、困難をきわめる環境のもとで社会主義建設のもっともはやい発展のための重大政策を提示し、わが人民と女性が関心をもち、望んでいる切実な問題を解決するための決定的な施行措置を講じました。

いまのように困難なときほど全人民が党のまわりにより強く結集し、漠然たる期待や希望ではなく不屈の闘志と信念をつちかうとともに、朝鮮革命特有の革命精神と自力更生、刻苦奮闘の闘争気風を発揮していくなら、第八回党大会が示した新時代の繁栄と幸福はかならずわれわれを待っているでしょう。

女性は国家、社会発展の力強い勢力であり、女性の役割をぬきにしては家庭や社会、ひいては祖国の未来について考えることはできません。

人口の半分を占めるわれわれの女性を一つに結束させ、彼女らの精神力と愛国心をふるいおこしてこそ、われわれの革命の主体的力、内的原動力を強め、社会主義建設の前進速度をいっそうはやめることができます。それゆえ、わが党は社会主義建設の新たな高揚期、激変期を拓くためのこんにちの革命的進軍で朝鮮女性の大衆的政治組織であり、思想教育団体である女性同盟の役割に大きな意義を付与しています。

女性同盟は当然、わが革命の重大な転機にその戦闘力を非常に強め、すべての同盟員を党大会と党中央の重要決定の貫徹へとふるいたたせることによって、前進するわが革命に活力をあたえ、こんにちの全人民的総進軍を力強くおしすすめなければなりません。

こんにち、女性同盟組織の中心的課題は、すべての同盟員を政治的道徳的にしっかり準備し、社会主義愛国事業に献身する真の女性革命家、熱烈な愛国者に育てることです。

朝鮮社会主義女性同盟は、すべての同盟員に忠誠と愛国の思想的精神的筋金を通し、彼女らの革命熱を最大限に発揮させて、朝鮮女性運動の威力を力強くとどろかせなければなりません。

女性同盟組織は第一に、同盟員の政治的意識水準を高めるための思想活動に大きな力をそそがなければなりません。

女性同盟員の政治的意識水準を高めることは、彼女らを一家庭の幸福のみではなく、社会主義大家庭の復興と発展のために献身する真の女性革命家に育てあげるうえで必須かつ優先的な過程となります。

女性同盟員の政治的意識水準を高めるうえで基本は、彼女らに党の路線と政策を深く植えつけることです。

革命と建設の指導指針である党の路線と政策で武装させ、その貫徹へとふるいたたせる過程がまさに、大衆の政治的意識を高め、彼女らを革命化、共産主義化していく過程です。

女性同盟組織は、同盟員に各時期に提示される党の路線と政策をそのつど正確に伝達し、その真髄と内容を明白でわかりやすく解説して、彼女らが党の政策どおりに実行すればわれわれはより強くなり、豊かに暮らせるという信念をもつようにすべきです。

とくに、第八回党大会と党中央委員会総会で示された戦闘目標と闘争課題、活動と生活において指針とすべき重要思想を深く認識させて、女性同盟員が新たな前進の時代、激動の時代に自分は何をなすべきかをはっきり自覚するようにすべきです。

党政策の正当性と生命力についての宣伝、教育活動を現実と結びつけて真実味がありよく理解できるようにすることによって、すべての女性同盟員が人民にあたえる党と国家の愛と配慮がいかに大きく、うけている恩恵がいかにありがたいものであるかを肌で感じ、それにむくいるためにふるいたつようにすることが重要です。

女性同盟組織は、党の思想と方針を一、二度伝達することにとどまらず、同盟員との活動をおこなうすべての契機が彼女らを党の路線と政策で再武装させる過程でつらぬかれるようにすべきです。

党機関紙と雑誌『朝鮮女性』をはじめとする革命的出版物を通じて、女性同盟員の政治的見識を広げるべきです。女性同盟員が毎日『労働新聞』を読むことを日常化、習性化するようにして、わが党の声を深くきざみつけ、わきたつ社会主義建設の現実についてよく知るようにすべきです。雑誌『朝鮮女性』を、党政策を敏感に反映し、女性の教育に切実でありながらも彼女らが知りたがる内容をもりこんで政治的意義があるようにきちんと編集して発行することによって、みんなに好まれる生活のりっぱな道連れとなるようにすべきです。

女性同盟員の政治的意識水準を高めるうえで、五大教育を基本とする思想教育を積極的にくりひろげることが重要です。

女性同盟組織は、革命戦跡と革命史跡の踏査をはじめとするさまざまな教育契機と手段を、同盟員に党への忠実性と革命勝利への必勝の信念、社会主義祖国への熱烈な愛の精神を植えつけ、徹底した階級的意識と共産主義的品性をつちかう政治的成長過程になるようにすべきです。

女性同盟員がわが革命の前の世代の高潔な思想的精神的世界と闘争気風を見習うようにすべきです。前の世代の忠実性と革命性、強靭な闘争精神と高潔な品格をうけ継ぐのは、われわれの世代の誰にとっても重要ですが、とりわけ革命的な家庭の代、尊厳ある強国のバトンをうけ継いでいくうえで誰よりも重要な位置にある女性にとって切実な問題となっています。

女性同盟員が前の世代の革命精神と彼らがささげた血と汗の真価をよく知るようにして、家庭というせまい枠のなかで変遷する時代と現実をただながめる傍観者ではなく、壮大な激変期をおしすすめていく真の主人公、りっぱな家風と国風をひき継ぎ、国を支えるたのもしい礎石《そせき》になるようにすべきです。

女性同盟組織は、すべての同盟員が、戦後の復興建設期と千里馬《チョンリマ》時代の英雄や先駆者のように党と領袖を心の柱としてかたく信じてしたがうことに人生の誉れ高い栄光があり、家庭や次世代の幸福があり、祖国の輝かしい未来があるという信念を深くきざみつけるように、思想教育活動を生き生きとした歴史的資料をもって真実味をもたせておこなわなければなりません。女性同盟員が金日成同志の指導のもとに戦後一〇年という短期間に『われら幸せうたう』の歌声が高らかに響きわたる社会主義楽園を建設した前の世代の姿に自身を照らし、わが党のくりひろげる豊かで強大な明日をはやめるためのたたかいに精魂をそそぐようにすべきです。

女性同盟組織は第二に、同盟員が文明化した、高尚な文化的道徳的品格をそなえるように教育し導かなければなりません。

女性の文化的道徳的品格はとりもなおさず、国の生活気風と社会の生活風潮、次世代の品性につながるものです。

女性同盟員と女性が文化的かつ道徳的に美しく、純潔であってこそ、国が文明化し、家庭と社会が健全になり、われわれの明るい未来が保証されるということをつねに銘記すべきです。

女性同盟員と女性は、われわれの方式の生活様式と道徳的気風、民族固有の良風美俗を積極的に具現化しなければなりません。

女性同盟員と女性がチマチョゴリを好んで着るようにし、服装と身なりを時代の美感にふさわしく高尚で洗練されたものにし、家計の切り盛りを几帳面にするなど、生活のすべての面において朝鮮式の味と香りがただよい、民族的情緒があふれるようにすべきです。

女性同盟員と女性がわが家の内外と自分の街や村をいつも文化的かつきれいに整備し、節約気風を体質化するようにすべきです。女性同盟組織は、「忠誠の七月一一日赤旗洞、人民班獲得運動」と「社会主義生活文化模範家庭創造運動」が実務的な整備活動ではなく、女性同盟員と女性のあいだで文化水準を高め、故郷と家庭、未来を愛する心と勤倹節約の精神をつちかう過程となるようにすべきです。

礼儀正しく品行方正で、家庭の親和をはかり、他人のためを思い、隣人との情をあつくするのは、朝鮮女性のりっぱな品性です。

女性同盟組織は、同盟員のあいだで朝鮮女性の美しい道徳品性を極力生かし、美風を奨励し発展させることに力を入れなければなりません。

われわれの女性の高尚な人間味が、革命先輩を敬い、恩師と目上の人を尊敬し、言葉づかいと挨拶作法、公衆道徳を自発的に守るうえでそのまま発現されるようにすべきです。

女性同盟員と女性がわれわれの社会の精神的、道徳的品格が凝縮されている「一人はみんなのために、みんなは一人のために」という共産主義的スローガンを高くかかげて、明るい明日にむかってともに手をとりあってすすむようにすべきです。人のために献身することを美徳、美風とみなし、人の喜びや悲しみをともにわかちあいながら頼りあい、助けあい、導きあって、徳と情によって結ばれた人間関係がわれわれの社会の道徳的基礎として深く根をおろすようにすべきです。

女性同盟員と女性が社会の細胞である家庭を大切にし、幸せな家庭につくりあげるようにすべきです。

夫が党と革命に忠実であるように世話をやき、子どもを社会主義朝鮮のたのもしい担い手に育て、むつまじい家庭をつくりあげる女性の役割は、なんぴともとって代わることができません。

女性同盟員と女性は、たとえ家事でたりないものがあっても家庭の主婦として、嫁として、妻として、母としての責任をつねに自覚し、舅や姑によくつかえ、夫と子どもが国家と社会に対し担っている本分をまっとうするように真心をつくすべきです。

すべての女性同盟員と全国の女性がやさしい嫁、情のあつい妻、慈愛深い母親、人情味のある隣人と呼ばれるとき、われわれの社会はいつも生気と活力にあふれ、わが国家はさらなる力をもつようになるでしょう。

女性同盟組織は、同盟員の間で革命的な文化、情操生活気風を確立し、生活を楽天的で多情多感にいとなむようにすべきです。情緒が豊かで、芸術を愛するわれわれの女性の心理にあわせて、歌謡の普及と大衆舞踊、文芸作品の鑑賞と詩の朗唱会などの大衆文化活動を多様におこない、女性の体質と特性にあうスポーツ運動と遊戯、娯楽競技を日常化すべきです。そうして、われわれの女性の明るい笑顔と明朗かつ楽天的な生活気風によって社会が躍動し、どこでもロマンがみちあふれるようにすべきです。

女性同盟組織は、反社会主義、非社会主義との闘争を強力に展開しなければなりません。女性同盟員に、反社会主義的、非社会主義的行為は幸せの揺籃《ゆりかご》に災いの種をまく危険な毒草であり、自分と家庭、次世代の生活と未来をおびやかす悪性腫瘍であるということを深く認識させ、誰もがそのような行為を軽蔑し、糾弾するようにすべきです。周辺であらわれている反社会主義的、非社会主義的行為を他人事のように思って黙過するのでなく、朝鮮式社会主義の運命、自身と子どもたちの生死にかかわる問題とみなし、そのささいな要素とも即座に妥協することなくたたかうようにすべきです。女性同盟組織は、同盟員の政治的生命に責任をもつ保護者らしく、彼女らの服装や言葉づかいをはじめとする生活のいろいろな面であらわれる異質な傾向に対してそのつど警鐘をならし、強力な思想教育と思想闘争によって根絶すべきです。

女性同盟組織は第三に、すべての同盟員をわが国家第一主義時代を輝かせる誇り高い愛国事業へと積極的に立ち上がらせなければなりません。

女性同盟員が、党大会の決定を貫徹するための闘争が力強く展開されている重要部門と生産現場でいろいろな鼓舞、激励活動を活発に展開するようにすべきです。

女性同盟員は、革命的な歌謡と力強いアジ演説で勤労者の胸をわきたたせ、仕事の手伝いもし、休憩時間にはさまざまのサービス活動もおこなって、勤労者を創造的偉勲と勤労闘争へと奮起させるべきです。

女性同盟員が自分の誠実な汗と努力をもって、富強な祖国建設に寄与するようにすべきです。

女性同盟突撃隊活動を、自分の故郷の都市、故郷の村を社会主義文明が凝縮されたモデル都市、理想村につくり、地域内の工場、企業、協同農場を労力的に支援することに指向させ、すべての女性同盟員が一本の木、一茎の芝草を植えるにしても、真に国と人民のためを思う清らかな良心と愛国の心をささげるようにすべきです。

女性同盟員が公民的自覚と愛国的良心をもち、よいことをする運動にこぞって参加するようにすべきです。

女性同盟組織と同盟員は、養蚕とウサギの飼育をはじめとするよいことをする運動を大々的におこない、どこでも自分の地域の特性と実情に即して国の助けとなるいろいろな仕事をより多く見つけてなしとげるべきです。

女性同盟員は、遊休資材買付け事業もおろそかにせず、国の富をふやす愛国事業とみなして積極的に参加しなければなりません。

女性同盟組織は、よいことをする運動で発揮されたすぐれた経験を広く普及させる活動を綿密におこない、見習え、追いつけ、追いこせの競争熱風をまきおこさなければなりません。

商業、給食部門の女性同盟員は、人民に忠実な奉仕者としての任務を自覚し、党大会の決定を貫徹するためにすべての知恵と精力をそそいで奮闘しているわが人民に何か一つでも多くあたえるために気をつかい、人民が少しも不便な思いをしないようにより細心かつ親切に奉仕しなければなりません。

家庭婦人が家内作業班に加わって働くならば、人民生活にも寄与し、家計のたしにもなるばかりでなく、集団主義精神をつちかうのにも有益です。

各道・市・郡では、その地域の実情に即して消費財の生産をふやし、人民の便益をはかることに資する各種形態の家内作業班を合理的に組織し、家庭婦人を積極的に参加させて活発に運営しなければなりません。

女性同盟組織は、同盟員のあいだで家内作業班に籍だけ置いて、実際は生産活動に参加しないあやまった偏向と利己主義的傾向があらわれないように教育と統制を強化して、彼女らが勤勉な労働によって社会の富を創造することに実質的な寄与をするようにすべきです。

女性同盟組織は、労働適齢期の同盟員を社会に積極的に進出させるための活動を綿密におこなわなければなりません。

女性同盟員を社会に進出させる主な目的は、彼女らを国と人民を愛する愛国的な勤労者に育てあげることにあります。

わが国には、陰ひなたなく、他人の評価を気にせずに自分の持場を黙々と守り、党と祖国、人民のために献身する女性が少なくありません。幸福は誰かがもたらしてくれるものでなく、ともに誠実な創造の努力をつくしていくとき、われわれの未来、われわれの生活はより豊かで美しく開花するものです。

女性同盟組織は、住み慣れた故郷を離れて遠い山奥の村の学校と離れ島の分校に志願した女性や社会主義農村をはじめ党が求める骨の折れる部門に進出して人生を輝かせている美風の主人公に同盟員が見習うようにすべきです。女性同盟員が社会に進出することはとりもなおさず、自分を育ててくれた党と祖国の恩恵にむくいるための忠誠と愛国の道であり、自身と次世代の将来のための幸福の道であるという自覚を植えつけ、彼女らが社会主義建設の栄誉ある持ち場にすすんで志願するようにすべきです。

女性同盟員は生活の経歴もちがい、趣味と知識水準もそれぞれ異なるので、彼女らを社会に進出させる活動を方法論をもっておこなうことが重要です。

女性同盟員の取り柄と長所、素質と能力をよく知っている女性同盟組織は、彼女らが適材適所に配置されるように当該機関と綿密な連係をたもつべきです。女性同盟員の社会進出運動が積極化するにつれ、当該単位は彼女らの活動条件、生活条件を保障するための活動を手ぬかりなくおこなうようにすべきです。

女性同盟組織は、同盟員が人民軍援護活動に積極的に参加するようにすべきです。

軍人家族は、わが党の「総領嫁」、最高司令部の「炊事隊員」としておしたてる党の信頼をつねに自覚し、銃をとった夫の副射手としての役割を果たすばかりでなく、長兄嫁、長姉の気持ちで軍人の生活をあたたかく見守るべきです。

すべての女性同盟員と女性は、祖国防衛の前哨《ぜんしょう》と社会主義大建設の現場で偉勲をたてている人民軍軍人に肉親の情をこめて力づけ励ます慰問の手紙も送り、真心をつくして援護し、参戦老兵と戦傷栄誉軍人、戦没者の遺族と人民軍留守家族の生活にも深い関心を払い、誠意をもって見守らなければなりません。

女性同盟組織は第四に、同盟員が子どもを革命的に教育し育成するために愛情と心血をそそぐようにすべきです。

りっぱな人の影にはりっぱな母親がいるように、子どもの人となりは女性、母親の役割に大きくかかっています。

女性同盟員と女性は、子どもを正しく教育することを一家庭の代を継ぐ問題であるだけではなく、革命の将来を担いたつ継承者を育てるこのうえなく崇高な革命活動であることを忘れてはなりません。子どもを国が全的にうけもって教育するのだから何事もおこるまいと安心せず、彼らの成長と発展につねに深い関心を払わなければなりません。

女性同盟員と女性は、幼いときからわが子に党と社会主義制度のありがたさを認識させ、愛国心を植えつけなければならず、父母と目上の人、恩師を尊敬し、集団と友だちを愛し、われわれのものを好み、不義を憎む心をつちかい、いつどこにあっても剛直に生きるようにすべきです。とくに、好奇心が強く、新しいものに敏感な青少年時代に異質な思想文化と生活風潮に毒されないように厳格にしつけ、成長の一歩一歩を正しくふみだすようにすべきです。

父母の言行一つひとつが子どもの頭のなかに鏡のように映るということを肝に銘じ、生活のあらゆる契機がりっぱな教科書になるように、一言の言葉にも家庭より国と人民のことを先に思う深い意味がこもるようにすべきです。

可愛い子は鞭で育てるという言葉があるように、溺愛《できあい》してわが子をあまやかすのではなく、彼らが祖国の真の息子、娘としてたくましく育つことができるようにつねに要求の度合いを強め、正しい道に導かなければなりません。

女性同盟員と女性は、誰もが母親として、わが子が時代が求める困難で骨の折れる部門、聖なる祖国防衛の前哨に勇躍志願して青春時代を輝せるように激励しなければなりません。

女性同盟員と女性は、祖国解放戦争の時期、祖国を守る聖なる戦いの道、火の海を突きぬける道に愛するわが子をためらうことなく送りだしたこの国の数多くの母親たちの高潔であつい母性愛を胸深くきざみつけなければなりません。

女性同盟組織は、子どもの教育の日をはじめとするさまざまな機会に、家庭教育と関連する問題を知らせ、子どもたちをりっぱに育てて祖国防衛の前哨にたたせた同盟員や子どもたちが勉強に励み組織生活に誠実に参加し、あたえられた革命任務を遂行するために努力をつくすよう、彼らをよく教育し、後押ししている同盟員を大いにおしたて、彼女らに見習う活動も着実におこなわなければなりません。

女性が子どもを多く産んで育てるのは、国の興亡や民族の前途にかかわる重大事です。女性は、子どもを多く産んでりっぱな人に育てることを国と民族のための殊勝なこと、愛国とみなすべきです。社会的に子どもを多く産んで育てる女性を積極的に援助し、優遇する気風を確立し、国家的な保障対策も強化しなければなりません。

われわれの子どもたちにより改善された養育条件を提供するのは、わが党と国家の最重大の政策であり、最高の宿願です。

女性同盟は、党中央委員会第八期第三回総会でわれわれの子どもたちのために特別措置を講じた党の意図を体して、託児所や幼稚園の運営を改善し、保育員や教養員が実の親のように愛情をつくして子どもの保育、教育に専心するようにさせることに格別の関心を払わなければなりません。

朝鮮社会主義女性同盟が時代と革命に対して担っている歴史的使命と任務をりっぱに遂行するためには、女性同盟組織の戦闘力を全面的に強化しなければなりません。

女性同盟組織の戦闘力を強化するうえで中心となるのは、同盟内部活動を掌握することです。

家庭婦人が多く加わっている女性同盟組織では、組織、思想生活指導に力を入れることが特別に重要な問題となります。女性同盟は、突撃隊や秩序維持隊の活動、経済課題の遂行にのみかたよる偏向をなくし、同盟員にたいする同盟生活組織と指導に力を入れなければなりません。

女性同盟組織は、同盟員の間で組織を尊び、組織の規律を厳格に順守するよう紀綱を確立しなければなりません。女性同盟員が組織を通じてのみ党と血脈をつなぎ、政治的生命を輝かせることができるという自覚をもって組織観念を高め、組織の決定を慎重にうけとめ、あくまで誠実に実行するようにすべきです。

女性同盟員のあいだで同盟規約の学習を強化し、同盟生活を徹底的に規約と規範の要求通りにおこなうようにすべきです。

女性同盟組織は、いかなる場合にも定期総会や同盟生活総括を決められた期日と日時に間違いなくおこない、その政治的思想的水準を高め、とくに生活総括を、同盟員が強い批判の雰囲気のなかで欠点を反省し、自覚して是正する思想的修養の過程、鍛練の過程となるようにすべきです。

女性同盟組織は、同盟員の特性にあわせて任務分担をおこない、確実に実行するよう助力し、分担された任務の遂行過程が、同盟員を思想的に自覚させ、組織を強化し、社会の発展に寄与する重要な契機になるようにすべきです。

女性同盟組織内にうちたてられている宣伝、鼓舞、教育システムを効率的に運営し、宣伝、鼓舞陣容を整備補強し、思想教育の度合いをたえず強めて、同盟員の思想に空白が生じないようにすべきです。

女性同盟組織は、思想教育に斬新かつ実効性の大きい多様な方法をうけ入れなければなりません。思想教育を、上級同盟組織から示達されるテキストや教育資料をうけ売りしたり、件数をみたすやり方でおこなうのではなく、感情豊かで細心な女性の特性にあわせて芸術小品の公演や解説、対話を通じてもおこない、発表会や模範に学ぶ集いなども開き、マルチメディア編集物の視聴をはじめとするさまざまな方法を組みあわせて、その一つひとつがいずれも大衆の心に届くものになるようにすべきです。

思想教育では、現実を誇張したり、粉飾し自画自賛する偏向をなくし、女性同盟員がみずから信じて共感できるようにありのままに、党の意図をはっきり認識できるように直線的におこなわなければなりません。

女性同盟の戦闘力はすなわち初級組織の戦闘力です。初級組織を強化してこそ全同盟が強化され、初級組織が活発に動いてこそ全同盟がわきたつようになります。

初級組織を強化するうえでキーポイントは、初級活動家の実務水準を高めることです。いくら覚悟や熱意が高くても、実務能力が低ければ初級組織を正しく指導することができません。

初級活動家の日を実効性があるように運営し、講習会と経験討論会、質疑応答など、さまざまな形式と方法で初級活動家の実務水準と資質を高めなければなりません。

中央と道・市・郡女性同盟の活動家は、計画的かつ定期的に初級組織にでむいて初級活動家に同盟生活の組織や指導方法を具体的に教え、困っている問題も解決しながら着実に助力しなければなりません。

現在、初級組織を強化するうえで重要な問題は、同盟隊列を正しく管理し、同盟生活指導システムを現実的要求に即して改善することです。女性同盟中央委員会は、初級組織の実態を具体的に把握し、同盟員にたいする同盟生活の組織と指導を強化できるよう組織の所属と構成の問題に対して合理的な対策をたて、全同盟的に組織生活離脱者と組織未所属者の問題を早急に解決しなければなりません。同盟員にたいする組織思想生活の組織と指導を効率的におこなえるよう、市・郡女性同盟委員会と初級女性同盟委員会の機構体系、活動体系を整備する対策もたてなければなりません。

女性同盟は、初級組織の戦闘力の強化に主眼をおき、忠誠の模範初級女性同盟委員会、忠誠の模範女性同盟初級団体獲得運動を深化させ、典型を創造し、それを一般化させるための活動を綿密におこなって、すべての初級組織を党への忠誠心が強く、同志的にかたく団結した集団、どんな課題もてきぱきとやりとげられる強力な集団にしなければなりません。

女性同盟組織の戦闘力を高めるための秘訣は、同盟員との活動を強化することにあります。

同盟組織の威力はすなわち同盟員の団結した力であり、すべての同盟員を組織にしっかり結束させ、彼女らの心を動かすときに組織の戦闘力が倍加するものです。

女性同盟は、すべての女性同盟活動家が同盟員との活動に優先的な力をそそぐよう、同盟活動の方向を正しく定めなければなりません。

女性同盟員との活動はとりもなおさず彼女らの心との活動、感情との活動です。女性同盟員の心の扉を開き、その心中や人知れぬ苦衷までもよく知ってこそ、大衆との活動を円滑におこなうことができます。

そのためにはまず、女性同盟活動家の活動方法と作風を改善しなければなりません。女性同盟活動家が同盟員の真情を知ろうともせず、要求の度合いや統制のみですべての問題を解決できるかのように思ってもったいぶり、おしつけるやり方で活動するならば、大衆はついてきません。女性同盟の活動家と同盟員は同じ女性であり、みなが党の娘です。女性同盟活動家に特別なものがあるとするなら、党と組織からあたえられた信頼のみです。この信頼は、娘のためを思う実家の母親のような慈しみ深いふところに同盟員をいだき、堂々たる女性革命家に育てあげるために寄せる政治的信頼であり、要望であることを一瞬も忘れてはなりません。

女性同盟活動家は原則に徹しながらもあたたかい人情味をもって活動しなければなりません。

現在、家庭的に生活上の困難をなめている女性同盟員も少なくないので、女性同盟活動家は思慮深い心と人情味をもって彼女らにこまやかに気を配り、導かなければなりません。苦衷をなめたりいろいろな難事に直面している同盟員に力をあたえ励まし、実の姉や妹の気持ちで彼女らのために真心をつくすとき、同盟員は組織に胸襟《きょうきん》を開き、心からしたがうものです。

女性同盟活動家は、中核同盟員、熱誠同盟員との活動に力を入れ、彼女ら一人が一〇人、一〇人が一〇〇人を教育し導いて、同盟隊伍の思想、意志の団結を強めていくようにすべきです。

女性同盟活動家が同盟員との活動を円滑におこなうためには、博識でなければなりません。すべての女性同盟活動家は、誰よりも党の思想に敏感で、党の路線と政策に精通し、より多くの知識と常識を身につけ、豊かな文化的素養を兼備するために努力しなければなりません。

各級党組織は、女性同盟の活動を重視し、つねに関心を払い、舵取りの役割をりっぱに果たさなければなりません。

女性同盟組織が党の意図を体して活動の中心と方向を正しく定め、同盟員の特性に即して活動を能動的に推進できるように党の指導を着実におこない、とくに自立性と創意性を高めることに力をそそぐべきです。

女性同盟組織の活動状況を定期的に把握して提起される問題を適時に解決し、女性同盟組織がいつも活発に動き、その役割をりっぱに果たすように積極的に後押しすべきです。

当該地域の党、政権機関で女性同盟組織に社会的課題を課したり、女性同盟員を動員労働力とみなして過重な負担をあたえるような傾向が絶対にあらわれないようにすべきです。

女性除隊軍人をはじめ党への忠誠心が強く、品行方正で大衆からの信望があつく、活動意欲の強い女性で女性同盟の幹部陣をかため、彼女らの水準を高めることに力を入れるべきです。

女性を尊重するのは共産主義者のりっぱな美徳であり、社会の文化水準を示す重要な表徴の一つです。党組織は、社会的に女性を愛し、おしたて、助ける気風を確立し、女性のための施策が確実に実施されるようにすべきです。

こんにち、わが革命の新たな高揚期、激変期は、すべての女性同盟員が朝鮮女性の剛毅な精神力と愛国的献身によって時代の偉大な変革を力強く促進することを求めています。

わたしは、大会の参加者と女性同盟組織が革命発展の要請に即して同盟活動で実際的な改善をもたらすことによって、女性同盟員を党のまわりによりかたく結束させ、社会主義建設闘争へと力強くふるいたたせ、女性同盟の威力を遺憾なく発揮するものと確信しています。

戦勝世代の偉大な英雄精神はりっぱに継承されるであろう

―第七回全国老兵大会でおこなった演説―

二〇二一年七月二七日

尊敬する参戦老兵のみなさん。

われわれがつねに尊敬し、鑑としておしたてる革命の大先輩であるみなさんとふたたび席をともにし、わが祖国の偉大な戦勝節を慶祝することになり、喜びと感激を禁じ得ません。

わが国家と人民にとって年々歳々、胸を張って誇らしく追憶すべき偉大な戦勝の歴史は、千金万金をもってしてもかえられない第一の財産です。

ことに、伝説的な英雄時代の主人公、生き証人である老兵たちがそばにいてくれて、たびたびお会いできることは、われわれの世代が享受する無上の幸運であり、光栄です。

わたしは、三年間の苛烈きわまる戦火のなかで奇跡的な戦勝の神話を生みだし、自分の時代を英雄的に輝かせたばかりでなく、今日はこのように健康な姿で戦勝節の行事に参席してくださった尊敬する老兵のみなさんと、全国の祖国解放戦争参戦者や戦時功労者たちに頭をさげてつつしんで感謝の挨拶を送ります。

また、祖国の自主権と栄誉を守って青春も生命もおしみなくささげた人民軍烈士や愛国烈士に崇高な敬意をあらわし、堅忍不抜の力強い闘争のなかで勝利の七・二七を迎えるすべての人民に熱烈な祝賀の挨拶を送ります。

あわせて、わが祖国のもっともきびしい時期に帝国主義侵略を撃退する同じ塹壕で貴い血をおしみなく流した中国人民志願軍の烈士たちに崇高な敬意を表するとともに、志願軍の老兵のみなさんにもあたたかい挨拶を送ります。

尊敬する老兵のみなさん。

わが共和国の栄光にみちた発展の道で革命の第二世である戦勝世代がつみあげた功績は、歴史的高峰として高くそびえたち光り輝いています。

強大かつ美しいこの朝鮮の貴重なすべてのものは、みなさんが代表する偉大な世代の功績と一つにつながっています。

数千万人民の自由な生活と真のわれわれの制度、秀麗な山河と沃野千里《よくやせんり》、貴重な天然資源は、祖国の寸土をも血をもって守りぬいた無数の勇士たちの偉勲《いくん》を離れては考えることができません。

一九五〇年代の勇敢な祖国防衛者たちがアメリカ帝国主義の強盗さながらの侵略を決死の覚悟で撃退したからこそ、こんにちにいたる幾世代の子孫が奴隷の受難を知らず、自主的人民の尊厳をたもつことができました。

アメリカ帝国主義とその追随国の武力侵犯者をうちやぶり、戦勝という驚異的な未曽有のできごとをもたらした戦勝世代の偉大な功績があったがゆえに、祖国の運命と未来が救われ、われわれ次世代は英雄朝鮮、英雄人民という偉大な名声と栄誉をゆずりうけることができました。

同志のみなさん。

わが祖国の歴史に金文字でしるされた戦勝世代の功績のなかでもっとも貴重で高価なのは、英雄的な闘争精神と気風を創造したことです。

偉大な勝利と奇跡を生んだ闘争精神は、いくら歳月が流れても光を失わず、新しい勝利と奇跡を生みだすつきせぬ源です。

戦勝世代が発揮した偉大な英雄精神をかみしめてみると、その一つひとつはすべて世人を驚嘆させ、心をゆさぶるものばかりです。

党と領袖のために、領袖にたてた誓いをあくまで守るために躊躇《ちゅうちょ》することなく最後の決戦に飛びこみ、死地にあっても最高司令部に思いをはせて、不死鳥のごとく勇敢に戦った人民軍戦士たちの剛毅《ごうき》な精神力は、世人を驚嘆させる戦勝の神話を生みだしました。

つねづね考えていることですが、老兵たちにお会いするたびに、祖国解放戦争の困難さと苛烈さ、敵撃滅のはげしい白兵戦《はくへいせん》がそのまま生き生きと感じられ、こんにちわれわれが戦火の勇士のようにたたかっているのかどうかを改めて自覚させられます。

そうすると、当時のもっともきびしい挑戦や危険にもめげず、不敗の強い精神力を発揮した偉大な年代の勝利者におのずから頭がさがります。

祖国の自由と独立のために、子孫の生活のために輝かしい偉勲をたてましたが、われわれの戦勝世代は、一度たりとも血潮を流した代価を望んだことがありませんでした。

戦争の傷跡をいやし、廃虚と化した国を復旧すべき大きな重荷をふたたびすすんで担ったのは戦勝世代でした。

前線からもどってきた勇士たちも、銃後で屈することなく戦った人たちも、不幸や苦痛に耐えぬき、先に逝った戦友の遺志どおり、彼らの分まで一〇倍、二〇倍の仕事をより多く、よりはやくやりとげるのを当然の道義や信義、本分とみなしました。

たんなる復旧ではなく、より大きく、よりりっぱにうちたてて、復興建設でも朝鮮人の気概を示そうという金日成同志の呼びかけにこたえ、廃虚のなかで自主強国の建設をはじめた戦勝世代は、無から有をつくりだし、不可能を可能にしながら他人が一歩歩むとき一〇歩、一〇〇歩を歩みました。気をゆるめることなく刻苦奮闘し、歳月を縮めた栄えある建設者たちによって、英雄朝鮮が千里馬《チョンリマ》朝鮮としていっそう光を放ち、富国強兵の近道である経済と国防の並進という歴史的課題が成功裏に実現しました。

わが党と人民が年代を継いで鑑としている、党中央を絶対的に支持し、革命的大高揚をもって防衛するりっぱな闘争伝統と、「一人はみんなのために、みんなは一人のために」という気高い集団主義気風、共産主義的人間関係もこの偉大な革命世代が創造したものです。

戦勝世代の犠牲的かつ献身的な闘争があったがゆえに、廃墟のなかでも人民と領土があり、党と政権があれば、いくらでも新しい生活を創造し、豊かに暮らすことができるというチュチェの哲理がすばらしい現実として実証されました。

社会主義建設の各年代に、われわれの参戦老兵や戦時功労者は、砲煙弾雨をくぐり、血を流して戦った戦火のあのときのように生きているかをつねに自覚し、かわることなく服務の道を歩みつづけ、新しい世代も剛直で堅実に生き、たたかうように導きました。

まさにこれが、われわれがこのうえなく尊敬し感謝してやまない戦勝世代の高潔な精神世界です。

戦勝世代の偉大な英雄精神をうけ継いだことによって、わが党と人民は何回もの戦争に匹敵する社会主義防衛戦のきびしい試練をのりこえて、革命に提起された壮大な大業を勝利のうちになしとげることができました。

じつに、われわれの栄えある朝鮮民主主義人民共和国を誉れ高く守りぬき、子々孫々《ししそんそん》ひき継ぐべき不滅の英雄精神を生みだした一九五〇年代の祖国防衛者、祖国建設者こそは、末永くたたえて見習うべきありがたい恩人であり、真の師匠です。

同志のみなさん。

わが人民と新しい世代には、偉大な戦勝世代の子孫という何ものとも比べようのない特別な矜持《きょうじ》と自負があります。

戦勝世代の子孫としての栄誉ある使命は、偉大な領袖、偉大な党の指導のもとに創造された偉大な勝利の伝統と英雄精神をりっぱに継承して、先達《せんだつ》たちが守りぬき、うちたてたこの国をより強大にし、かぎりなく繁栄させることです。

聖なるこの歴史的使命と本分をはっきりと自覚した世代は、絶対に衰退したり瓦解したりせず、勇敢に力強く前進するものです。

われわれは、新たな挑戦がたちはだかり、膨大な課題が提起されるたびに、われわれより先に、いまより大きな挑戦をはねのけ、課題を遂行してきた革命の老世代、戦勝世代を思いうかべています。

こんにち、われわれにとって史上初の世界的な保健危機と長期的な封鎖による困難や隘路は、戦争状況におとらない試練の峠となっています。

しかし、戦勝世代が最大の国難に直面して最大の勇気を発揮し、最大の勝利と栄誉をもたらしたように、わが世代もそのりっぱな伝統をうけ継いで、こんにちのきびしい試練をより大きな新しい勝利にかえるでしょう。

社会主義強国建設の道程でいまよりきびしい逆境に立たされても、われわれはけっして瞬時もたちどまらないでしょうし、戦勝世代の英雄精神をうけ継いでうちだした闘争目標をめざしてねばり強く突進するでしょう。

戦火の勇士たちが貴い生命とひきかえたこの地、老兵たちが一生をかけて愛国の誠実な足跡をしるしてきたこの国土を、かならず全人民が何うらやむことなく幸福を享受する復興強国にきずいていくでしょう。

そのためにわが党は、戦勝世代の高貴な思想的精神的富がすべての人民と人民軍将兵、新しい世代の血と肉になり、真の生活と闘争の栄養素になるようにするつもりです。

ひたすら自己の党のみを絶対的に信頼し、党の決定を命をささげて貫徹した不屈の革命精神、みずからの力と勝利を確信し、祖国が直面した生死存亡の危機にたちむかって一身をためらわずにささげた決死の犠牲的精神、苦難と試練をのりこえて復旧と建設に奮起した不屈の闘争精神、困難ななかでもたがいに支えあい、助けあいながら社会主義の新生活をきずいた高尚な集団主義精神が、こんにちの闘争と生活のなかに脈打つようにするでしょう。

愛国衷情のすばらしい教科書である、祖国解放戦争期と戦後復興建設期、千里馬大高揚期の赫々《かっかく》たる戦勝記と闘争記を誰もが胸にきざみ、戦時歌謡と創造や建設の歌謡が各職場と持ち場でつねに響きわたるようにし、党政策貫徹の実践を通じて新しい奇跡と偉勲がひきつづき創造されるようにするでしょう。

老兵のみなさん。

歴史的な朝鮮労働党第八回大会を契機に、朝鮮式の社会主義建設偉業は新たな激動の時代を迎えており、全国は高揚した意気込みでわきたっています。

わが革命武力は、いかなる情勢の変化や威嚇《いかく》にも対処できる万端の準備を整えており、英雄的な戦闘精神と気高い政治的、道徳的風格をもってみずからの威力をいっそう不敗のものにかためながら国家防衛と社会主義建設の最前線をしっかりと守っています。

数千数万の新しい世代の青年たちも、戦勝世代のりっぱな精神と気風をうけ継いで、党が呼びかける部門に勇躍志願しています。

戦勝世代が血をもって勝ちとった革命の獲得物は強固であり、わが国家、われわれの社会主義偉業は洋々たるものです。

老兵たちが健康で長生きしてくれるだけでも、わが党と人民にとっては無限の力となり、朝鮮革命には大きな鼓舞となります。

偉大な祖国解放戦争勝利六八周年に際して、われわれの尊い参戦老兵と戦時功労者のみなさんに今一度心からなる感謝の挨拶を送るとともに、同志たちの健康長寿をつつしんで祈ります。

戦勝世代の偉大な英雄精神は永遠に光り輝き、代を継いでしっかり継承されるでしょう。

偉大な戦勝七・二七万歳。

偉大なわが祖国、朝鮮民主主義人民共和国万歳。

国防発展展覧会「自衛―二〇二一」の開幕式でおこなった記念演説

二〇二一年一〇月一一日

同志のみなさん。

今日われわれは、栄えあるわが祖国―朝鮮民主主義人民共和国の国家防衛力の発展ぶりを直接一目で見ることのできる機会を得ました。

わが朝鮮の先進性と近代性、勇敢性が凝縮された国防発展展覧会に参加した同志のみなさんを熱烈に祝います。

今日開かれた国防発展展覧会「自衛―二〇二一」は、今年のわが党創立記念日をいっそう意義深く慶祝し、異彩あるものにしています。

今回の国防発展展覧会はその名称が示しているように、不敗の自衛の路線をかわることなく堅持し、国家防衛力強化の新たな転機を開いていくわが党の雄大な抱負と指導力、実践的執行力を集中的に、直観的に見せ、わが国家が到達した国防科学、軍需工業の驚異的な発展ぶりとその輝かしい展望を示す一大祭典です。

わが党の革命的な国防政策とその大きな生命力が集大成された今日の盛大な展覧会は、大規模の閲兵式におとらず大きな意義をもつ画期的な国力示威となります。

同志のみなさん。

変化した朝鮮革命の主体的客観的条件と環境、そして世界的規模における軍事力の急速な変化の要求に即して祖国の安全をしっかり守り、子々《しし》孫々《そんそん》の永遠なる尊厳と幸福と安寧のためにさらに強く、絶対的な力を養うべき重大な歴史的使命を担い、わが党がこの五年間必然的に断行しなければならなかった生死をわかつ国防工業革命の道、未知の雪道がまざまざと目にうかびます。

きびしい幾多の試練と胸のふくらむ喜悦の瞬間がそこかしこにしるされているこの五年間の国防力発展の道のりは、その一歩一歩が党と祖国、人民と次世代のまえにこのうえなくりっぱで、大きな光栄と誇りにみちた革命の道、愛国の道、偉大な勝利の道のりでした。

ここ展覧会場にならんでいる、この五年間につくりあげた武力装備を漫然と見るわけにはいきません。なでて、さわって、眺めれば眺めるほどかぎりなく誇りと自負をます貴重なわれわれのものです。

われわれが強くなるのを極度におそれる敵対勢力の執拗《しつよう》な反共和国策動のため、よりひどい苦労と試練を覚悟しながらも、わが党の国防強化政策を無条件に絶対的に支持声援してくれた全人民の信頼と熱烈な祖国愛がなかったならけっしてつくりあげることのできなかったものです。

あの武力装備には、われらの国防科学者と軍需工業部門の労働者がわが党にしたがい、国防建設の道で千辛万苦に耐えぬいてきたじつに忘れがたい多くのいわくが秘められており、自分の情熱と知恵をすべてささげて犠牲的精神を発揮してたたかった彼らの濃い血と汗がにじんでいます。

われわれの国防科学者、技術者と軍需工業部門の労働者は、つねにわが党のいかなる要求や決心も無条件に絶対支持し、決死の覚悟でうけいれ、国防力強化の歴史的大業を実現する道でかぎりない忠誠心と英雄主義を発揮しました。

わたしはこの場を借りて、わが共和国の建国史にいまだかつてもたらすことのできなかった世界的な強大な国防力をきずき、わが人民の宿望をかなえる大きな最新の成果をあげることに貢献した国防工業部門の科学者、技術者、功労者と軍需工業部門のすべての労働者に対して党と政府の名において、全人民の心をこめてあつい感謝をささげます。

また、全人民に心から感謝をささげます。

わたしは、今回の展覧会がわれわれの偉大な勝利を総括する勝利者の展覧会、国防部門と全国の人民にかぎりない力と勇気をあたえる激励と鼓舞の展覧会、朝鮮式社会主義建設のよりはやく、より力強い前進、発展をうながす進取的な展覧会になるものと確信しています。

同志のみなさん。

わが党の国防政策の真髄は、自分の力で祖国と人民を守ることであり、たえず発展、向上する強力な防衛力によっていかなる威嚇《いかく》や挑戦も抑止し、平和をしっかりと守ることです。

歴史的に外部勢力の侵略による受難を経て、世紀を継いで持続する敵対勢力の恒常的な威嚇のなかで社会主義を建設せざるをえないわが民族史の教訓と朝鮮革命の要求と特殊性からして国防の強化は、わが党と政府と人民が片時もゆるがせにしてはならない必須にして死活の重大国事となっています。

相応の水準の自衛力をもつことができなければ外部の軍事的威嚇にひきずりまわされ、強要されるしかなく、ひいては国家と人民の存在そのものも守りぬくことができないというのは古今東西の世の道理です。

こんにちの世界において軍事技術と武力装備の急速な発展により、軍事作戦の様相と地域ごとの国家の安全環境は変化しています。

いま、朝鮮半島周辺の軍事的緊張のため、わが国家が対している軍事的危険性は一〇年前や五年前どころか三年前とさえ異なっています。

建前では平和そして協力と繁栄について唱えながらも、何らかの威嚇に対処するとして米国と南朝鮮が頻繁にくりひろげているさまざまな軍事演習の内容を見てもわかりますし、最近になって度をこすほど露骨になる南朝鮮の軍備近代化の企図を見ても、朝鮮半島地域の軍事的環境が変化する明日の状況を容易におしはかることができます。

最近南朝鮮は、米国の強力な後押しのもとにステルス合同打撃戦闘機や高高度無人偵察機、膨大な各種の先端兵器を搬入し、自分の軍隊の戦闘力を更新しようとしています。

そして、最近になってミサイルガイドラインを改定した後、自分の国防技術力をとくに強調して、さまざまな弾頭の開発、射程向上など下心が見えすいたミサイル能力向上をはじめとする潜水艦の戦力強化、戦闘機の開発など多方面にわたる攻撃用軍事装備の近代化の企図に専念しています。

南朝鮮のこのような度をこす企図を放置しておくのも危険なことですが、それよりも危険なことは、彼らの軍備近代化の名分と偽善的で強盗さながらの二重の態度です。

自分のしたいことは何でもする南朝鮮当局が、いまではわれわれの自衛的な国防力発展の権利までうばおうとして、果てはわれわれの常用兵器の試験までも武力挑発だの、威嚇だの、緊張を激化させる不適切な行為だのといったレッテルを貼りつけ、米国をはじめとする敵対勢力の反共和国の声を率先して唱えています。

いまでは南朝鮮で「挑発」と「威嚇」という単語を「対北専門用語」としてつかっています。

われわれの自衛的な国防力の発展に不法無道な国連の決議を笠に着て束縛のかせをはめ、自分たちはみずから一方的に設定した何かの威嚇にたちむかうという、いわゆる正義の看板をかかげて軍備拡張に熱をあげている南朝鮮の偽善的な態度と米国の暗黙の庇護は、北南双方間の感情、情緒をひきつづき傷つけており、彼らが追求している際限のない危険な軍事力強化の企図は朝鮮半島地域の軍事的均衡を破り、軍事的不安定と危険をさらに増大させています。

南朝鮮はわれわれの威嚇を抑止するという愚にもつかない口実をかまえて、軍事力においてわれわれより優位を占めようという欲望を多くの機会にさらけだし、その名分としてはつねにわれわれの威嚇を抑止し、平和を守るという口実を設けました。

われわれを対話と協力の相手ではなく、威嚇の対象、抑止すべき相手と規定したこと自体が、表面ではそうでないふりをしても骨の髄まで体質化した反共和国敵対心の集中的なあらわれです。

われわれは、南朝鮮のこのような欲深の野心と相手方に対する不公平を助長し、感情を傷つける二重的で非論理的かつ、強盗さながらの態度に大きな遺憾の意を表し、今後ひきつづきわれわれの自衛的権利まで損なおうとした場合、けっしてそれを容認せず、強力な行動をもってたちむかうでしょう。

しかし、南朝鮮が執拗にわれわれに言いがかりをつけなければ、われわれの主権の行使まで侵害しなければ、朝鮮半島の緊張が誘発されることはけっしてないであろうことを断言します。

そういうことさえなければ、われわれが南朝鮮と舌戦をくりひろげることもないでしょうし、そうする理由もありません。

重ねて言いますが、南朝鮮はわれわれの武装力が相対する対象ではありません。

われわれが南朝鮮を標的にして国防力を強化しているのでないことはたしかです。

この地で同族同士で武力を行使する無残な歴史が二度とくりかえされてはなりません。

今一度明らかにしますが、われわれは誰かとの戦争を論じるのではなく、戦争そのものを防止し、国権守護のために文字通り戦争抑止力をつちかっているのであり、われわれが言う戦争抑止力と南朝鮮が言う対北抑止力は語彙《ごい》と意味、本質において異なる概念です。

われわれの主敵は戦争そのものであって、南朝鮮や米国、特定の国家や勢力ではありません。

それでわたしは、このまえの施政演説でも言及しましたが、一日もはやく南朝鮮当局と全般的な南朝鮮社会の対朝鮮観点が、北朝鮮の脅威を抑止すべきだという古くてたちおくれた懸念、苦悩と夢想的な使命感を捨て、過度の危機意識と被害意識から脱することを望むばかりです。

われわれは現在の情勢を即興的、かつ感情的に、または主観的に判断してはならず、冷静かつ正確に見なければなりません。

南朝鮮の過度の軍事的肥満症や強欲が問題となっているばかりでなく、米国の差し金のもとにいま朝鮮半島周辺の軍事政治的な環境変化は、多くの展望的な危険をはらんでおり、われわれがより強力な実体にかわらなければならない切迫さを提起しています。

米国は最近、わが国家に敵対的でないというシグナルを頻繁に発信していますが、敵対的でないと信じることのできる行動的根拠は一つもありません。

この世はおろか者ばかりではないのに、米国は朝鮮民主主義人民共和国に対して敵対的ではないという彼らの言葉を信じる人がどこにおり、もしそれを信じる人や国家があるならぜひ見てみたいものです。

米国はいまなお、あやまった判断と行動で地域の緊張をつくりだしています。

明白なのは、朝鮮半島地域の情勢不安定をつくりだしている根源は米国であり、容易には解消されなくなっていることです。

こうした現実からみると、いまわれわれが国防力の強化においてこれまであげた成果に自己陶酔し、発展の道で少しでも足取りを緩めたり、一息を入れようとするならば、地域の軍事的均衡は日ごとに危うくなり、わが国家はより好ましくない不安定や脅威的状況に直面することにもなります。

朝鮮半島につくりだされた不安定な現情勢のもとで、われわれの軍事力をそれに応じてたえず強化することは朝鮮革命の時代の要求であり、われわれが革命と未来に対し担っている至上の責務です。現実は、われわれをしていささかの自己満足や停滞も知らず、現存する憂慮や脅威を安定的に統制できる力と手段をそなえることに拍車をかけることを求めています。

強力な軍事力保有の努力は平和的な環境であれ、対決的な状況であれ、主権国家が一時もゆるがせにしてはならない当然の自衛的、かつ義務的な権利であり、中核的な国策とならなければなりません。それは自衛力が国家存立の根本であり、発展の保証となるためです。

われわれは、朝鮮半島地域の軍事的緊張を激化させる敵対勢力のあらゆる卑劣な行為に徹底かつ断固たる姿勢でたちむかうでしょうし、平和的な環境の根幹をゆるがす原因を次第に解消して、朝鮮半島地域に強固な平和をもたらすために全力をつくすでしょう。

しかし、平和のためのわれわれのあらゆる対外的努力はけっして自衛権の放棄ではありません。

同志のみなさん。

朝鮮労働党第八回大会は、国防科学部門と軍需工業部門で五ヵ年計画期間に第二次国防工業革命を遂行して、われわれが手にした軍事技術的強勢をいっそう不可逆的なものにするための具体的な課題を示しました。

それは、すでにきずかれた戦争抑止力を質的、量的にいっそう強化し、国家安全のための必須の戦略戦術的手段の開発、生産をさらに加速化することを骨子としています。

わが党が信頼しているのは、党と革命の要求であれば無条件に空前絶後の奇跡をかならず創造するわれらの国防科学者と軍需工業部門の労働者の不屈の革命精神と特出した愛国心、聡明な頭脳とぬきんでた才能であり、長期間の苦難のなかで磐石《ばんじゃく》のごとくうちかためた強力な軍需工業土台です。

第一段階の国防工業革命の日々にわが党は、国防科学者、技術者の忠実性と実力、各単位と人材の潜在力を十分に把握し、祖国と人民のために一身をなげうって決死の覚悟で奮闘することを体質化したたのもしい革命戦士がいるかぎり、国防力強化の先端目標を十分達成できるという確信をかためました。

このような信念をよりかたくし、新たな段階の勝利を楽観できるようにするのは、党中央が構想すればつねに創意的な方途をもって党の意図を無条件に実行する創造型の若くて錚々《そうそう》たる科学者の大集団がいることです。

この若い才人たちはわが国の国防工業部門の現在と前途をしっかり支える担い手であり、党と国家の大きな力です。

また、つねに党と革命偉業にかぎりなく忠実なわれらの誇らしい軍需工業部門の労働者がいます。党はわれらの科学者と軍需部門労働者階級に大きな期待をかけています。

いまから、われわれの自衛的な国防力はひきつづきかわるでしょう。

わが党の確たる意志と正確な指導があり、党と革命に無条件忠実な国防科学者と軍需工業部門の労働者がいれば、われわれの正当な愛国偉業の遂行ではより輝かしい成果がおさめられるでしょうし、それによってより確実で、より完備され、より強化された戦略的力、戦争抑止力がわが祖国と人民の安全と未来を守ることになるでしょう。

同志のみなさん。

今日、われわれが国防発展展覧会を盛大に開催する真の目的は、これを契機にして国防科学者、技術者と軍需工業部門の労働者を鼓舞し、人民に新しい信念と勇気をあたえるところにもありますが、基本は国防力の発展をいっそう力強くうながそうとするところにあります。

われわれは、これまでみずからの防衛力を革命の発展段階が求める水準で充実させ強化してきた栄えある国防工業の歴史をふりかえりながら自負することにとどまらず、半世紀以上血と汗を流した強靭な努力となしとげた発展を強固な足場とし、それを踏まえてより高く飛躍することを考えなければなりません。

国防工業部門では、この展覧会を通じてこれまでの成果と発展程度を正確かつ総合的に分析、評価し、それにもとづいて各分野の飛躍的発展を構想、設計し、いままで蓄積されたすぐれた経験を交流、共有し、今後より高い水準によりすみやかに到達するための方策をたてなければなりません。

みなが第八回党大会が示した雄大な国防発展戦略を今一度胸に深くきざみつけ、勇気百倍、意気軒《いきけん》昂《こう》として国防の発展に寄与しなければなりません。

同志のみなさん。

わが党は革命の要求と現情勢についてみなさんにそのままうち明けており、みなさんの堅実な姿勢と愛国衷情から大きな力を得ています。

今一度くりかえし強調することですが、なんぴとも手出しできない無敵の軍事力を保有し、ひきつづき強化していくのは、わが党のゆるぎない最重要政策であり、目標であり、確固たる意志です。

ここに集まった同志のみなさんは、国防工業部門で達成された大きな成果に照らして自分の部門と単位の実態を冷静にふりかえり、今後、党と国家、人民にどのような実績をだすかを新たに決心すべきであり、われわれの国防工業のさらなる発展のために力のかぎり支援する面でも覚悟を改めるべきです。

もちろん、国の経済事情が依然として困難で、他の部門でも足取りをはやめ、時間を争う重大な課題があるでしょうが、みなが国防力強化の重大さを忘れてはならず、国防力の優先的発展をぬきにした朝鮮革命のいかなる発展や成果も考えられないということを銘記すべきです。

強力な自衛力がなくては党と政府の対内外政策の順調な推進を期待できず、国の安定と平和的環境も考えることができません。

すべての人民もわが党と政府の一貫した強力な意志にしたがって国防力の強化を最大の愛国と見なし、物心両面の支援をしなければなりません。

次世代のためにもわれわれは強くならなければなりません。何をおいても強くなるのが重要です。

みなともに祖国と革命、人民にたてた誓いを忘れず、必勝の信念と自信をもって偉大なわが国家の防衛力を全面的に強化するための聖なる偉業に身と心、知恵と熱情をおしみなくささげていきましょう。

われわれの誇り高い軍事力をじかに体験できるこの行事に参加したみなさんを今一度歓迎します。

三大革命の炎を強く燃えあがらせて社会主義の全面的発展をなしとげよう

―第五回三大革命先駆者大会の参加者に送った書簡―

二〇二一年一一月一八日

党の雄大な綱領を貫徹するために一意専心する全人民の英雄的な闘争によって、朝鮮革命の滔々《とうとう》たる前進を立証する貴重な成果がおさめられているなか、第五回三大革命先駆者大会が盛大に開催されました。

歴史のきびしい試練のなかでわが人民の信念はさらに強まり、わが国家の力はいっそう強大になって、われわれのまえには偉大な転換の時代が到来しています。

わが党は、社会主義建設の途上でわれわれが到達した現段階とつぎの段階の闘争目標、革命力量の準備状態と当面の対内外の形勢を分析、評価し、それにもとづいて朝鮮式社会主義の確固たる勝利を得るための道は三大革命の旗をいっそう高くかかげ、思想、技術、文化の各領域に根本的な転換をもたらすことにあるということを改めて確認しました。

そのため党中央は、社会主義共産主義建設で一貫して堅持している三大革命路線の戦略的地位と変革的意義を再認識再確認させ、全国に三大革命の炎を強く燃えあがらせるための重要な事業として、第五回三大革命先駆者大会を招集することを決定しました。

第五回三大革命先駆者大会は、三大革命赤旗獲得運動と三大革命グループ運動を思想、技術、文化革命の力強い推進力にするための決定的な契機をつくり、朝鮮式社会主義の全面的発展をなしとげるうえでいま一つの里程標になるでしょう。

わたしはこの機会を借りて、わが党の総路線に忠実にしたがって人間改造の先駆者、集団的革新の主人公となり、思想、技術、文化革命の遂行におおいに貢献した大会参加者と全国の三大革命旗手、三大革命グループに、党中央委員会と共和国政府の名であつい感謝と戦闘的な挨拶を送ります。

わが党が三つの赤旗をさらに高くかかげて社会主義の全面的発展を力強く導こうとする時期に、時代の先頭にたって新しい基準と手本を創造し、闘争の生きた模範を示す三大革命先駆者の隊伍が増大しているのは、われわれの偉業の勝利を確信させる大きな力となります。

三大革命路線は昨日も今日もかわらぬ社会主義共産主義建設の綱領であり、わが党の総路線です。わが国家建設の全歴史はすなわち三大革命の歴史であり、われわれは三大革命路線を実現する道で社会主義の完全な勝利も共産主義社会も迎えなければなりません。

金日成同志によって歴史に生まれた思想、技術、文化の三大革命という言葉は、社会主義共産主義建設の全過程で不変の指針とすべき思想と精神、原則と内容、その実現方途が集約化されている名句です。

三大革命路線につらぬかれている精神は、自分の力で自国の革命を完遂する徹底した自主精神であり、ここで基本となるのは主体的な革命力量を全面的に強化することです。社会主義共産主義への歴史的道程で革命の各段階の任務と主体的客観的条件はたえず変化しますが、主体を中核とする革命戦略はかわりません。

前人未踏の道をふみわけ、予測できない挑戦や難関をきりぬけなければならない社会主義の偉業遂行でつねにかたく信じてしっかりと依拠すべき主体的な力をつちかうところに、三大革命の大きな意義と不滅の生命力があります。

歴史的に最短期間に人間も自然も社会も根本的に一新させたチュチェ朝鮮の偉大な変革は、あくまでも三大革命によってなしとげられたものであり、世人を驚嘆させたわが国家のすべての奇跡はほかならぬ三大革命路線の勝利です。

われわれが建国の当初から三大革命の旗をかかげられなかったならば、自分の運命を自分の力で切り拓いていく英雄的人民の誕生も、廃虚のうえに強国として浮上した共和国の驚異的な発展も考えることができず、世界的な大政治動乱と前代未聞の挑戦にも微動だにしない社会主義朝鮮の存在を想像すらできなかったでしょう。

三大革命路線のように社会主義共産主義建設の合法則性にも合致し、わが人民の革命的志向にもかない、世代と世紀を継いでその真理性と優越性、不抜の威力が如実に実証された闘争綱領をもっているのは、わが党と国家のこのうえない矜持《きょうじ》であり、誇りです。

われわれは今後一〇〇年でも二〇〇年でも三大革命路線を純潔に継承し、完璧に具現していかなければなりません。わが党は、社会主義の全面的発展を加速化して近い将来、自立、自尊によって繁栄する社会主義強国をうちたてようとしています。社会主義の全面的発展期は、三大革命路線を具現するためのわが党と人民の長きにわたる闘争の結果として到来した歴史の分水嶺《ぶんすいれい》であると同時に、より高い段階の三大革命によって達成される発展の新時代です。

わが共和国政府が施政初期からうちだした自主、自立、自衛の建国路線は、政治、経済、文化、国防など各分野の同時的発展を志向しており、まさにこのためにわが党と人民は三大革命の旗を高くかかげ、長いあいだ苦難にみちたねばり強い闘争を展開してきました。この歴史的闘争過程に共和国の政治的軍事的力は非常に成長し、ついにわれわれは社会主義建設の各分野を新しい変化と革新、成長と発展の軌道に確実に乗せる転機をむかえました。

社会主義をゆるぎなく守り、強力におしすすめることのできる決定的要因と基本的条件がそなわっているこんにちにいたって、発展繁栄する社会主義強国は遠い将来の理想ではなく現実的な目標となっています。

社会主義強国への偉大な転換は、すなわち社会の全構成員の革命化、技術経済力の高度化、社会全般の文明化の過程です。

わが国家第一主義時代の要請に即して人々の品格と人格を高め、国家経済を全般的発展へと移行させ、農業生産構造をかえ、朝鮮式の新しい文化生活様式を確立する問題をはじめ社会主義強国建設のための重大課題は、各分野、各部門、各人の変化と発展、文明を前提とし、全党、全国、全人民が参加する三大革命総進軍を求めています。

朝鮮式社会主義の全面的発展は本質上、思想、技術、文化の三大領域における新しい革命です。

全人民を党の思想にもとづいて団結させ、経済の自立的で持続的な発展を裏付ける科学技術的土台を構築し、全人民を人材化し、あらゆる文化的後進性を一掃する三大革命の目標を達成してこそ、わが国家の先進性、現代性を新たな段階にひき上げることができます。

三つの赤旗をいっそう力強くなびかせることに、社会主義の全面的発展に関するわが党の理念、朝鮮革命の要求を現実化する早道があります。

三大革命を原動力として国家、社会生活のすべての分野、全国のすべての地域の同時的均衡的発展を強力にうながすというのが今回の大会の基本精神です。

「すべての革命陣地を三大革命化しよう」われわれはこの闘争スローガンを高くかかげてすすまな

ければなりません。

各部門、各単位、各地域が三大革命化されれば、それはすなわち、われわれが達成しようとする社会主義の全面的発展であり、自立、自尊によって繁栄する社会主義強国、人民の理想社会です。

全社会を三大革命化するためには、三大革命赤旗獲得運動と三大革命グループ運動に拍車をかけなければなりません。

思想、技術、文化革命を推進するうえで三大革命赤旗獲得運動と三大革命グループ運動より強力な推進力はなく、その正当性と生命力はわれわれの社会主義建設の実践を通じて実証されました。

党はすでに、三大革命赤旗獲得運動と三大革命グループ運動の性格と使命、この運動で堅持すべき原則と要求、方途を全面的に、かつ具体的に示しました。重要なのは、発展する時代と現実的条件に即してそれをいかに具現するかということです。

党中央は、三大革命赤旗獲得運動と三大革命グループ運動の実態を調査、分析し、それにもとづいてこれらの運動に活力を吹きこむための方針をうちだしました。

何よりもまず、三大革命赤旗獲得運動を革命発展の要請に即して拡大強化しなければなりません。三大革命を新たな段階で力強くおしすすめるべき時代の要請からして、わが党は三大革命赤旗獲得運動をいまのように機関、企業、工場、協同農場、職場や作業班だけを単位にしてくりひろげるのではなく、市・郡・連合企業所を包括するより広い範囲に拡大し、名実ともに全社会的運動、全人民的運動として展開することにしました。

もっとも高い形態の大衆運動としての三大革命赤旗獲得運動の性格からしても、全人民の一致団結によって勝利していく社会主義偉業遂行の必然的要求と各分野、各地域を均等に発展させるべき現段階の革命任務からしても、この運動を市・郡・連合企業所に拡大するのは正しいことです。

金正日同志は三大革命赤旗獲得運動の最初ののろしを上げた一九七〇年代にすでに、今後この運動が深化するにつれて市・郡・連合企業所を単位にして展開するという賢明な方針を提示しました。

わが国で市・郡は社会主義建設の地域的拠点であり、当然、三大革命の拠点とならなければなりません。

社会主義建設が深化発展するにつれて、三大革命赤旗獲得運動が市・郡を単位にしてくりひろげられるのは合法則的であるといえます。市・郡を単位にしてくりひろげる三大革命赤旗獲得運動は、市・郡党委員会をはじめとする各級党組織と幹部の責任ある態度と全人民の参加を前提とし、全国を三大革命でわきたたせるきわめて威力ある方法です。

わが党は、党政策貫徹を直接的、統一的、総合的に組織実行する基本単位としての市・郡を非常に重視しており、市・郡の発展を通じてわが国家の復興をうながす市・郡強化の政策を力強くおしすすめています。

党政策の貫徹と三大革命は別途の問題ではありません。わが党の政策はその包括範囲と内容がすべて思想、技術、文化の三大領域に属しており、そのなかで市・郡が直接責任をもって実行すべき政策的課題はきわめて多いです。

地方産業工場を近代化し、農村を一新させ、学校と病院を改造する問題はもとより、住宅建設、園林緑化、治山治水など党がうちだす重要政策は、市・郡のような地域を単位にして実行される三大革命の課題であり、思想革命を優先させながら同時に技術、文化革命をおしすすめるという三大革命遂行の原則的要求を完璧に具現するときにのみ、その成果を保証することができます。

いまのような最悪の条件のもとでも全国に名をとどろかし、あらゆる面で先頭にたっている市・郡は、例外なく党責任幹部が三大革命赤旗獲得運動の真価を知り、党政策の貫徹過程を三大革命の過程に転換させている単位です。

全国の二〇〇余の市・郡が三大革命の旗を高くかかげて奮起するならば、地方が変革する新しい局面が開かれ、近い将来にわれわれの農村は近代的な技術と文明をかねそなえた裕福で文化的な社会主義農村にかわるでしょう。

地方の面貌がかわり、農村の昨日と今日が確然と比較されることから社会主義建設の全面的発展期がはじまり、まさにここで朝鮮式社会主義の優越性と真の姿があらわれるようになります。

市・郡党委員会は、三大革命赤旗獲得運動を市・郡強化の強力な武器としてとらえてすべての活動をここに指向させ、市・郡党委員会の活動についての総括、評価も当然、この運動の状況を基本としなければなりません。

三大革命赤旗獲得運動は、全人民が三大革命を自分自身のための活動としてうけとめるようにする政治活動からはじめなければなりません。党中央が三大革命赤旗獲得運動の市・郡への拡大発展を構想しながらおおいにたよったのは、自分の要求と利害関係を自覚した大衆の自発的で積極的な闘争です。

広範な大衆が、自分自身をより真実で文化的な人間に改造し、自分が暮らし、さらに次代が代を継いで暮らすべき地方をりっぱに変貌させるのがほかならぬ三大革命だということを自覚するなら、おそるべき力を発揮して立ち上がるでしょう。

市・郡内の幹部から末端の農場員に至るまで自発的に動員されるように、党中央の意図を正しく認識させるとともに、彼らを精神的、文化的に啓発させる活動をつねに先行させなければなりません。自分の地域の発展のための展望計画や設計図を作成するにしても、芸術公演やスポーツ、文化行事一つを催すにしても政治性、文化性と品位を高めて、その過程がすなわち人々の眼界を広げ、発達した文化を教える契機になるようにすべきです。

わが国の人々の意識状態には大きな変化があったので、新しいものを見せたり、聞かせたりすれば、政治意識と美学観、活動態度と生活方式において急速な変化が起こり、それが三大革命赤旗獲得運動を促す重要な要因として作用するでしょう。

市・郡を単位としてくり広げる三大革命赤旗獲得運動は、こんにちにいたってはじまるのではなく、市・郡強化路線を貫徹するための闘争の連続であり、三大革命が高揚し、深化する過程です。市・郡にはすでに三大革命赤旗を授与された単位もあり、さまざまな大衆運動を通じて得た成果と経験も少なくないので、しっかりと手はずを整えて大胆にとりくみさえすればよいのです。

市・郡党委員会は、地域内のすべての行政、経済機関と単位を三大革命赤旗獲得運動に決起させ、党の指導を深めて三大革命赤旗、二重、三重三大革命赤旗単位の隊伍を不断に拡大すべきです。

市・郡党責任書記をはじめとするすべての幹部が三大革命という言葉をつねに口にし、市・郡全体が三大革命の熱意でわきたてば、人々の思想意識と文化水準が高まり、市・郡の面貌が一新するでしょう。

国のすべての市・郡で三大革命赤旗獲得運動の旋風をまき起こすためには、道党委員会が舵取りを正しくおこなうことが重要です。

道党委員会は、三大革命赤旗獲得運動が活発にくりひろげられるように作戦を綿密におこない、掌握、指導を深化させて、共産主義理想郷の大門を真っ先に開く市・郡が続々とでるようにすべきです。

各道に三大革命展示館を整えるべきです。自分の道内の市・郡と連合企業所が三大革命を遂行する過程で得た価値ある成果資料を展示して参観を活発におこなえば、多くの幹部と勤労者を啓発させ、彼らの奮発心と競争熱を呼び起こすのにも効果的であり、短時間内にすぐれた経験と方法を体得し、先進技術を共有するのにもたいへん便利でしょう。

道党責任書記が直接掌握して三大革命展示館を、見習え、追いつけ、追い越せ運動と経験交換運動をおしすすめ三大革命の遂行に活力を吹き込む重要な学習の場、技術交流の場、情報交流の場に整えるべきです。

全国に三大革命赤旗獲得運動の炎を強く燃え上がらせるためには、この運動にたいする幹部の見解と観点から革新しなければなりません。いま三大革命赤旗獲得運動は、一部の模範的な単位と先駆者にかぎられています。まず幹部からして経済的困難のような目前の難関に萎縮し、この運動にたいする確信をもっていないため、少なからぬ単位が三大革命赤旗獲得運動において前進がなく、一部の単位は三大革命赤旗称号を授与されてから二〇年が過ぎても一等級高い称号を獲得できずにいるありさまです。

条件が困難なためこの運動に参加できないと言ってはならず、困難であるほどこの運動に決起し、旋風をまき起こさなければなりません。

平凡な人をも英雄に育て、落伍者も先進分子に導き、小さな手でも伝説の千里馬《チョンリマ》を呼び寄せるのが、われわれの独特な大衆運動思想の威力であり、伝統です。

三大革命の溶鉱炉のなかで敗北主義をはじめとするあらゆる不健全な思想が一掃され、万事が成功裏にすすむという観点、まさにここから革命が起こるものです。三大革命赤旗を獲得した単位と獲得していない単位との差は、何よりもこの運動の特性と威力にたいする幹部の観点の差です。

すべての幹部は、人民大衆の力を信じてそれに依拠すれば不可能なことはないというチュチェ思想の原理と、その具現である共和国の英雄的叙事詩を学びながら成長した革命家です。幹部は、人々の革命化、共産主義化をおしすすめ、集団的英雄主義と集団的革新の威力を最大限に発揮させる三大革命赤旗獲得運動の特性をよく知り、その大河の流れにためらうことなく飛びこんで単位の発展の新しい道をきり拓くべきです。

三大革命赤旗獲得運動にたいする指導を改善しなければなりません。

三大革命赤旗獲得運動の歴史はほぼ半世紀になっていますが、まだ多くの単位が三大革命赤旗を授与されておらず、すでに授与された単位のなかでもその役割をまともに果たせない単位が少なくないのを見ても、この運動にたいする指導に欠点があるということがわかります。

いま三大革命赤旗獲得運動は、判定を受けるための運動、旗を授与されればそれですむ運動のようになっています。

三大革命赤旗獲得運動に対する指導は当然、すべての単位をこの運動に決起させることからはじまり、運動の全過程に対する恒常的な掌握と指導、公正な判定、そして赤旗を授与された単位がひきつづき高い目標をたて、三大革命の遂行の先頭にたつようにするためのたえまない指導、援助と再判定、実質的な総括でつらぬかれなければなりません。

三大革命赤旗獲得運動に対する指導を改善するうえで、党中央委員会の宣伝扇動部の任務がきわめて重要です。

現在、活動上の特殊性といろいろな条件によって、少なからぬ単位がこの運動に参加しなくてもすむようになっています。三大革命路線は、社会主義建設者なら誰もがしたがい貫徹しなければならないので、三大革命赤旗獲得運動に参加しない単位や勤労者はあり得ません。党中央委員会の宣伝扇動部は、すべての単位や人が三大革命赤旗獲得運動に決起するように指導書と判定規定など以前の基準を見直し、更新するものは更新し、補充するものは補充して、実のある指導になるようにすべきです。

三大革命赤旗獲得運動の熱気を高揚させるうえで、正しい賞罰制を実施することが重要です。三大革命赤旗獲得運動で模範を示した単位と三大革命旗手にたいする政治的物質的評価を正しくおこない、より多くの単位と広範な大衆が切実な利害関係をもってふるいたつようにすべきです。

同じ単位に長年勤務してその単位を三大革命赤旗、二重、三重三大革命赤旗単位にするのに特出した寄与をなした幹部と、党政策貫徹の赫々《かっかく》たる成果をもって三大革命旗手集団の栄誉を輝かせていく単位には高い勲章と表彰も授与すべきです。とくに、三大革命赤旗を獲得した市・郡には勲章と表彰を授与するだけでなく、国家的な優遇措置も実施する必要があります。何事においても総括や評価を公正におこない、賞罰を明確に適用しなければなりません。

三大革命赤旗獲得運動で遅れをとっている市・郡党責任書記、三大革命赤旗単位の隊伍から除名されたり、称号を剥奪された単位の党責任幹部は然るべき責任を負わなければなりません。

三大革命赤旗獲得運動を市・郡・連合企業所の範囲に拡大するにつれて、この運動に対する指導を円滑に担当、遂行できるように職能を正しく作成し、必要な機構や職制も補充すべきです。

三大革命赤旗獲得運動が活性化するかどうかは、この運動を直接担当して指導する幹部の水準と能力に大きくかかっています。

三大革命赤旗獲得運動を指導する幹部は、党の思想と各時期に提示される党の方針に精通するばかりでなく、各分野の党政策にも精通すべきであり、行政、経済活動実務や科学技術にも明るく、高い文化的素養を身につけなければなりません。とくに、自分の担当地域に秘められている党の指導業績についてよく知り、具体的実情と特性に即して指導を追いつかせるための方法論を不断に研究、適用すべきです。

道・市・郡党委員会をはじめとする各級党委員会でも、大衆運動を担当した幹部を多方面にわたって準備のできた有能な人でかためることに深い関心を払い、少なくとも五年以上は定着させる制度を樹立すべきです。

三大革命赤旗獲得運動に対する指導を宣伝扇動部だけがおこなうものと認識してはなりません。党中央委員会から各級党委員会の各部署が下部の党組織にたいする指導を三大革命赤旗獲得運動と密接に結びつけておこない、宣伝扇動部との提携作戦、協同作戦でこの運動を積極的におしすすめなければなりません。

雑誌『三大革命赤旗』を、三大革命赤旗獲得運動を先導しおしすすめる重要な手段となるように編集を改善すべきです。雑誌『三大革命赤旗』は、三大革命赤旗獲得運動で模範を示している党組織と幹部の成果や経験ばかりでなく、欠点や教訓となる問題もとりあつかい、決意目標の作成と総括方法などの実務的な問題もとりあつかえるように必要な措置をとるべきです。

三大革命赤旗獲得運動と社会主義愛国功労者に見習う運動は密接な相関関係にあります。三大革命のるつぼのなかですばらしい人間の典型が輩出され、社会主義愛国功労者こそは三大革命先駆者のなかの先駆者です。

党が社会主義愛国功労者を高くおしたてるのは、一生涯骨の折れる持ち場でいかなる功名や報酬も望まず、党と革命、祖国と人民のために清らかな良心と誠実な汗をささげている彼らの強い忠誠心と美しい愛国至誠がじつにありがたくて大切なものであるからです。

社会主義愛国功労者に見習う運動を積極的にくりひろげて、前世代が発揮した忠誠と愛国の模範が年代を継いでひきつづき再現されるようにすべきです。今後、社会主義愛国功労者大会などを催し、それを恒例化すれば、思想的精神的に、かつ道徳的に崇高な高さに達した先駆者の姿を通じて、わが党が望み、祖国が記憶する真の生に関する生々しい教本をもつことになるでしょうし、新しい世代の教育にも非常に有益でしょう。

三大革命グループ運動を活性化しなければなりません。

思想、技術、文化の各分野で革新的な変化と発展、朝鮮式の文明を開拓していく変革の時代に当然、三大革命グループは先兵となり、前衛として活躍しなければなりません。

党の思想と路線を誰よりもよく知り、現代知識と文化を身につけた新世代の知識人集団、理想と抱負が大きく、新しいものへの志向と革命熱、創造熱の高い錚々《そうそう》たる青年前衛にたいする党と人民の信頼と期待は大なるものです。

三大革命グループという貴い呼称はいまのような新たな革命の時代に闘争と前進の旗のようにひるがえるべきであり、三大革命前衛という栄誉ある称号は当然、激変する時代の象徴としていっそう誇らしく輝くべきです。

現段階において三大革命グループの任務は、技術革命を基本として派遣単位の三大革命化を推進することです。

こんにち、朝鮮革命を支えるうえで科学と工業の果たす重大な役割とともに、技術革命の意義はよりいっそう大きくなっています。

経済、技術分野で新たな革命が起こらずには、現代文明へとすすむことができず、社会主義の思想的基盤を強固にすることもできません。

それゆえ、党は三大革命グループをほかならぬ朝鮮革命の重要陣地に技術革命の別働隊として派遣したのです。

三大革命グループは、技術革命ののろしを上げて技術改造、技術創造、技術跳躍のためのたたかいに青春の熱情をそそいで当該単位の発展と飛躍の早道を開拓しなければなりません。

三大革命グループは、現実のなかに深くはいり、現場の技術者や勤労者との創造的協力を強めて、派遣単位の生産と経営活動に実際に役立つ科学技術の成果をあげるべきです。

全国各地の三大革命グループが確実な科学技術の成果を一件ずつ提出し導入するだけでも、現実での難問が少なからず解決され、それを火種にして全国に技術革命の炎を強く燃えあがらせることができます。

生産現場で探究しながら学び、学びながら探究して、新しい技術創造の先頭にたつのが三大革命グループの活動方式とならなければなりません。

三大革命グループは、覇気と情熱にあふれ、進取の気性に富む青春時代に、祖国と人民のために遠い将来にも誇り高く追憶しうる創造の足跡をはっきりとのこすべきです。

三大革命グループは、派遣単位の三大革命化を強力に推進できる大きな潜在力をもっています。

三大革命グループは、党的、国家的眼識と革新的な考察力をもって現実を透視し、派遣単位の三大革命の遂行に役立つ斬新かつ建設的な意見を積極的に提起すべきです。

当該単位の党組織の指導のもとに大衆政治活動もおこない、つねに大衆のなかで、大衆の先頭にたつて模範を示し、新しい知識と新しい技術を普及する主人となって技術革新の雰囲気を主導していくべきです。首都の発達した文化、都市の先進文化を地方へ、山間僻地へ普及させるうえでも強い伝播力と影響力を発揮しなければなりません。

三大革命グループがあるところなら、どこでも革命的で生気はつらつとした雰囲気がみなぎり、創造と闘争の熱風が起こるべきであり、三大革命グループなら、みなが尊敬し見習う三大革命の先駆者になるべきです。

わが党は、党と国家の強化発展を担っていく有望な後続幹部を育成するうえで、三大革命グループ活動を非常に重視しています。われわれのすべての革命陣地を三大革命化するためのたたかいは幹部革命をともない、若くて有能な後続幹部を体系的に、かつ大々的に育成することを求めています。

三大革命グループはグループ活動期間を、党と国家の恩恵に報いる第一歩であると同時に、自身を将来の民族幹部にきたえる時期として大切にし、気高い思想的精神的品格と高い実務的能力をそなえるためにたえず努力しなければなりません。

党の意図に理想を追いつかせ、党が心配する問題の解決のために毎日、毎瞬間、思索と実践をつづけていく真の革命家、進取的かつ革新的であり、困難をおそれぬ剛毅《ごうき》な気質の持ち主、遠い将来にも自分の活動を祖国と人民の前に誇らしく総括できる誠実で良心的な人間、高尚な文化と道徳によって人々の心をとらえるすばらしい青年になるのが三大革命グループの熱烈な志向とならなければなりません。

最近の三大革命グループに対する指導は一言でいって、中身のない外形ばかりのものだといえます。中央から下部にいたるまでの整然たる指導体系がないので、統一的な指揮と深みのある具体的な指導が保障されず、三大革命グループ運動は活気を失っています。党中央委員会の当該部署と各級党組織は三大革命グループ活動の実態を全面的に、かつ具体的に分析し、不合理な要素をもれなく探しだして適切な改善対策を講じるべきです。

三大革命グループ運動の活性化は当然、三大革命グループの質的、量的強化からはじまらなければなりません。

政治的、思想的に健全で、学業成績のすぐれた大学卒業生を厳選する原則を堅持するとともに、経済部門間の均衡をたもち、全般をもりたてるのに役立つように派遣陣容をさらに強化すべきです。

三大革命グループを生産単位にだけ派遣していた従来の枠から脱して地域単位にも派遣し、党の市・郡強化路線の貫徹において一役担うようにすべきです。こうすれば、重要経済部門をもりたてる活動と地域の発展を促す活動を同時におしすすめながらも、三大革命グループに対する指導をより着実におこない、グループの役割も強めることができます。

全国的規模で提起される技術陣の需要と派遣可能性を十分に検討し、経済発展と人民の生活向上においてキーポイントとなる重要生産単位と各地域に派遣する三大革命グループの規模を適切に定め、グループ派遣を策略的に、かつ能動的におこなうべきです。

党組織と幹部はグループにたいする指導を重要な党の課題としてとらえ、高い責任感をもってたえず深化させ、三大革命グループをおしたてて自分の地域、自分の単位で懸案となっている科学技術上の問題も解決し、三大革命化の突破口をきり拓かなければなりません。

三大革命グループがわが党の派遣員という誇りをもって最大の馬力をだすように活動条件と生活条件を十分に保障し、実績を上げるグループ員をおしたて、さまざまな方法で表彰もして、彼らの精神力と創造的熱意を高揚させなければなりません。

各級党組織は、三大革命グループ活動期間に活動と生活で模範を示す大学卒業生を幹部として積極的に抜擢、登用し、彼らが生産現場で革命化、労働者階級化した知識人らしく党と人民のためにかわることなく忠実に奉仕するように正しく導かなければなりません。

国家科学技術委員会をはじめとする当該部門、当該単位は、三大革命グループが技術革命の前衛としての役割を円滑に遂行できるように指導を下部に接近させ、要求の度合いを強めなければなりません。

三大革命グループの技術革新活動が国家の利益と時代の趨勢、現実の要求に即して正しくおこなわれるように掌握、指導と審議を責任をもっておこない、展示会、参観をはじめ三大革命グループの視野を広げ、創意を啓発する活動を多様に組織、展開しなければなりません。

三大革命先駆者はわが党が大事にし、おしたてる中核であり、宝です。思想、技術、文化の三大戦線をしっかり守っているみなさんのようなりっぱな忠臣、愛国者が多いので、わが党と国家の基盤は強固であり、全国を三大革命化する闘争は躍動と前進の激流をもたらすでしょう。

すべての大会参加者は、金日成同志と金正日同志の貴い革命遺産であり、社会主義建設の強力な推進力である三大革命赤旗獲得運動と三大革命グループ運動を新たな段階にひき上げるための闘争で先駆者としての栄誉をひきつづき輝かせなければなりません。

わが党がうちだした闘争目標は膨大であり、困難は依然として折り重なっていますが、われわれはあらゆる条件がそなわるまで待っているわけにはいきません。ひたすらわれわれの力とわれわれの方式の発展針路にそって、屈することなく力強く前進しなければなりません。

わたしは、すべての幹部と党員と勤労者が三大革命の力強い炎を燃えあがらせて歴史のあらゆる挑戦をはねのけ、朝鮮式社会主義の全面的復興をかならずもたらすものと確信しています。

ともに、必勝の信念と不屈の意志をもって偉大なわが国家の尊厳と栄光のために、社会主義の完全な勝利のために力強くたたかっていきましょう。

農業勤労者同盟は朝鮮式社会主義農村の発展をめざす闘争で先鋒部隊になろう

—朝鮮農業勤労者同盟第九回大会の参加者に送った書簡—

二〇二二年一月二七日

朝鮮労働党中央委員会第八期第四回総会で示された戦略的方針にしたがって、わが国家の富強発展と人民の福利のための闘争が新たな高揚期を迎え、朝鮮式社会主義農村発展の新時代が開かれている時期に朝鮮農業勤労者同盟第九回大会が開催されました。

今回の大会は、新時代の農村革命、農村振興の歴史的偉業の遂行において農業勤労者同盟の位置と任務を再確認し、全国の農業勤労者と同盟員を社会主義農村の進歩と変革のための新しい闘争へとたち上がらせるうえで重要な里程標をたてることになるでしょう。

わたしは、朝鮮農業勤労者同盟第九回大会が、社会主義農村の飛躍的発展を強くおしすすめて社会主義建設の全面的発展をなしとげようとする党の意図と、すべての農業勤労者と同盟員の高揚した革命的気勢と熱意に即して同盟活動を再整備し、新たに革新する転機になるであろうことを確信しつつ、党中央委員会の名で熱烈な祝賀を送ります。

わたしはまた、わが党の示した社会主義農村建設の目標をりっぱに実現していく強い覚悟と決意を抱き、今年度の営農にとりくんだ全国の農業勤労者と同盟員にあつい戦闘的な挨拶を送ります。

われわれの農業勤労者はいつもかわることなく党と志を同じくし、社会主義と運命をともにしながら農村の革命陣地を固守し、米をもって党と革命を守ってきた忠実で、愛国的な勤労者です。

わが党と人民が史上最悪の難関のなかで国力強化の新たな全盛期を開いた勝利の闘争の道のりで、農業勤労者は党の心配、国の困難を自分の苦痛とみなし、社会主義建設の主要攻略部門で心魂をかたむけて奮闘することにより、ほぼ毎年農業生産をのばす誇るべき成果をおさめました。

農業勤労者と同盟員は、昨年にも長期化する非常防疫状況によって類例なく多くのものが不足し、災害性異常気象がつづく不利な環境のなかで、党の指示通りにすれば農業生産を十分にふやせるという信念を抱いてねばり強く農作をいとなんで、わが党の農業政策の正当性を今一度実践をもって実証し、第八回党大会の決定貫徹に決起した全国の人民に大きな力と鼓舞をあたえました。

わたしは、昨年度の穀物生産計画を超過遂行して、真心こもった愛国米を献納した延安《ヨナン》郡桃南《トナム》協同農場第一二作業班の農場員たちと栄光《ヨングァン》郡上中《サンジュン》協同農場の農場員たちが送ってきた手紙から、たとえ自分たちが苦しくても、党に力をあたえ、国にいささかなりとも役立てようとする全国の農業勤労者と農業勤労者同盟員の宝のような心と高潔な精神世界を読みとり、つねに党にすべてを託し忠実にしたがう、このようなすばらしい人民のためにより多くの仕事をする決心をかためました。

朝鮮式社会主義を固守し前進させるための苦難にみちた闘争の道のりで誰よりも苦労をしたわれわれの農業勤労者に、裕福で文化的な社会主義理想郷で幸せな生活を思う存分享受させようとするのは、わが党の確固たる意志です。

党中央委員会第八期第四回総会は、社会主義建設の全面的発展をなしとげるうえで、農村問題解決の緊迫さと変革的意義を深く分析、評価し、わが国の農村を労働党時代にふさわしく根本的に改造、変革するための雄大な目標と闘争課題を提示しました。

わが党の示した社会主義農村建設の目標には、われわれの農業勤労者を新時代の農村革命家に育てあげ、全国の農村を世界がうらやむ地上の楽園に一新させて、党にしたがってきびしい難局をのりこえ、社会主義祖国の富強発展のために粉骨砕身してきた農業勤労者を、共産主義社会の入り口に誰よりも先にたたせようとする党の意図がこめられています。

わが党は社会主義農村建設綱領の実現において、農業勤労者同盟の役割をたいへん重視しています。新しい時代の農村革命、農村振興は、その変革の幅と深みにおいても、課題の膨大さにおいてもわが国の社会主義建設史に類を見ないほど壮大な偉業であり、数百万の農業勤労者と同盟員がいつにもまして強い覚悟と革命的熱情、最大の奮発力をもってこぞって立ち上がることを求めています。

農業勤労者同盟は、この重大な歴史的時期に当然、党の新時代の社会主義農村建設の目標を実現するための闘争の前列に立ち、全国の農村をチュチェ思想化する農村革命の先兵、先鋒部隊としての使命と役割を責任をもって果たさなければなりません。

農業勤労者同盟組織は、「社会主義農村建設の新たな勝利をめざして！」というスローガンを高くかかげて、すべての同盟員を、わが党の革命思想で武装し、党の農村建設構想を先頭にたって実現する新時代の農村革命家、愛国的な農業勤労者として育てあげることに同盟活動の力を集中しなければなりません。

農業勤労者同盟は、全国の農村をチュチェ思想化するという党の意図どおりに同盟員を農村革命の担当者、主人に、現代文明の創造者、享受者に育てることを中心的課題としてとらえてすすめなければなりません。

農村革命はすなわち農村における思想、技術、文化革命です。農村が進歩や変革をとげるためには、何よりもまず農業勤労者の思想精神と文化技術の水準が革命的かつ文化的になり、すべての農業勤労者が新時代の社会主義農村発展において主力部隊の役割をりっぱに果たすことができる能力をそなえなければなりません。

農業勤労者と同盟員を農村革命の担当者、主人に育てるうえで基本は、彼らの思想を改造し、政治意識を高めることです。

農業勤労者同盟組織は、同盟員をわが党の革命思想と政策で武装させるための活動をたえず深化させ、彼らを政治的に目覚めさせ、きたえることに主力をそそがなければなりません。とくに、党中央委員会第八期第四回総会で示された社会主義農村建設綱領の目標と課題を広く解説、宣伝して、同盟員が新時代の農村革命においてみずからの位置と任務をはっきりと自覚し、その実現のための闘争にこぞって立ち上がるようにすべきです。党の思想と政策に対する宣伝を、田畑へでるときや帰るときにもおこない、作業中や休憩時間にもおこなって、時間や場所にこだわりなく同盟員がはっきりと認識するまでねばり強くつづけるべきです。わが国の農村が新しくかわる時代を拓いた党と社会主義制度に対するありがたさを胸に秘めるばかりでなく、実践闘争によって党と革命を守り、社会主義制度を輝かせるように教育し導くべきです。

農業勤労者同盟組織は、社会主義農村でも世代の交代がなされ、人々の意識と社会的環境に大きな変化が起こっている現実の要求に即して、農業勤労者のあいだで五大教育をたえず深化させなければなりません。農業勤労者同盟組織は、五大教育を清新かつ着実におこなって、その一つひとつの教育が人間改造の滋養分となり、党政策貫徹の活力素となるようにすべきです。とくに、革命伝統教育と忠実性教育の強化に主力をそそぎ、たえず深化させて、すべての同盟員を、どんなに歳月が流れ世代がかわっても、党と領袖の偉大さと革命業績を胸に秘めてとわに輝かせ、浴した恩恵と信頼に代を継いでむくいていく熱血の忠臣に育てるべきです。学習と講演、解説と対話をはじめあらゆる教育の契機、本務の遂行と生活のさまざまな手段が、同盟員にわが党の栄えある革命活動史と伝統を体得させ、党に対する忠誠心を信念とし信義とし、熱烈な愛国心と高い階級意識、気高い道徳的品性を植えつける思想的修養過程となるようにすべきです。

祖国解放戦争（朝鮮戦争）時期と戦後、千里馬《チョンリマ》大高揚期の農民英雄、愛国農民に見習うための教育に力を入れなければなりません。重要なのは、われわれの前世代があれほどきびしく困難な時期にどのような心と精神をもって新しい国を守りうちたてたかを明確に認識させることです。

農業勤労者同盟組織はとくに、新しい世代の農業勤労者の胸に前世代の英雄的な闘争精神を深く植えつけて、彼らがいかに困難な条件と環境のもとでも党の指導のもとにもたらされる文化的で栄える社会主義農村の明日を見通し、後世にのこる偉勲の新しい歴史をつづっていくようにすべきです。

こんにちの農村革命は、他人の苦しみを自分のものとみなし、同志たちの喜びに幸せを求め、たがいに助け思いあい、社会と集団のためにすべてをつくす共産主義的美風、集団主義の威力によって前進し勝利するものです。

農業勤労者同盟組織は、同盟員のあいだで個人主義、利己主義が生じるおそれのある要素に警戒心を強め、集団主義精神をつちかうための教育を積極的にくりひろげて、「一人はみんなのために、みんなは一人のために」というスローガンが、共産主義にむけて前進するわれわれの農業勤労者と同盟員の闘争と生活のなかに深く根をおろすようにすべきです。

農業勤労者同盟組織は、同盟員を近代科学技術でしっかり武装した知識型勤労者に、農村振興の主人公に育てなければなりません。

農村振興は農業生産力の質的な発展を前提とし、農業生産の画期的な成長は農業勤労者の技術知識水準によって左右されます。

農業勤労者同盟組織は、農業勤労者と同盟員に、高い科学技術知識を身につけなければ党の科学農業第一主義方針を貫徹することもできず、時代の落伍者、傍観者になってしまうということを認識させて、誰もが知識と技術技能を身につけるために熱心に学び探究することがわが国の農村の変化した風潮、生活気風になるようにすべきです。

農業勤労者同盟組織は、同盟員を党の全人民科学技術人材化の方針の要求に即して、働きながら学ぶ教育システムに網羅して全般的技術知識水準を高めるようにし、科学技術普及拠点をりっぱに整え活用して、たえず先進科学技術と接触するようにすべきです。生物学、化学のように農業に切実に必要な一般知識は言うまでもなく、先進的な営農方法と機械技術、用水管理技術、土壌管理技術をはじめとするいろいろな技術を習得させ、とくに、新しい世代の同盟員が知識と技術習得の幅をたえず広げるうえで先頭にたつよう積極的に鼓舞、激励すべきです。技術、技能水準を高めるための学習と創意考案、先進営農技術の導入に模範的な同盟員を表彰する活動を有意義におこない、問答式学習コンテストや経験発表会も実質的におこなって、この過程が同盟員の学習熱意を高める契機となるようにすべきです。

農業勤労者と同盟員の科学技術知識水準を高めるための活動を、自分の部門、自分の単位の農業生産力を高めることに実質的に役立つことができるように正しく導いていかなければなりません。農業生産構造をかえるという方針と二毛作方針をはじめとする党の方針貫徹に必須の知識と技術を、営農実践を通じてうちかためることに力点をおくべきです。

農業勤労者同盟組織は、同盟員のあいだで科学技術を軽視し、古い経験に固執《こしつ》する傾向、空ばかりあおいでまぐれあたりを期待する傾向と強くたたかうとともに、学習計画を具体的にたて、農業生産計画を間違いなく遂行するよう総括も適時におこなわなければなりません。

党の新しい農村建設綱領にもとづいて今後、農業に対する国家の投資はいっそうふえ、近い将来に農業の水利化、機械化、化学化、電化はさらに高い水準に達するでしょう。これに農業勤労者の高い知識と技術、技能水準が結合されれば、国の農業生産力は持続的な発展軌道に確実にのるでしょうし、誰もが楽しく働く農村振興の明日はさらにはやまるでしょう。

農業勤労者同盟組織は、同盟員を高い文化意識水準をそなえた文化的な社会主義農村の主人になるようにしなければなりません。

農業勤労者のあいだにのこっている古い思想とたちおくれた文化水準、いい加減に生活する根深い生活因習は、都市と農村間の差をなくし、農村を近代的で文化的な社会主義農村に発展させるうえで大きな障害となっています。

農業勤労者同盟組織は、いまなお万事が困難な状況下でも農村建設を大々的に展開して、わが国の農業勤労者にもっともすばらしい文化生活条件と環境をもたらそうとする党の志を銘記し、同盟員を時代の求める現代文明の創造者、享受者に育てるための旋風をまき起こさなければなりません。

社会主義農村発展の新時代に同盟員を精神的、文化的に改造する活動に力を入れなければなりません。

農業勤労者同盟組織は、同盟員が古くてたちおくれた生活様式や因習の弊害とその悪影響をはっきり、生活習性と様式を根本的にかえ、衛生的かつ文化的に生活するようにさせることに力を入れなければなりません。服装や髪型を端正にすることから始めて、家庭生活を几帳面にし、家の内外を清潔にすることにいたるまで同盟員の文化生活のあらゆる面に深い関心を払い、正しく導かなければなりません。

気高い道徳的品性は、新時代の農業勤労者の文化水準を示す尺度だと言えます。

農業勤労者同盟組織は、同盟員の間で革命的かつ健全な道徳的気風を確立するための教育を根気よくおこなって、彼らが純朴で勤勉であるばかりでなく、気高い人格をそなえた真の人間になるように導くべきです。革命の先輩と目上の人を尊敬し、隣人との和睦をはかり、たがいに思いあいながら徳と情をあつくする美風が新時代の社会主義農村の生活習慣となるようにすべきです。社会主義の本態を曇らせ、集団の団結に害をおよぼし、高尚な倫理関係を破壊する非道徳的で非文化的な要素が芽生えることのないように大衆的な闘争をくりひろげるべきです。

農業勤労者同盟組織は、同盟員が偉大な創造と変革の時代の要求に即して活力にみちて生活するようにしなければなりません。国家的祝日と記念日にはもちろん、作業の休憩時間にも多様なスポーツ競技や大衆文化、芸能活動をおこなって、田野や村が喜びと楽観にみちあふれ、集団内に豊かな情緒と楽天的な生活気風があふれるようにすべきです。さまざまな宣伝手段や方法を利用して農村に首都の文化、労働者階級の文化を広く普及、伝播し、その過程が農業勤労者の視野を広げさせ、発達した文化を体得させる契機となるようにすべきです。

農業勤労者同盟組織は、農村がかわる現実の流れに足並みをそろえて、同盟員が自分の住む土地を美しく文化的な社会主義理想郷に整える活動にふるいたつようにしなければなりません。

農業勤労者に三池淵《サムジヨン》市の農村住宅のような近代的で理想的な農村文化住宅をあたえようとする党の愛と配慮を心にきざみつけ、生活環境をよりきれいに整え管理することにより党の恩恵にむくいるように思想教育を力強くくりひろげなければなりません。自分の村は言うまでもなく、地域の道路も日常的に管理し、住宅や村に果樹や良種の樹木、花灌木や地被植物を多く植えて農村の風致をきわだたせるようにすべきです。

農業勤労者同盟組織では、非常防疫活動が長期化するにつれて、農業勤労者と同盟員の間でささいな気のゆるみや油断、手抜かりが生じないように思想教育と大衆的闘争を深化させて、防疫規律と秩序を守ることがしっかり身につくようにすべきです。

現在、農業勤労者同盟組織が重視すべき重要な問題は、反社会主義、非社会主義との闘争を強めることです。

農業勤労者同盟組織は、すべての同盟員が反社会主義、非社会主義との闘争が自分の家庭と次世代の幸福を守り、社会主義農村基盤を守りぬくための階級闘争であるという観点にたち、その度合いをひきつづき強めるようにすべきです。同盟員に反社会主義、非社会主義的行為の危険さと弊害をはっきりと認識させ、彼らのあいだで異質的な傾向が絶対にあらわれないように事前に予防対策をたて、そのわずかな芽も断固としてつみとるべきです。

すべての同盟員が農場の主人、国の主人という立場にたって、穀物を不法処理し、うそをついたり、国家から提供された営農物資を密売する違法行為に絶対にまきこまれないようにし、これらの行為と強くたたかうようにすべきです。

農業勤労者同盟組織は、農業勤労者と同盟員を農業生産増大のための闘争に総決起させることを重要な課題としなければなりません。

現在、農業部門は社会主義建設の最前線となっており、農業生産を画期的にふやすのは、人民に安定、向上した生活を保障し、社会主義の全面的発展をうながすうえで死活の問題となっています。

党中央委員会第八期第四回総会では、新しい農村発展戦略を示しながら、現段階においてもっとも切実な要の問題である食糧問題を完全に解決することを基本的課題としてうちだし、農業生産の持続的な増大のために農業の物質的技術的土台を強固にし、協同農場の経営条件を改善するための革命的な措置を講じました。

これとともに、国家的にひきつづき農業に力を集中して、農村を労力的かつ物質的に支援するための活動もかつてない規模でくりひろげるようはからいました。

要は、営農の主人である農業勤労者と同盟員がどのような覚悟と立場にたって農業生産に奮闘するかにかかっています。

農業勤労者同盟組織は、農業勤労者と同盟員が人民の生活向上と国家の存立、国力強化の前途がかかっている革命の最前線を守っているという重大な責任感を自覚し、党の示した農業生産目標を達成するための闘争に立ち上がるよう政治思想攻勢を強化しなければなりません。

農業勤労者同盟組織は、こんにち、農業生産の成果をもって党の期待にむくいるのがわれわれの時代の農業勤労者の当然の道義であり、本分であることを深く認識させ、全国の農村がわきたち、農産と畜産、果樹と野菜、工芸作物と蚕業《さんぎょう》をはじめとするすべての部門で増産運動の炎がはげしく燃えあがるようにすべきです。

農産部門の農業勤労者同盟組織は、農業勤労者と同盟員が科学農業第一主義を高くかかげて、穀物の生産を大幅にふやすための多収穫熱風をまき起こすように力強く鼓舞、激励すべきです。さしあたって、ヘクタール当たりの穀物収量を一トン以上ふやすために奮闘するよう導くべきです。

近年、農業部門では数多くの多収穫の農場や作業班、分組、個人を輩出しましたが、その成果を拡大してすべての同盟員が多収穫者隊伍に加わり、多収穫運動が農業勤労者の集団的革新運動に昇華するようにさせるべきです。

農業勤労者と同盟員は、当該地域の特性にあう多収穫品種を積極的にとり入れ、穀物対穀物を主とする二毛作を大々的に採用して前作でも後作でも相応の収穫をおさめ、大豆栽培とジャガイモ栽培の熱風を今一度まき起こすべきです。

農業勤労者同盟組織は、農業勤労者と同盟員が稲と小麦の栽培面積をふやし、生産を増大させて人民に白米と小麦粉を供給しようとする党の構想をりっぱに実現するように政治活動を力強くおこなわなければなりません。畑にきりかえられた水田を還元、復旧して水稲を植え、用水が不足したり陸稲《おかぼ》農作に適するところには陸稲を植えるとともに、小麦の栽培を大いにおこなうべきです。

国の農業生産をふやすうえで基本穀倉地帯となっている黄海南道内《ファンヘ》の農業勤労者と同盟員に課されている任務はきわめて重大です。道内の農業勤労者同盟組織は、穀物増産において黄海南道が全国の先頭にたってこそ、農業部門で勝利の凱歌《がいか》があげられるということを銘記し、農作の準備から締めくくりにいたるまで営農熱風で道全体がわきたつように、農業勤労者の間で思想活動、政治活動を攻勢的に展開して国の食糧問題解決で一役買うようにすべきです。

畜産部門の農業勤労者同盟組織は、同盟員が党の示した畜産業発展のための四つのポイントをしっかりとらえて畜産物の生産をふやすために献身するようにすべきです。農業勤労者と同盟員は、乳牛やヤギを多く飼育し、乳の生産量をふやして子どもたちに美味で高栄養価の乳製品を中断することなく提供しようとするわが党の育児政策の実現に積極的に寄与しなければなりません。

果樹と野菜、工芸作物と蚕業部門の同盟員は、自分の単位の物質的技術的土台を強化し、科学技術の力に依拠して、党の示した生産目標を無条件に達成しなければなりません。

農業生産の科学化集約化を実現し、食糧問題を円滑に解決し、農業生産構造をかえ、災害性異常気象の影響を克服するうえでキーポイントとなるのは、種子の問題を解決することです。農業科学研究部門の農業勤労者同盟組織は、科学者、研究者が科学農業の前途をきり拓く開拓者としての旺盛な探究精神と創造的知恵を発揮して、二毛作に適し、高い収穫をあげ、不利な異常気象と当地の条件のもとでも安全な収穫が保証される種子を育種、改良することに力を入れるようにすべきです。これとともに、科学者、研究者は先進営農技術と方法を研究、導入して、増産を科学技術的に保障することに積極的に寄与するようにすべきです。

採種をおこなう単位の農業勤労者と同盟員が、どこでも種子の心配をせずに農作をいとなむことのできる充実した種子を計画通りに生産、供給するように後押しすべきです。

灌漑《かんがい》部門と農業機械生産および修理部門の農業勤労者同盟組織は、同盟員に各自の任務に対する強い責任感と職場に対する愛着心を植えつけて、彼らが創意考案と技術革新に主人らしく参加し、農業の水利化、機械化の実現で先駆的役割を果たすようにすべきです。

農業勤労者同盟組織は、同盟員が土地を愛護し大切にするとともに、土地に真心をつくすように教育しなければなりません。

農業勤労者と同盟員は、烈士の血と汗がにじんでいるこの地の一握りの土をも自分の体の一部分のように大事にし、骨身をおしまず働いて沃土《よくど》につくりあげ、一坪の田畑も流失せず保護すべきです。荒れた耕地を適時に還元、復旧し、遊んでいる土地やかくれている土地をのこらずさがしだして耕地面積を最大限にふやさなければなりません。

農業勤労者同盟組織は、同盟員がトラクターをはじめ農業機械と営農設備、農具をわが家の財産のように大切にあつかい、愛護、管理するようつねに関心を払うべきです。

また、災害性異常気象の悪影響に対処するための準備を着実におこなうよう、農業勤労者と同盟員を自覚させるべきです。

毎年、災害性異常気象に影響されることが既定の事実となっており、それによる被害が少なくないので、同盟員が品種の配置と種まきの時期を合理的に定め、栽培方法を改善し、いつも日照りと高温、台風と大水に対処できる準備を先を見とおして整えて、その被害を防ぎ、あるいは最小化しなければなりません。

農業勤労者同盟組織は、同盟員のあいだで農業生産目標を達成するための社会主義的競争の熱風をまき起こして、彼らの革命的気勢と増産熱意を高め、集団的、連帯的革新が多発的に起きるようにすべきです。

先進営農技術と方法の導入を奨励し、二毛作面積をふやし、低収穫地の地力を高め、いたるところで新しい土地開墾《かいこん》のための社会主義的競争が力強くくりひろげられるようにすべきです。二六号模範機械単位の隊伍を拡大するための社会主義的競争を力強くくりひろげて、設備管理、技術管理に新たな進展をもたらし、ウサギの飼育とインゲン豆の栽培、遊休資材の収集をはじめとするさまざまなよいことをする運動も盛んにおこなって、国の経済管理に役立ち、人民生活にも積極的に寄与するようにすべきです。

農業勤労者相互間と分組、作業班、協同農場間の見習え、追いつけ、追いこせ運動と経験交換運動を力強く展開し、たがいに助け導きあいながらともに進歩するようにすべきです。

農業勤労者同盟組織は、社会主義的競争の目標と段階を正しく設定し、その過程に対する掌握、指導を着実におこない、総括と表彰を政治的意義があるように綿密におこなって、社会主義的競争が大衆自身の自覚的で進取的、かつ愛国的な熱意によっておしすすめられるように導かなければなりません。

朝鮮式社会主義農村建設の偉大な新時代は、農業勤労者同盟の活動に根本的な転換をもたらすことを求めています。

壮大な変革の新時代に農業勤労者同盟は、過去の消極的で受け身の活動態度を一掃し、活力と戦闘力のある政治組織としてその面貌を一新し、党の社会主義農村建設構想を貫徹するうえで先鋒隊としての任務と役割を責任をもって果たすべきです。

農業勤労者同盟内に党中央の唯一的指導体系を確立する活動をいっそう深化させることは、同盟組織を強化し、その戦闘的機能と役割を強めるうえで提起される中核的な問題です。

各級農業勤労者同盟組織と活動家は、党中央の権威を絶対化し、あらゆる面から擁護すべきであり、党の思想と路線、政策を中央から下部末端にいたるまでそのつど正確に伝達し、無条件あくまで実行する革命的活動気風を確立して、全同盟を党中央と思想と志、行動をともにする一つの生命体として建設すべきです。

農業勤労者同盟組織は、社会主義農村建設でかつてない変革が起こる現実発展の要求に即して、同盟の内部活動に根本的な改善をもたらすべきです。

思想教育活動であらわれている図式主義の傾向を徹底的に克服しなければなりません。農業勤労者同盟組織は、学習会や講演会など教育体系を着実に運営する一方、年齢と水準、性格が異なる同盟員の心を動かせる斬新《ざんしん》な思想教育方法を積極的に探求、採用すべきです。

初級宣伝活動家は、千里馬大高揚期の人間改造の先駆者のように、同盟員のなかに深くはいってたがいに心のうちをうち明けられるように真心をもって接し、労働や生活のなかでわけへだてなくまじわって彼らの思想を積極的に改造し、率先垂範して大衆を党政策の貫徹にふるいたたせるべきです。また、講演、宣伝や解説、対話もテキストをそのまま読みあげるのではなく、同盟員が党政策を実際に自分のものとしてうけ入れるように真実味と興味をもたせ、現実と結びつけておこなうべきです。格式や枠にとらわれることなく宣伝活動をおこない、労働と生活のすべての契機と状況が効果的な教育時間、教育手段になるようにつねに頭を働かせながら真剣に努力することが重要です。

農業勤労者同盟組織は、党の出版物と放送番組、マルチメディア編集物を利用した教育活動を機動的に展開するための方法論も不断に探求、採用して、思想活動の浸透力と実効性をたえず高めるべきです。

農業勤労者同盟組織は、組織生活を正規化、規範化することを同盟組織強化のキーポイントとしてとらえていかなければなりません。

農業勤労者同盟組織では、同盟員が高い組織観念をもって同盟規約と規範の要求通りに組織生活に自発的かつ誠実に参加するよう要求の度合いを強めなければなりません。同盟生活の総括や定期総会を高い政治的思想的水準で正常化し、農作業が忙しいからといって会議をまともに運営もせず、会議録に記録だけしておくような傾向が絶対にあらわれないようにすべきです。

農業勤労者同盟組織は、同盟隊列の管理活動を着実におこなって組織生活離脱者と組織未所属者をもれなく組織に所属させ、彼らが躍動する社会主義農村建設闘争にすすんで参加するように手間をかけて教育し心から援助すべきです。同盟員の生活上の苦衷や隘路《あいろ》をくみとり、欠点があっても信頼と愛情をそそいで教えさとし、導いて、彼らが組織と集団の大切さを知り、組織に依拠して生活するようにすべきです。

基層組織を強化することは同盟全体を強化するための出発点であり、大本です。

農業勤労者同盟組織は、すべての初級団体を人間的にかたく団結し、戦闘力のある集団にすることに第一義的な力をそそぐべきです。

初級団体委員長の実務水準を高めることに相応の関心を払うべきです。つねに同盟員とともに働きながら彼らの組織思想生活を責任をもって導く初級団体委員長の実務水準が高くなくては隊伍の旗手になることができず、基層組織を活発に動く生きた組織にすることもできません。

農業勤労者同盟組織は、初級団体委員長の水準を高めるための講習や経験発表会を実情に即しておこない、「初級活動家の日」を定期的に運営して、彼らが党の社会主義農村建設綱領の実現へと同盟員をたくみに導く組織動員者としての能力を十分にそなえるようにすべきです。

欠員の初級団体委員長を適時に補充する対策を講じて、同盟員に対する組織思想生活の組織と指導に隙間《すきま》が生じないようにし、同盟の中核隊伍をかため、彼らの役割を強めるようにすべきです。

各道・市・郡農業勤労者同盟委員会は、基層組織に対する指導を初級団体の戦闘力の強化に重点をおいて着実におこない、同盟組織思想生活での難問を適時に解決し、正すべきです。

とくに、指導業績単位の農業勤労者同盟組織を強化することに力をそそがなければなりません。指導業績単位の農業勤労者同盟組織は、革命事績教育拠点を通じての教育を強化して、すべての農業勤労者が誉れ高い職場で働く誇りと自負心をいだき、忠実性の伝統をしっかりうけ継いでいくようにすることに特別な関心を払い、三大革命の遂行と農業生産をはじめすべての面でモデルとなるようにすべきです。

農業勤労者同盟組織は、忠誠の模範初級農勤盟委員会、忠誠の模範農勤盟初級団体獲得運動が、基層組織を党への忠誠心に燃え、革命性と戦闘力の強い集団につくりあげる過程になるようにすべきです。

農業勤労者同盟は、基層組織の実態を全般的に調査、分析し、同盟生活の組織と指導を強化できるように同盟生活の指導体系を整備すべきです。

同盟の活動家の活動方法と活動態度を抜本的に革新するのは、現時期、農業勤労者同盟組織の戦闘力をいっそう強化するうえできわめてさしせまった課題として提起されています。

同盟の活動家の活動方法と活動態度に実際の変化が起きてこそ、同盟員を党の社会主義農村建設綱領の実現へと力強く立ち上がらせることができ、党の意図と現実発展の要求に即して同盟活動をさらに強めていくことができます。

従来の古い枠にこだわって仕事を深く研究せず、たやすくしようとする形式主義は、農業勤労者同盟組織を弱化させ、無気力な存在にする主敵です。

同盟の活動家は形式主義の表現形態と原因、弊害を深く認識し、そのいささかの要素も絶対に許容してはなりません。何ごとであれ具体的な方法論がなくいい加減にする旧態依然《きゅうたいいぜん》な活動態度を徹底的に克服し、すべての活動を斬新で、かつ実質的にすることを習慣化し、文書や会議で活動にかえようとする傾向を一掃しなければなりません。

同盟の活動家は強い責任感と献身性、つきない熱情と展開力をもって、課された仕事を革命的におしすすめなければなりません。同盟員の政治思想生活に責任をもつ農業戦線の政治活動家ということをつねに自覚し、いつも同盟員のなかにはいって活動改善の方法論や妙術を見いだし、模範的実践によって大衆を導く宣伝者、教育者にならなければなりません。同盟員の心のうちを正確に読みとり、それに応じて正しい教育対策をたてる人が真の政治活動家といえます。農業勤労者同盟の活動家からはいつも篤農の土の香りがにじみでた農業勤労者同盟の活動家らしいおおらかな品性を身につけなければなりません。

農業勤労者同盟の活動が党の意図通りにうまくいくかどうかは、全的に同盟の活動家の水準と能力にかかっています。

同盟の活動家は、わが党の革命思想と農業政策でしっかり武装するための学習を生活化し、政治意識を高めるためにねばり強く努力し、チュチェ農法と先進農業科学技術に精通するばかりでなく、各部門の多方面にわたる知識と文化的素養を身につけた実力家型の活動家にならなければなりません。

党組織は、農業勤労者同盟の活動を重視し、それに対する党の指導を正しくおこなわなければなりません。

農業生産と農村建設を党的に指導するうえでも、行政、経済機関の活動にのみ顔をむけるのでなく、農業勤労者の政治組織である農業勤労者同盟の活動を活性化し、同盟組織の力を発揮させることに深い関心を払わなければなりません。

党組織は、現実発展の要求に即して農業勤労者同盟の活動を改善するための正しい方向をさし示し、同盟の活動家の肯定的発起は積極的に支持し、党の立場で後押ししながら同盟組織がつねに活気づいて活動できるように援助すべきです。

各道・市・郡党委員会は、農業勤労者同盟の活動を定期的に点検し、同盟の活動が党の政策的要求に即しておこなわれるように党としての指導を深化させるべきです。同盟の基層組織に定期的におりていって党の方針実行状況と同盟員の組織、思想生活状況、暮らし向きも具体的に確かめながら偏向を正し、教育対策を講じるべきです。

各級党組織は、同盟の活動家隊列を党に忠実で、大衆の信望があつく、同盟の活動をたくみにすすめる組織力と展開力の強い人でかため、彼らに対する教育と指導を着実におこない、活動の条件も保障して、彼らが誇りをもって仕事に専心できるようにすべきです。そうして、同盟のすべての活動家がわが党が依拠している農村中核、社会主義農村の政治活動家としての自分の責任と本分をまっとうするようにしなければなりません。

党組織は、わが党の社会主義農村建設政策を心にうけとめ、誰かに見られようが見られまいが、認められようが認められまいが、田畑に真心をつくし穀物増産をもって党と革命を守るために奮闘する同盟員をおしたて、彼らの政治的成長を助けて社会主義農村基盤をたのもしく守っていく農村初級活動家に育てなければなりません。

党組織は、農業勤労者同盟組織が、農村に愛着をもてない同盟員が故郷にしっかり根をおろすようによく教育し、真心をこめて助けるように指導し援助すべきです。

わが党の遠大な社会主義農村建設綱領を実現するための新時代の闘争で、農業勤労者同盟がうけもっている位置と任務はきわめて重要です。

全国の農業勤労者同盟組織が党の思想と息吹にそって活力と気迫にみちて活動するとき、農村のチュチェ思想化はいっそう推進され、わが党の社会主義農村建設目標を達成するための闘争では誇らしい変革的成果がなしとげられるでしょう。

わたしは、すべての農業勤労者同盟組織と同盟員が時代と革命に対し担っている栄えある使命と本分をりっぱに果たすことで、社会主義農村発展の偉大な新時代をきり拓くことに積極的に寄与するものと確信しています。

新たな建設革命によって朝鮮式社会主義の文明発展を先導していこう

―第二回建設部門活動家大講習の参加者に送った書簡―

二〇二二年二月八日

朝鮮労働党中央委員会第八期第四回総会の決定を貫徹して、意義深い今年に祖国の歴史に栄えある一ページをしるす革命的熱意によって社会主義建設のすべての部門がわきたっているなか、第二回建設部門活動家大講習が開催されることになります。

党の雄大な構想にしたがって全国を今一度見違えるほど変貌させる新しい大建設時代が開かれているときに、創造と変革の基本戦線で活躍する建設部門活動家が一堂に会し、近年の建設事業における成果と経験、欠点と教訓を分析、総括し、わが党の建築思想と建設政策で再武装するのは非常に時宜にかなっており、意義のあることです。

わたしは、社会主義建設の新たな高揚期、全面的発展期をきり拓く闘争でいちだんと向上したチュチェ建築の発展ぶりと威容を誇示する強い熱意をいだいて今回の大講習に参加した建設部門の活動家を熱烈に祝います。

また、党の呼びかけにこたえて文明富強の強国をめざす大建設戦域で、わが国の力と気概をとどろかせ、労働党時代の建設神話を創造している全国のすべての建設者と人民軍軍人にあつい戦闘的な挨拶を送ります。

史上初の困難な状況のもとで最大の奮発力を発揮して社会主義建設の新たな勝利をかちとるための現段階の闘争において、建設部門の位置と役割はきわめて重要です。建設部門がすべての部門の先頭にたって時代の文明を先導し、力強く前進してこそ、人民の革命的気概と闘争熱意がたえず高まり、朝鮮式社会主義が活力にみちて前進し、偉大な強国の明日がはやまるのです。

それゆえ、わが党は今回の大講習を非常に重視しており、講習がチュチェ建築の新たな飛躍と発展のための転機になることを期待しています。

わが国の建設史ではじめておこなわれた第一回建設部門活動家大講習は、わが党の人民大衆第一主義建築理念を建設分野にりっぱに具現して、建設の大繁栄期をもたらすうえで主なる里程標となりました。

大講習を契機に、建設部門活動家の思考と実践では革新的変化が起こり、建築の設計と施工の水準が大きく発展しました。図式化され、硬直したかつての枠から脱して創造的かつ独特な様相の建築物を思いのままに設計しうる土台と経験が積まれ、施工陣容が拡大され、技術、技能水準もいちじるしく向上しました。

大建設の兵器廠《しょう》である建材工業部門の物質的、技術的土台を拡大、強化するための措置が実行され、仕上げ建材の国産化においても一定の前進がありました。

一言でいって、建設の大繁栄期が開かれているなかで、われわれのチュチェ建築、建設部門は大きな発展をとげ、世界に誇るに足る記念碑的建造物を数多くたちあげました。

金日成同志と金正日同志を永遠に高くあおぎ、党の栄えある革命活動史と伝統、業績をとわに輝かすための建築創造が新たな境地で実現したことは、チュチェ建築の本道と使命を深く自覚した建設部門活動家と建設者のあつい忠誠と献身によってもたらされたもっとも貴い成果です。

第一回建設部門活動家大講習以降、われわれは毎年一つの近代的な通りに匹敵する大規模の建設対象を完工し、都市建設と農村建設、産業建設と文化施設建設の分野においてチュチェ建築の新しい基準、モデルになりうるすばらしい建築物を創造しました。われわれの設計家と建設者の英知と才能がこもっている三池淵《サムジヨン》市の機関所在地と農村、黎明《リヨミョン》通りと未来《ミレ》科学者通り、仲坪《チュンピョン》野菜温室農場、科学技術殿堂と陽徳《ヤンドク》温泉文化休養地のような創造物は、労働党時代の文明の新しい姿を堂々と自負できるようにするチュチェ建築の大傑作です。

昨年だけでもわれわれは、松新《ソンシン》、松花《ソンファ》地区に一万世帯分の近代的な住宅を建設し、検徳《クムドク》地区の五〇〇〇世帯住宅建設を成功裏におしすすめて、五か年計画に示された住宅建設目標を達成しうる突破口を開き、普通江《ポトンガン》川岸段々式住宅区を特色のあるものに建設して新しい建築様式を創造し、全国に一般化させることができるすぐれた経験をつみました。また、党が人民と約束した平壌《ピョンヤン》総合病院と元山葛麻《ウォンサンカルマ》海岸観光地区の建設、C1化学工業創設の対象工事と端川《タンチョン》発電所の建設、金化《クムファ》郡地方産業工場の改造、近代化工事をはじめとして、全国の建設戦域でめざましい成果がおさめられました。

われわれがとりわけ誇りをもって総括する成果は、わが党と国家と人民にとってその政治的、戦略的意義が非常に大きい三池淵市建設を成功裏に終了したことです。これによって、われわれは党の革命伝統を固守し、領袖の革命業績を永遠に輝かせようとする全人民の信念と意志を誇示するとともに、地方建設のモデルを創造し、金正日同志の生誕八〇周年にささげる忠誠の贈り物を準備しました。わたしはこの機会を借りて、党と領袖への清らかな忠誠心をいだいて三池淵市の建設に自分の力と知恵、物心両面の至誠をおしみなくささげた全国の人民と建設者、人民軍軍人に心からの感謝を送ります。

われわれの社会主義大建設は、国家と人民のまえにかつてなく甚だしい挑戦と障害が横たわっている状況下で、国力強化の大業と各分野の革新的変革をおしすすめる張りつめた闘争のなかで瞬時も中断することなく、それも類例なく膨大かつ大胆に、独特でありながらも近代的な様相をおびて立体的に展開されました。これは困難に直面してもためらうことなく、社会主義の明るい未来をめざして力強く前進するわが人民の強い信念と高度の創造精神、強い愛国的熱情と雄大な目標の実現へと邁進《まいしん》するわが国家の発展ぶりと潜在力に対する明白な実証となります。

われわれは、ここ数年間達成した建設成果といちだんと高まった建築技術に対して当然自負をもって総括することができ、これによってチュチェ建築発展の明るい将来を楽観できます。同時に、われわれのかかげた遠大な理想と抱負にあうチュチェ建築のさらなる発展のために、教訓とし克服すべき欠点と偏向についても正確に分析、総括し、かならず是正することが大切です。

いま、建設部門には早急に是正すべき欠点もあり、補強を要する側面も少なくありません。設計部門ではすべての建築物を、わが人民の美感と情緒を反映し、非反復的で特色のあるものにし、その使命と機能にあわせて実用的に設計できない欠点があらわれています。室内装飾設計と家具設計、園林設計はまだかなりたちおくれています。建設工法もあいかわらず湿式工法にのみかたよっており、建設単位と対象ごとに施工の質の保障において水準の差がはなはだしく、仕上げ建材の輸入依存度が高いうえに、建設工事の機械化の比重がきわめて低いのもわれわれの建築の質的な飛躍をさまたげる主因であると言えます。

さらに重要な問題は、建設部門の活動家がわが党の建築理念と建設政策、朝鮮式社会主義の発展で建設分野を重視する党中央の意図を深く理解できず、建設で世界に先んじることのできる視野と眼識が狭小なことです。

建設部門の物質的、技術的土台が、建設事業を党の構想と意図通りにとどこおりなく展開し、おしすすめることができるほど十分に準備されていないのもかならず解決すべき懸案です。

党は、今回の大講習を契機に建設事業全般に新たな革新をもたらして、チュチェ建築を世界的水準で今一度質的に飛躍させるつもりです。われわれには、建設の新しい飛躍期、発展期を担い、先導できる聡明かつ有能な設計集団も、経験豊かな建設幹部と技能工もおり、大建設を後押しできる能力もあります。われわれはこれらすべての潜在力を最大限に活用し、建設革命を新たな段階でいっそう高揚させることによって、社会主義建設史にチュチェ建築の誇るべきページをひきつづきしるさなければなりません。

わが党は、今後二〇～三〇年の期限付きで全国人民の生活環境を根本的に改善してわが国を世界が羨《せん》望《ぼう》する社会主義理想国に、人民が最高の文明を享受し心安らかでむつまじく暮らす社会主義楽園につくりあげる壮大な青写真を示しており、建設部門はこの目標を実現するうえで最前線の位置にあります。

建設は、人民にわが党の人民大衆第一主義政治とわれわれの制度のありがたさを肌で感じさせ、われわれが志向する創造の基準、美しい未来像を直観的に認識させて新時代の文明へと導き、誰もが偉大な国家の一構成員という誇りとよりよい明日への確信にみちて社会主義愛国偉業に献身するように鼓舞する重要な政治的事業です。このような意味でこんにちの建設革命は、祖国の貴重な財産を創造する張りあいのある事業であると同時に、人々を啓発し、明るい未来へと導く思想教育過程、文化革命過程であると言えます。

建設はまた、社会主義の全面的発展と人民生活向上の前提であり、文明開化した未来を創造していく一〇〇年の計の愛国事業です。

われわれが目の前の困難だけを考えて建設に力を入れないなら、国家発展の基礎をかためることも、人民に幸せな生活をもたらすこともできません。建設はすなわち進歩であり、変革であり、未来への投資です。建設を優先させて力強くおしすすめることによってのみ、経済の持続的成長のための新たな能力をそなえ、文化的進歩の拠点をより多く整えて、国家社会生活のすべての領域に人民が喜ぶ実際の変化をもたらすことができます。

われわれは建設における革命的な転換によって、困難をきわめる試練期、鍛練期を勇敢にのりこえた偉大な人民が、革命の新たな高揚期、発展期にどのような理想と抱負をもって前途をきり拓いていくかを世界に実物をもって示し、強国の地位をより強く宣揚《せんよう》しなければなりません。

いまは骨が折れ困難であっても、将来を見通して自力で創造していく一つひとつの建築物は、わが人民と次世代にあたえられる福楽の拠りどころになり、国家繁栄の強固な基盤になり、労働党時代の人々の気高い思想感情と創造的知恵の高さを後世に伝える歴史の記念碑になるでしょう。

すべての参加者は今回の大講習を通じて、建設を重視し、建設部門での革新的な変化によって社会主義建設の全般的発展を牽引しようとする党中央の意図を心にうけとめ、党の建設政策に精通し、いまの建設において指針とすべき問題について正確に認識しなければなりません。

また、これまでの建設における成果と欠点、その原因と克服方途についてよく分析してたがいの成果と経験をわかちあい、果敢な革新と発展をめざして確信をもってすすむべきです。

現段階において建設事業で堅持すべき基本的方向は、人民の福利増進のための対象建設に優先的な力をそそぐ一方、国の経済的土台を強化するための産業建設と国土建設を同時におしすすめることです。

社会の進歩と繁栄は、人民の文化生活水準と切り離して考えることはできません。われわれは人民によりすばらしい住宅とりっぱな文化生活環境を提供して、党と国家の人民的施策、社会主義本態をよりよく具現し、人々の生活リズムと生活習慣、生活様式における肯定的な変化、政治意識と文明水準の向上を主導すべきです。

住宅問題は、わが人民が一番関心をもつ問題であり、社会主義制度の恩恵を直接肌で感じるようにするうえで第一義的な問題であると言えます。第八回党大会で示された建設政策の核心は、わが国を住宅問題を一番先に解決した国にするということです。党大会の決定通りに平壌市に五万世帯分の近代的な住宅をかならず建設し、検徳地区に二万五〇〇〇世帯分の特色のある住宅が立ち並ぶ山岳峡谷都市、文明開化した鉱業都市を形成すると同時に、各道・市・郡でも年次別の住宅建設を大々的におしすすめて、五か年計画期間に全国的規模で不足する住宅問題を基本的に解決しなければなりません。

わが人民と次世代が何うらやむことなく思う存分学び、高い知識文明を習得し、無病息災の生活を送るようりっぱな条件と環境が整えられた近代的な教育、保健医療施設を多く建設して、党の社会主義文明国建設の構想をよりはやく実現しなければなりません。これまでの経験と基準にもとづいて各級教育機関と医療サービス施設、医薬品生産拠点の近代化を力強く推進すべきです。

わが人民が社会主義文明の実体を思う存分享受できるように、国の名山や名所に美しい自然景観とよく調和した人民の文化的休養地と観光地をつくり、全国の都市や村に特色のある公園や遊園地もひきつづき設け、近代的なサービス施設もより充実させ整えるべきです。

わが党は、社会主義建設において首都と地方、都市と農村の格差を根本的になくすことを重要な戦略的路線としてうちだしています。

わが党と共和国政府は、地方建設、とくに農村建設を本格的にすすめるために、毎年国家がすべての市・郡に定期的にセメントを提供することを政策化、法律化し、党中央委員会第八期第四回総会は、国のすべての農村を朝鮮式社会主義にふさわしく、当該地域の特性を明白に生かして建設する戦略的な課題を提示しました。

市・郡の機関所在地と農村の面貌と環境を一新することは、わが人民が喜び、文明開化した社会の建設をうながす非常に張りあいのある事業です。党の地方建設政策、農村建設政策に立脚して国家投資をふやし、各道・市・郡ではすべての道都と市・郡機関所在地、農村を社会主義の理想都市、理想村につくり変えるための地方建設革命、農村建設革命ののろしをあげるべきです。

産業建設と国土建設に力を入れて、経済発展の新しい基盤を不断に強化しなければなりません。

産業建設においてわれわれが達成すべき目標は、生産工程だけではなく、産業施設や文化厚生施設をはじめとするすべての施設を近代的に新設、改築して、国家経済発展の土台を新たに構築し、勤労者によりすばらしく先進的な労働生活条件を提供することです。建物の外部だけでなくその内容においても、施設の運営と経済的実利の側面においても、新時代にふさわしく、充実したものにすべきです。

さしあたって、C1化学工業創設対象と金星《クムソン》トラクター工場の改造、近代化、省エネ型製鉄炉の建設をはじめとする国家的な重要産業建設対象に力を集中して完工をはやめるべきです。

仲坪野菜温室農場をモデルとして近代的な大規模野菜温室も建設し、各市・郡の食糧事業所と地方産業工場の近代化もおしすすめるべきです。

国の発展の基礎となる鉄道と港湾、発電所をはじめインフラの建設に力を入れるとともに、海岸防潮堤と水利構造物の工事、河川整備と道路建設をはじめとする国土建設事業をねばり強くおしすすめて国の面貌をかえ、人民の生命、財産と労してきずいた物質的、文化的財産の安全を自然災害から守るべきです。

このように、われわれがなすべき建設事業は膨大で力にあまるものでしょうが、国家発展の坦々《たんたん》たる大路、人民生活向上の保証をもたらすための必須の工程であるという認識をもち、責任をもって中断することなくおしすすめれば、われわれ自身だけではなく次世代もその恩恵を十分にこうむるでしょうし、近い将来にわが国は美しく住みよい社会主義理想国となるでしょう。

われわれが建設事業で一貫して堅持すべき基本的要求は第一に、建設事業に対する党中央の唯一的指導体系を確立することです。

まえにも強調したことですが、建設事業は物質的富を創造する事業であるまえに、わが党の人民大衆第一主義政治を具現し、人々の精神文化水準を高め、国の面貌を一新する重要な事業です。建設事業に対する党中央の唯一的指導体系を確立してこそ、建設が朝鮮式社会主義の全面的発展を導く党の政策的意図と構想に即して展開され、われわれの時代に創造するすべての建築物にチュチェの建築思想と理念を正しく具現することができるのです。

建設の計画から完工にいたるまでのすべての工程において、党中央の建設構想と意図を貫徹するために思索と実践を集中させ、党の建設政策を唯一の指針、絶対的基準にして建設事業を組織、展開しなければなりません。建設事業においてもちあがる問題をそのつど党に報告し、結論にしたがって実ならない。何かをもっとやりたくても、またやりとげることができても、ひたすら党が承認した形成案通りに建設するべきであり、党の結論も得ずに建設をおこなうような不正常なことを絶対に許してはなりません。

建設事業で堅持すべき基本的要求は第二に、建築をあくまで政治化、政策化することです。政治性をぬきにしたわれわれの建築は無意味なものです。われわれは建築において、政治思想性を度外視し、建設を実務化しながら建築美学万能主義、芸術至上主義に走ることを排撃します。建築の政治化、政策化は、チュチェ建築発展の中核であり、種子です。建築物に政治的なスローガンや標語をかかげることをはじめとして、建築においてわが党第一主義、われわれの思想第一主義、われわれの制度第一主義、朝鮮民族第一主義を直観的に具現することを恒久的な方針としてとらえていかなければなりません。われわれが建設するすべての建築物は、この世にまたとないわが党と国家特有の主体的、人民的性格と国風でつらぬかれ、人民の志向と感情、偉大な強国の尊厳と気迫にみちあふれた、生命力のある建築物となるべきです。

建設活動で堅持すべき基本的要求は第三に、労働党時代を代表し、象徴できる斬新《ざんしん》かつ独特な建築様式を創造し、発展させることです。

建築様式は、その時代の志向と美的感覚、文明水準と国力の強さを直観的に示します。われわれは、労働党時代の文明を象徴する建築の形状、われわれの理想とする建築芸術の面貌が集大成された朝鮮式の典型的な建築様式を創造し、建設全般にとりいれるべきです。朝鮮式の新しい建築様式の創造で重視すべき問題は、すべての建築要素で民族的香りがただよい、時代精神が脈打ち、革新と創造の気概が躍動するようにさせることです。言いかえれば、わが国固有の味わいと特色を生かすとともに、近代建築術の諸要求をわれわれの方式で具現しなければなりません。

建設事業で堅持すべき基本的要求は第四に、経済性と実用性を高い水準で保障することです。建設には膨大な人的、物的資源が必要であり、いったん進行すると後戻りできない特徴をもっています。建設は、どんな要求をもちだし、どれほど質を保障するかによって、社会の進歩を強力に牽引することもでき、逆に阻害することもできます。そのため、建設は、国家の展望的な発展計画と一つに融合して科学的に見積もったうえですすめられるべきであり、また、建設総計画の作成から建築物の設計や施工をはじめとする建設の全過程で最良化、最適化された方案にもとづいて、経済性と実用性が保障されなければなりません。建設で実利の原則を堅持し、世界的な趨勢《すうせい》とわが国の実情に即して資源や敷地、エネルギーの節約型建設を大いに奨励し、今日ばかりではなく今後五〇年、一〇〇年が経っても、経済力の向上と文明発展の土台になり、国家の繁栄を支える礎になるようにあらゆる面で完璧性を期すべきです。

われわれは、このような建設事業の基本的な方向と要求を確固と堅持し、新たな奮発力をもって大建設時代の革命的高揚をめざして総決起しなければなりません。

党の意図通りに建設で画期的な発展をなしとげるためには、設計から進歩と変革を起こすことが必要です。

党のチュチェの建築美学思想と人民の理想が凝縮されたりっぱな建築物は、まず設計台から生まれ、社会主義文明国をめざすわれわれの大きな進歩もほかならぬ設計からはじまります。

わが党の要求は、設計図の一つの線、一つの点にも労働党時代の思想と精神、躍動する気概が反映され、世界と堂々と張りあう高い文明水準が映るようにすることです。この要求を具現すべき建築設計家にとって切実に必要なのは、党の思想と理念、人民の志向にかなった新奇なアイデアやインスピレーションを得るために努力し、新しいものでなければ認めようともゆずろうともしない頑強な気質です。

設計者は、自分が創造する一枚一枚の設計図によって、わが党の路線と政策が現実となり、美しい祖国の明日がくりひろげられるということを銘記し、寸暇をおしんで思索し、探究し、奮発し、奮闘しなければなりません。

建築設計における中心は、主体性と民族性を堅持し、独創性と利便性を生かし、実用化と機能化を保障することです。

党がつねづね強調している問題ですが、主体性と民族性は建築の生命であり、独創性と利便性、実用化と機能化は建築設計の指針です。設計部門では、わが党の建設政策の要求通りに先利便性と先美学性、先インフラの原則を堅持するとともに、すべての建築物を朝鮮人民の情緒と美感、わが国の実情にあうように、また、多様で特色がありながらも用途にあうように設計して、建築創造の新しい境地を開くべきです。

立面はすなわち建築物の顔であり、建築物の魅力は立面からあらわれなければなりません。

立面設計では類似性と反復を禁じ、すべての建築物の個性を生かすことが重要です。言いかえれば、建物の外形を見ただけでも何の建物かが一目でわかるように、骨格構造の特色を生かしながら造形芸術性が保障されるようにすべきです。立面形成において建築物の使命と用途、特性が集約的に反映された独特な種子を着想し、すべての部分と細部要素がそれにしたがうようにすることに関心を払うべきです。とくに、同じ使命と用途の建築物であっても、山間地帯や海岸地帯、平野地帯に応じて当該地域の特性を生かしながら、非反復的で、単調なものにならないように、周辺の環境と調和するように設計すべきです。

建築物は、外形の見栄えもなくてはなりませんが、その内部は実用性と利便性を保障しながらも、建築美学的に遜色《そんしょく》のないものでなければなりません。

内部形成で基本は、実用性と利便性、芸術的造形化を同時に完璧に実現することです。実用性と利便性のみを強調して造形芸術性を軽視してもならず、造形化、美術化にかたよって実用性と利便性を失ってもなりません。

建物の使命と用途にあわせて機能的要求を十分に具現し、建築面積の利用率を最大限に高め、利便性をはかる方向で合理的な平面づくりをおこなうことに留意すべきです。これとともに、われわれの方式の斬新かつ多様な建築形成手法も積極的に考案、活用しなければなりません。

建築では室内装飾を適切にほどこすことが特別に重要です。室内装飾は一つの芸術と言えます。室内装飾では、現代感を生かしながらもわれわれの好みにあわせることを原則とすべきです。屏風や絵をはじめとするいろいろな装飾構成要素や透かし装飾のような装飾手法も活用し、用途にあう多様な家具や備品をバランスよく配置する方法で室内装飾の効果を高めるべきです。

設計部門では民族的な建築様式を広く奨励するなど、建築物の外部と内部を民族的特色が生かされるように設計することにとくに力を入れなければなりません。

建築物の形成案は、技術設計を通じて具体化され、技術設計の質によって建設物の質と安全性、技術工学的要求が保障されるものです。

技術設計では、科学性と正確性、合理性と繊細性を保障しなければなりません。党が承認した形成案と技術課題書に徹底的に準じて、建設資材と労働力を少なくつかいながらも建築物の質と安全性を保障し、近代的美感と装飾的効果がよく生かされるようにしながらも、生活機能上の要求と技術工学的要求を十分にみたすことのできる最良化、最適化された技術設計案をださなければなりません。

建設設計予算の作成に力を入れるべきです。設計予算の作成で労働力と資材、資金を正確に見積もらず余裕をつくったり浪費をまねくような傾向をなくし、一工数の労働力や一グラムのセメント、一片の鋼材でも効果的に利用できるようにすべきです。

家具設計と園林設計に根本的な変革をもたらさなければなりません。

いま、家具設計の水準が高くないので、よい材料を使った家具でも不格好で見栄えがせず、使用にも不便で、そのため建物内部の気品も落としています。

家具設計では建築物の性格と内部空間の構造にふさわしく、人々の好みにあいながらも実用性を保障するという原則を守るべきです。家具設計で多様化と造形化、多機能化と軽量化を重視し、一体式から組立式に転換し、すべての家具をその用途にあわせて設計すべきです。家具を木材だけではなく、いろいろな材料を利用して軽量で見栄えよくつくることを奨励し、家具の色も建築物の内部空間の色と調和するように選択すべきです。

近代建築において園林、緑化は重要な形成手段として作用し、園林、緑化水準は国の文明水準を示す尺度だと言えます。

園林、緑化も一つの造形芸術であるから、園林設計を先行させ、それにもとづいてすすめなければなりません。

園林設計を、周囲環境と地帯の特性、園林植物の生態学的特徴を考慮して建物の気品を高めながらも自然景観が生かされるように、造形芸術的に特色があるものにすべきです。園林設計で千編一律のやり方を警戒し、観賞的価値のある樹木を集中的に配置したり、芝生と花壇を調和よく造成したり、築山や岩のような要素も組みあわせて自然美を生かす方向で多様にすべきです。

園林設計者の視野を広げ、園林、緑化に関する研究を深化させ、世界的に広く利用される方法をわが国の実情にあわせてとりいれるための仕事も正しくおこなうべきです。

設計部門では建設総計画の作成に力を入れなければなりません。

建設総計画は五〇年、一〇〇年先を見通して、党の意図にそってその理念から正しく定立し、種子とテーマを生かしながら当該地域と対象の具体的条件と環境、発展方向を科学的に見積もったうえで長期的な展望にたって作成すべきです。

建設総計画の作成で重要なのは、当該地域と対象にあう中心軸を正しく設定し、機能別に区画を明確に定め、それぞれの区画の特色が生かされるように建築群を形成することです。起伏があり、平坦でない地形には自然の起伏を利用して建物を配置することを原則とし、平坦な地帯には豆腐のように区画を四角に区分し、上品な建物を配置するのがよいでしょう。建築構成に含まれるそれぞれの建物の独特な形式を生かしながらも、建物同士の芸術的相互性と互換性、連結性が円滑で、洗練されたものになるようにすべきです。建設総計画の作成で給水、汚水処理、電力供給、情報通信網をはじめとする技術施設網計画を手ぬかりなくたてて、人民がいささかの不便もなく生活できる条件と環境を整えることに力をそそぐべきです。

世界的な発展趨勢に即してグリーン建築、スマート建築をはじめとする建築設計案を探究、導入して、建築技術の先進性においても世界と競争すべきです。これとともに、港湾と鉄道、道路と橋梁《きょうりょう》の建設をはじめとする建設分野の全般的な設計水準をともに世界的水準にひき上げることに努力を傾けるべきです。

設計部門では、設計の指導と審議において主観主義、形式主義を打破し、科学性と迅速性を保障し、設計機関間の分野別、系統別提携の一致を徹底的に実現して、建設の計画段階から勝利を確固と裏づけなければなりません。

建築物の質はすなわち施工の質です。

施工の質を保障するうえでは建設者の施工水準を高めるのが優先的です。建設単位では、建設者にいかなる施工課題も遜色なく遂行できる専門技能と等級を所有させるとりくみを力強くおしすすめなければなりません。とくに、仕上げ施工に熟練した技能工隊列をふやすことに力を入れるべきです。技術学習と技能伝習、技能工の競争などを実質的におこない、新入工が高級技能工とともに働きながら施工法を習い熟達するように施工労働力を合理的に編成して、全般的な技術、技能水準をすみやかに高めるべきです。

建設部門では施工の質管理体系を確立し、先進的な質管理方法をとりいれ、施工の質の問題においては絶対に譲歩や妥協をしないようにすべきです。

建設単位では施工指導陣容を強化し、施工を建築工学的、建築美学的要求に即しておこなうよう正しく指導するとともに、建設者に設計と施工基準、工法上の要求を正確に認識させ、徹底的に遵守《じゅんしゅ》するように要求の度合いを強め、作業総括も工事の質をもって厳格におこなうべきです。あやまった慣習や経験主義にとらわれて工法の要求を守らないときには重大な問題としてとりあげ、是正させるべきです。

建設部門ではいつまでに工事を終えるといって突貫式に速度のみ重視する偏向を克服し、先質後量の原則にたって建設物の質の保障に優先権を付与すべきです。

施工の質と速度は先進的な工法によって改善されるものです。建設部門では先進的な工法をとりいれるための新しい革新運動を展開しなければなりません。乾式工法を積極的に導入し、われわれの方式の色モルタル壁塗り工法を完成させることをはじめ、資材節約型、省力型工法についての研究と創案を深化させ、建設単位でもすぐれた新しい施工法をたえず探究、適用すべきです。

建設を党の意図する水準で思いどおりに中断することなくおしすすめるためには、より多くの建材が必要です。

新時代の建設革命の炎がはげしく燃えあがるこんにち、どこでも求めているのがセメントです。現存セメント工場をフル稼働させながら能力拡張工事を同時におしすすめ、生産条件の有利な地域に先進技術が導入された近代的なセメント工場を建設して、第八回党大会が示したセメント生産目標を達成しなければなりません。

今年から市・郡に供給することになったセメントを無条件生産、供給すべきです。

建材工業部門ではとくに、仕上げ建材を自給自足し、建材品の多種化、多様化、多色化を実現するという党政策の貫徹において実質的な結果を得なければなりません。わが国の設計でわが国の建設者が施工するばかりでなく、わが国の資源と技術でつくったわが国の方式の仕上げ建材をもって完成した建築物であってこそ、チュチェ建築を象徴すると堂々と言うことができます。

わが国の原料資源で新しい仕上げ建材を開発し、生産工程を確立するためのとりくみを強力に掌握、推進しなければなりません。建材工業部門ではタイルと石材、ガラスと金属、プラスチック建材はもちろん、保温材と外装塗料、防水材料だけでなく壁紙とビニール、レザーや壁板をはじめとして、建設に必要な仕上げ建材を国産化するための正しい基準と目標をたて、計画的に実行すべきです。

仕上げ建材の質を改善し、生産量をふやすとともに、コストを下げるために努力しなければなりません。生産工程を近代化し、先進的な建材生産技術を積極的にとりいれ、建材品を品目と材質、大きさと形、色によって標準化、規格化すべきです。

グリーン建材に関する研究も深化させ、各種廃棄物と廃材を建材生産に効果的に再利用するとりくみもおこなわなければなりません。

国内の建材工業を保護、育成するための活動に力を入れるべきです。国家的に建材工業部門に対する投資をふやすとともに、建築設計段階からわれわれの建材を利用することを奨励し、国内生産によって需要を十分にみたせる仕上げ建材に対しては輸入制限措置も講じるべきです。

建設を専門化、集中化するという党政策の要求を終始貫徹しなければなりません。

建設の専門化で基本となるのは、いかなる対象課題もひきうけて遂行できる専門の建設陣容を確保することです。もちろん建設を大衆的にもおこなうべきですが、原則はあくまでも専門の建設陣容がうけもつことです。

専門の建設企業所が各自の役割を果たすようにさせるべきです。国家的に頓挫した建設企業所を整備、補強する対策を講じ、不足する労働力を補充し、近代的な建設装備も提供すべきです。

建設企業所も上部にのみたよるのではなく、みずからの技術陣を育成し、技能工の陣容を拡大し、建設装備と器具、工具を具備するとりくみに力を入れるべきです。

建設はあくまで建設計画にしたがって集中的にすすめなければなりません。

建設を集中化するためには、まず建設の計画化から正しくおこなうことが必要です。

国家的にも、各道・市・郡においても、党の建設政策を指針とし、現実的条件や潜在力、可能性を具体的に見積もったうえで年次別の建設計画を綿密にたて、無条件に実行することを鉄則とすべきです。建設を、国家と地域の経済発展、人民の生活向上をめざす展望目標との連関のなかで検討し、方向と手順を正しく定め、計画的に実行すべきです。

建設計画がたてられた後は、それに即して設計と施工陣容、資材と資金を順次、集中的に保障し、仕事の手配や指揮を気迫をもっておこない、所定の期間内に完工するようにすべきです。具体的な見積もりもなしに、主観的欲望にとらわれて建設をあちこちに広げ、何かやるという面目だけほどこしたり、建設をずるずるひきのばして労働力と資材と資金を浪費したりする傾向をなくすべきです。

建設の科学化、近代化に実質的な改善をもたらすべきです。

建設の科学化に対する活動家と建設者の観点と立場から変化が起こらなければなりません。建設は、人々の生命、安全と生活の保障、社会、経済の発展に直結しているため、根切りと骨組み、仕上げなどの全工程が科学性でつらぬかなければならないということをつねに自覚すべきです。建設で科学技術上の要求を無視し、経験主義に固執《こしつ》しておおざっぱにする偏向を一掃し、設計から施工にいたる建設の全過程が科学技術によって裏づけられ、とりわけ建設事業に最新科学技術の成果を積極的にとりいれるうえで誰もが主人とならなければなりません。

建設部門の科学者、技術者は高い目標をたて、主体的立場にたって先進的な新しい設計方法と施工法、建材と建設装備、器具、工具を着想、開発するための探究にとりくむべきです。

建設部門の科学者、技術者は、研究討論会や学術討論会を通じて現実で提起される問題や新しい考案、つんだ経験をもって広範な討論と論争をおこなって合理的な解決策を見いだし、有益な成果を学び、一般化させるべきです。

平壌建築大学をはじめとする建設部門の教育機関では、わが党のチュチェの建築思想と近代建築発展の要請に即して教育事業を改善し、わが国の建築の未来を担う有能な建設人材をより多く育てるべきです。建設部門大学の卒業生を設計機関と建設事業所をはじめとする専攻部門に配置して建設の科学化の実現に一役買うようにし、建設単位でも人材を見つけだし、大切に育て自分の単位発展の旗手として育成すべきです。そして、科学技術普及システムと手段を積極的に活用して、活動家と建設者の知識水準をたえず高めるべきです。

いま、わが国の建設部門でもっとも脆弱なのは近代化の側面です。国家的に重要建設が提起されるたびに人海戦術にたよって大勢の人を動員させることが日常的になっているため、つねに労働力問題が提起され、他の部門の仕事にも影響をおよぼしており、建設の速度と質も十分に保障できず、資材も少なからず浪費しています。知識経済時代のこんにちにいたっても、建設現場が大勢の人で埋めつくされ、建設作業を人力でおこなうのは、わが国の建築の発展の姿としてもふさわしくありません。建設の近代化をこれ以上ひきのばすことのできない重大課題の一つとしてとらえて、本格的におしすすめるべきです。

設計手段を近代化し、先進的な設計方法や設計支援プログラムを定期的に普及するシステムを確立して、いかなるハイレベルの設計も最短期間内に質的におこなえる条件を整えるべきです。

建設作業の機械化の比重をいちだんと高めるべきです。国家的に近代的な建設装備と器具、工具を生産できる土台をきずき、住宅建設だけでなく産業建設や国土建設をはじめ各種の建設作業に利用できる建設機械を開発、生産すべきです。建設単位が簡単な設備と器具や工具は自力で製作して利用し、器具、工具展示会や考案機材展示会などを定期的に催して、よいものを一般化させるための活動にも力を入れるべきです。

建設監督活動を強化しなければなりません。

建設監督がおろそかになると、党のチュチェの建築思想と建設政策が正確に実行できず、祖国と人民の利益が侵害され、建築物の安全性も保証することができません。

建設監督機関は、党政策上の要求と国家の建設法に立脚して建設の全過程に対する監督、統制を党の原則にもとづいてきびしくおこなわなければなりません。建設物の質の問題に対して党と国家と人民に全的に責任をもつという立場にたって、誰かの顔色をうかがったり、体面を考えたりせず、ひたすら国家が定めた監督の規定どおりに活動すべきです。

建設監督機関は、いかなる対象や単位も規定通りに建設認可をうけた条件のもとでのみ建設をおこなうようにし、設計で設計工学的要求を遵守しているのか、施工で設計にしたがって建築工学的、美学的要求をみたしているのかなどをきびしく監督、統制しなければなりません。すべての建設対象に対して竣工検査の基準を高く設定し、検査で合格した条件のもとでのみ利用させる規律と秩序を強く確立すべきです。建設法に違反する行為に対しては、所属と理由にかかわりなく即座に問題視し、いかなる場合にも違法行為を絶対に許してはなりません。

この機会を借りて、地方建設、とりわけ農村建設について今一度強調したいと思います。

わが党がかならず実現しようと決心している地方建設革命、農村建設革命は、わが国の社会主義建設史上いまだかつてなかった壮大な事業です。

この事業は、長きにわたって農村に残存していた垢をきれいに落とし、社会主義文明が開花する近代的な農村を建設するための一大変革であり、けっして一、二年のあいだに終わる事業ではなく、中長期的な眼識をもって果敢におしすすめ、地方がかわる新時代を創造し、わが国の農業勤労者の長年の宿望をかなえるためのきわめて責任ある事業です。

わが党の地方建設構想を実現するうえで地方の建築設計と施工陣容を確保することが緊急課題となっています。党の措置によって全国の各道・市・郡で地方建設を同時多発的に展開しなければならないため、中央の設計陣容と建設集団の援助にのみたよっていては、党の地方建設政策を貫徹することはいつまでたってもできません。

地方建設において先駆的役割を果たすべき設計陣容を充実させ、その水準を不断に高めるべきです。今回の建設部門活動家大講習の重要な目的の一つは、まさに地方の建築設計陣容を強化して首都と地方の建築設計を同時に発展させるところにあります。

わが党の要求は、地方建設を当該地域の固有の特色が生かされるようにおこなうということです。地方ごとに自然地理的条件と経済発展環境がそれぞれ異なっており、歴史的にひき継がれてきた風俗にも差があるので、当該地域固有の特色を生かすためには、自然地理的特徴ばかりではなく、当該地域固有の経済的条件と世相風俗まで熟知し、それを設計に反映できる設計陣容が整っていなければなりません。

地方設計機関を建築学的眼識と能力のある人でかため、彼らの水準と役割を高めなければなりません。地方の設計者たちが建設実践を通じて実務能力を磨き、中央の設計者たちとともに働く機会も得て多く学ぶようにすべきです。設計者が水準を不断に高めるように要求の度合いを強め、外国の先進的な建築資料に接するように条件を保障すべきです。美術的素質のある人をはじめ将来性のある人を建設系の大学に入学させ、自分の地方の設計陣容候補としてしっかりと育てるべきです。

地方の施工陣容をかためて、いかなる建築物も自力で質的に施工できるようにすべきです。以前に強調した通りに、各地方では市・郡建設旅団を編制する活動を終えて技術、技能水準を向上させるべきです。各道・市・郡では専門建設隊や突撃隊できたえられ、高い技能を身につけた人を中心とし、彼らが技能を伝授することによって技能工の隊列を拡大し、実力のある建設隊に育成しなければなりません。

地方建設陣容を整えるうえで各道・市・郡党委員会が基本的役割を果たすべきです。党が、いまのように困難な時期に大量のセメントを農村建設にまわす措置を講じましたが、それぞれの地方の一〇〇年先を見とおし、建設を長期的な展望にたって質的におこなうためには、何よりも自己の建設陣容が強固でなければなりません。各道・市・郡党委員会は、地方建設陣容、とくに設計陣容を強化するとりくみが、自分の地域の特色を生かして開発するための重要な保証であり、資源と財産をもたらすとりくみであることを銘記すべきです。

各地方では仕上げ建材の生産拠点を強固にきずき、地元の資源をもって良質の仕上げ建材を開発、利用して特色を生かす方向にすすむべきです。

定期的におこなわれる各道の建材展示会を着実に催し、総括、評価を正しくおこなって、この活動が仕上げ建材の国産化をうながし、国の建材工業発展に寄与するようにすべきです。

党の意図に即して地方建設や農村建設に関する計画も、農村住宅建設を最優先して現実的にたて、無条件に実行する強い規律を確立すべきです。

建設部門の活動家と建設者の責任感と役割を画期的に強めるべきです。

建設部門の活動家と建設者は、党と革命、祖国と人民からあたえられた重大な使命と責任感を重くうけとめ、こんにちの建設革命で主力部隊としての責任と役割を果たすべきです。

また、党の建設政策に精通し、最新建設科学技術とすぐれた建設技能を身につけるために不断に努力して、党がいついかなる建設課題も安心してまかせられるように準備すべきです。

誰もが愛国心の高さは建設物の質であらわれるということを肝に銘じ、一枚のレンガをつんでも清らかな良心と真心、技術をつくすべきです。活動家と建設者は、設備と器具、工具を一つでも自分の瞳のように大切に管理し、建設資材を極力節約し、何事をも几帳面におこなうことを体質化すべきです。

新しい建設革命で軍民協同作戦の威力を今一度力強く発揮しなければなりません。

わが人民軍は国家防衛の重任を担っている非常に緊張した状況下でも、人民の幸福の創造者として建設の大繁栄期を開く壮大な闘争で実に多くのことをなしとげました。こんにち、チュチェ建築のモデルとして誇るにたる記念碑的建造物と大建設の各戦域には、党の命令、指示にいつも忠実なわが人民軍の愛国的献身と創造的知恵と才能がこもっています。わが党は、祖国の繁栄と人民の幸福のためにささげた人民軍軍人の英雄的偉勲と気高い献身をつねに忘れておらず、わが人民は偉大な労働党時代を輝かせたわが軍隊の真の姿を永遠に誇るでしょう。

軍人建設者はこれまでと同様、新たな建設革命の先頭にたって、党のまかせるいかなる対象課題も、党の定めた期間内に、党の望む水準で完璧に遂行することで、わが人民軍の威力を遺憾なく誇示すべきです。

建設部門の活動家と建設者は、人民軍軍人の絶対性、無条件性の精神と手際よく几帳面な建設教育者の仕事ぶり、気迫にみちた楽天的な闘争気風を見習って、各建設現場で新しい奇跡と偉勲を生みだし、すべての建築物を朝鮮式社会主義文明を象徴できるように最高の水準で建設すべきです。

党組織は新しい建設革命のための闘争でみずからの責務を円滑に果たさなければなりません。

党組織は活動家と建設者に、戦後ゼロから社会主義楽園をうちたて、チュチェ建築の新しい歴史を開いた金日成同志と金正日同志、労働党時代の建設の大繁栄期をもたらしたわが党の偉大さと指導業績を体得させるための教育に力を入れて、党と領袖への燃えるような忠誠心をつちかい、彼らがあたえられた任務と職業に対する誇りをいだいて新しい建設革命に奮闘するようにすべきです。

党組織は、活動家と建設者がわが党のチュチェの建築思想と建設政策でしっかりと武装し、徹底的に具現するように思想教育を強化して、党の構想を建設実践をもって実現していくようにすべきです。

党組織は、建設現場に強力な宣伝、鼓舞陣容を展開し、視覚的な宣伝と生産鼓舞活動を活発にくりひろげて大衆の精神力をいっそう高揚させ、社会主義的競争熱風をまき起こして建設現場が新たな奇跡の創造でわきたつようにすべきです。

党組織は、わが党がもっとも大事にしている建設者の生命、安全に最大の関心を払い、労働の安全が完全に保障されなければ誰も建設をすすめることができないように党として強く統制し、それに対して実際的な責任を負うべきです。

党組織は、労働負荷の大きい建設者に十分な給養条件や休息条件を保障し、工事現場で働く建設者が安心できるようにその家族の生活もあたたかく見守るべきです。

わが党の人民大衆第一主義建築思想を完璧に具現して人民に何うらやむことのない生活を享受させ、チュチェ建築の面貌を一新するうえで建設部門の活動家が担っている任務はきわめて重大です。

わたしは、建設部門のすべての活動家と建設者が党の雄大な大建設構想を体し、偉大なわが国家の富強、発展と人民の福利のための新たな建設革命のもち場でひきつづき誇るべき偉勲を創造することで、朝鮮式社会主義の文明発展を力強く先導していくものと確信しています。

朝鮮人民革命軍創建九〇周年慶祝閲兵式でおこなった演説

二〇二二年四月二五日

勇敢なわれわれの朝鮮民主主義人民共和国武力の将兵諸君。
閲兵《えっぺい》部隊の指揮官、兵士諸君。
慶祝の広場に招待された参戦老兵と模範的な軍人、功労者のみなさん。
尊敬する平壌《ピョンヤン》市民のみなさん。
親愛なる同志のみなさん。

今日、われわれは偉大なわが党と国家、人民にとってじつに意義深く、喜ばしい記念日を祝う盛大な閲兵式をおこなうことになります。

長きにわたる建軍史の栄光がこのうえなく光り輝くいま、われわれは党と革命、祖国と人民をしっかり守りぬき、平和と安定を確固と保証しているみずからの武装力に対する大いなる自負にみちてこの場に列しました。

全国の人民は、勝利の軍旗を先頭にひるがえしてここ金日成広場に整列したたのもしい精鋭部隊の姿と、それを通じて共和国武力の現代性の高さを目のあたりにしながら、朝鮮における九〇年前の真の武力の誕生がわれわれの革命史と民族史にとって、そしてわが国家と人民の将来の発展にとっていかに深遠で偉大な意義をもつかを改めて考えさせられるでしょう。

朝鮮人民革命軍の創建は、民族解放、自力独立の旗を高くかかげて反帝決死抗戦を宣布した全民族的快挙であると同時に、強力な革命武力に依拠するチュチェ革命の新しい時代をきり拓いた歴史的なできごとでした。

このできごとの重大な意味は、歴史の嵐のなかで悲惨な運命を強いられていた人民が自己の民族軍隊と中興《ちゅうこう》の希望をもつようになったことにのみあるのではなく、わが民族の尊厳と自主権をおかす者とはあくまで武力をもって決着をつけようとする強靭《きょうじん》な反帝革命思想、主体的力によって人民の自由と解放、革命の勝利をかならず達成しようとする朝鮮の革命家のゆるぎない意志を内外に宣言したことにあります。

歴史は、わが人民の運命と未来をきり拓くために朝鮮の革命家たちが選択したこの決断と意志が至極正しかったということを如実に実証しました。

わが人民のすぐれた息子、娘が白頭《ペクトゥ》の密林で高くかかげた革命の武装は、噴出する朝鮮民族の独立精神であり、希望であり、偉大な団結の旗じるしであり、また涙にまみれていた朝鮮人の手に自尊の気概と強力な力をもたせた原動力でもありました。

まさにこの武装隊伍で朝鮮革命の遠大な構想が練りあげられ、帝国主義の暴政にうち勝つ不撓不屈《ふとうふくつ》の精神と鋼鉄のような力がきたえられ、朝鮮革命の発展で根本的かつ恒久的な意義をもつ偉大な伝統がきずかれました。

われわれの革命武力が創建当初から堅持し継承してきたその思想と信念、伝統は、比類なく熾烈《しれつ》な反帝対決戦ときびしい階級闘争の第一線で、変化する歴史的環境のなかで、自己本来の革命的かつ階級的性格と使命を銘記して党と革命を固守し、領土と人民を死守するうえで不滅の英雄主義と犠牲的精神を発揮させた精神力の源、百戦百勝の保証となりました。わが党と人民は、熾烈な血戦で祖国解放、民族再生の大業をなしとげ、無比の英雄的精神をもって米国を頭とする帝国主義連合勢力の武力侵攻を撃退して祖国の自主権と尊厳と安寧をりっぱに守りぬき、高潔な犠牲的精神を発揮して社会主義革命と建設の全期間、自己の政権党と政権、自己の領土と人民を死守し、百戦百勝の武勲をたててきた勇敢かつ強靭で、忠実な軍隊をもっていることをこのうえない栄誉、矜持《きょうじ》とみなしています。

われわれは、この地の貴重なすべての獲得物、すべてのものには何よりも革命軍隊の貢献が秘められていることを忘れてはなりません。

われわれの革命軍隊は、国家防衛の主体としてだけではなく、国家発展の強力な存在として、つねに党の構想を体して遠大な理想を実現する壮大な革命事業に献身することによって、社会主義建設の新しい歴史を創造し、偉大なわが国家の尊厳と栄誉を高く宣揚《せんよう》するうえでなんぴともなしえない偉勲をたてました。自己の党と政権、人民に対する忠実性を第一の生命、最高の栄誉とみなし、朝鮮革命の血統、朝鮮労働党の思想と偉業を決死擁護し、わが国家の存立と発展、人民の幸福を確固と保証してきた革命的武力の九〇星霜の不滅の功績により、一世紀にわたる朝鮮革命の歴史が勝利と栄光に輝くのです。

われわれはみな、困難をきわめた革命の各年代に偉大な武装力がつねに先頭にたって進軍路をきり拓き、栄光と誇りにみちた共和国の勝利の歴史が革命軍隊の高潔な血や汗と何ものにもかえられない犠牲の代価によってもたらされたということを永遠に忘れないでしょう。

まもなく、この勝利の閲兵式場を威風堂々と行進するであろう共和国武力の精鋭部隊の将兵と、いまも祖国の空と地、海の哨所で、そして社会主義建設の大戦域で偉勲をたてているすべてのわが軍人は、われわれの武力の栄えある歴史のれっきとした、誇らしい継承者、体現者です。

わたしは意義深いこの場を借りて、わが党と政府を代表して祖国の自主、独立と人民の解放のために、革命武力の強化発展と社会主義偉業の勝利の前進のために貴い生命をささげて戦った抗日革命烈士と人民軍烈士たちに崇高な敬意を表するとともに、革命烈士の代を継いで偉大な継承の道を歩んでいる朝鮮人民軍と共和国武力のすべての将兵に熱烈な祝賀の挨拶を送ります。

あわせて、愛する夫と息子、娘を国家防衛の第一線に送りだしたこの国のすべての家庭に心からの感謝の挨拶を送ります。

同志のみなさん。

祖国の富強と繁栄を武装をもって支えてきた革命武力の栄光に輝く九〇星霜の道のりは一〇〇年、一〇〇〇年とひき継がれなければなりません。

われわれはいまの時代に強兵の栄光をひきつづきとどろかせ、すぐる九〇年史とは比べようもないはやいスピードでより強くならなければなりません。

力と力が激突するいまの世界で国家の尊厳と国権、そして信頼しうる真の平和は、いかなる敵をもうち負かすことのできる強力な自衛力によって裏付けられます。

われわれは、ひきつづき強くならなければなりません。

みずからを守る力を養ううえで満足や終わりなどはありえず、誰とたちむかおうともわれわれの軍事的強勢はさらに確実なものにならなければなりません。

革命がこれを要求しており、子孫万代の将来がこれにかかっています。

われわれの革命武力建設の総路線は、人民軍を百戦百勝の軍隊に育てることです。

百戦百勝する軍隊、これが人民軍の永遠なる呼称、革命的武力のみが担っている高貴な名誉として輝くべきです。

人民軍はわが党の軍建設の方向と総路線を堅持し、革命武力発展の新たな段階を力強くきり拓かなければなりません。

そのためには政治思想強兵化、軍事技術強兵化を基本目標としてかかげ、われわれの武力を朝鮮労働党の指導にあくまで忠誠をつくし、革命偉業にかぎりなく忠実な思想と信念の強兵にいっそう強化し、いかなる戦争や危機にも躊躇《ちゅうちょ》することなく対応する勇気と能力、自信にみちている最精鋭強兵に発展させることにさらに拍車をかけなければなりません。

政治思想強兵化は、われわれの軍建設の基本であり、戦略的な第一の大課題です。

われわれの革命軍隊を党と人民の軍隊、階級の軍隊としての使命をまっとうすることができるようにし、いかなる形態の戦争や危機にも能動的に対処できるように育てあげるうえで基本は軍隊の政治的思想的準備であり、武装力の主体である軍人大衆の思想的精神的準備です。

われわれが今後もさらにつちかわせなければならない軍隊の徹底した革命精神、階級意識は、わが軍隊の戦闘力、国家防衛力をそなえるうえで決定的な役割を果たすことになります。

革命の世代はひきつづき交代しており、日増しに凶暴化している帝国主義と長期的にたちむかわなければならない朝鮮革命の特殊性は、白頭山に根差した偉大な革命思想と精神のバトンを確実に継承していくことを軍建設、反帝闘争の焦眉の戦略的課題として提起しており、われわれはこれを軍建設の核心としてとらえてこそ、われわれの革命武力の質的な優勢を確固と維持し、強化していくことができるのです。

人民軍内のすべての党組織と政治機関は思想革命にひきつづき力を入れ、軍人大衆の革命思想の培養、精神力の培養に総力を集中しなければなりません。

思想と信念の強兵を育成することを最優先し、すべての将兵をひたすら党中央の革命思想と意志どおりに戦い、徹底した階級意識と不屈の戦闘精神を体質化し、党中央が定めた標的の中心から寸分たがわず、たった一度の不発も知らない思想的近衛兵に育てあげなければなりません。

また、人民軍の戦闘力を飛躍的に向上させるための軍事技術強兵化を強力におしすすめなければなりません。

世界の軍事力の発展趨勢《すうせい》と急変するいまの戦争の様相は、われわれの軍隊を軍事技術的によりはやく近代化することを求めています。

軍近代化のスローガンを高くかかげて、人民軍を高度の軍事技術力を備えた強兵に強化、発展させることに全力をつくさなければなりません。

軍事人材育成システムの近代化をおしすすめて、各級の軍種、兵種部隊をたくみに指揮、統率できる有能な指揮官をより多く育成し、作戦、戦闘訓練の近代化の水準を高めて、全軍のすべての部隊、区分隊をいかなる戦闘任務をも円滑に遂行できるように育てあげなければなりません。

国防科学部門と軍需工業部門では新世代先端武装装備をひきつづき開発し、実戦配備して人民軍の軍事的威力をたえず向上させなければなりません。

とくに国力の象徴であり、われわれの軍事力の基本をなす核戦力を質と量の両面から強化して、いかなる戦争状況のもとでもそれぞれの作戦の目的や任務にしたがって、さまざまな手段をもって核戦闘能力を発揮できるようにすべきです。

現情勢は、共和国武力の現代性と軍事技術的強勢を恒久的に確実に保証するためのより積極的な措置を講じることをうながしています。

われわれは、激変する政治、軍事情勢と今後のあらゆる危機にそなえて、われわれがゆるぎなく歩んできた自衛的かつ近代的な武力建設の道をよりはやく、より力強くすすむでしょうし、とくにわが国家が保有している核戦力を最大の速度でいっそう強化発展させるための措置をひきつづき講じていくでしょう。

われわれの核戦力の基本的使命は戦争を抑止することですが、この地でわれわれが決して望まない状況が醸成《じょうせい》される場合にまで、われわれの核が戦争防止という一つの使命にだけ束縛されているわけにはいきません。

いかなる勢力であれ、わが国家の根本的利益を侵害しようとするならば、われわれの核戦力はその第二の使命を断固果たさざるを得ないでしょう。

共和国の核戦力は、いつでもその責任ある使命と特有の抑止力を稼動できるように徹底的に準備していなければなりません。

同志のみなさん、人民軍の将兵諸君。

いま、われわれの武力はどんな戦いにも自信をもって対応できる準備を整えています。

いかなる勢力でも朝鮮民主主義人民共和国との軍事対決を企図するならば、彼らは掃滅されるでしょう。

英雄的な朝鮮人民軍を中核とする朝鮮民主主義人民共和国のすべての武力は、つねに自己の偉業に対する確信をもち、自信にみちてあらゆる挑戦にたちむかって勇敢に突きすすむべきであり、人民の安寧と尊厳、幸福を守る聖なる使命を忠実に果たし、無敵の軍事的強勢を堅持してわれわれの社会主義の発展をしっかり保証しなければなりません。

共和国武力の将兵諸君。

みなさんの胸に革命烈士のあつい血と貴い精神が力強く脈うち、革命武力が朝鮮労働党の思想と意志、わが国家と人民の力の体現者としてつねに革命の陣頭にたっているかぎり、朝鮮式社会主義の偉業は今後も永遠に必勝不敗でしょう。

朝鮮人民軍とすべての共和国武力の指揮官、兵士諸君。

偉大なわが人民の安寧と幸福のために、

偉大なわが国家の無限の栄光と勝利のために力強くたたかっていきましょう。

偉大なわれわれの革命的武力万歳。

偉大なわが祖国―朝鮮民主主義人民共和国万歳。

各階層の同胞大衆の無限の力によって総聯隆盛の新時代をきり拓いていこう

―在日本朝鮮人総聯合会第二五回全体大会の参加者に送った書簡―

二〇二二年五月二八日

金日成主席の生誕一一〇周年と金正日総書記の生誕八〇周年を革命的大慶事、民族最大の大政治祭典として盛大に祝った意義深い年に、在日本朝鮮人総聯合会第二五回全体大会が開かれたことをうれしく思います。

わたしは、チュチェ朝鮮の尊厳と強大な威力が全世界に誇示されている激動の時期に内外の大きな関心と期待のもとに開かれた総聯第二五回全体大会に際して、大会の参加者をはじめとするすべての総聯活動家と在日同胞に、金日成主席と金正日総書記の心まであわせてもっとも熱烈な祝賀とあつい同胞愛をこめた挨拶を送ります。

わが共和国の尊厳ある海外公民団体である総聯を強化し、在日朝鮮人運動をたえず発展させていくうえで、総聯の最高議決機関である全体大会はじつに重要な位置を占めています。

顧みるに、革命の聖山白頭山《ペクトゥ》に根ざした在日朝鮮人運動がチュチェの軌道に確実に乗った総聯結成のあの日から今日にいたる長い道のりには、継承と革新、前進と跳躍の分水嶺《ぶんすいれい》となった全体大会が誇り高くしるされています。

総聯の創建者であり、建設者である金日成主席と金正日総書記は、総聯で全体大会がおこなわれるたびに愛の祝賀文を送って在日朝鮮人運動のすすむべき道を明示し、在日同胞の幸せな明日を祝福しました。

金日成主席と金正日総書記のチュチェの海外同胞運動思想と指導に忠実にしたがった総聯の活動家と在日同胞は、英知をもって異国の地であらゆる艱難辛苦《かんなんしんく》に耐えぬき、全体大会を契機に愛国、愛族の大きな山を一つずつこえてきました。

総聯と在日朝鮮人運動の歴史の全過程が刻苦奮闘の険路を歩まざるを得ない苦行の連続でしたが、第二四回全体大会以降のこの四年間は、敵対勢力の増大する反共和国、反総聯策動や世界的な大流行伝染病の拡散によって、すべてのわが同胞があまりにも多くの苦労に耐えなければならなかったきびしい試練の時期でした。

しかし、総聯の活動家と在日同胞は筆舌につくしがたい難関が折り重なるきびしい環境のもとでも、社会主義祖国と歩みをともにし、在日朝鮮人運動の新たな全盛期をひらくための闘争の各戦域で赫々《かっかく》たる勝利の凱歌を高らかにあげました。

祖国への往来が中断された劣悪な状況がつづくなかでも自己の本態を強く示し、祖国と民族のためにあつい愛国衷情《ちゅうじょう》をつくしてきた在日同胞の気高い精神世界をとおして、祖国の人民は大きな力を得、金日成主席と金正日総書記の愛国遺産である総聯の貴さをいっそう強く感じました。

わたしは、前代未聞の各年代に祖国の統一、発展と在日朝鮮人運動の勝利の前進のために貴重な生涯をおしみなくささげた韓徳銖《ハンドクス》同志、李珍珪《リジンギュ》同志、徐萬述《ソマンスル》同志、李季白《リケベク》同志をはじめとする総聯の老世代の幹部と有名無名の第一世の同胞に崇高な敬意を表します。

あわせて、社会主義祖国と運命の血筋をつないで異国の地であらゆる困難を果敢にのりこえ、いかなる名誉や報酬も望まず、在日朝鮮人運動の新たな全盛期をひらくための聖なる道に清らかな良心と信義を宝石のように織りなしているすべての総聯活動家と在日同胞にあつい感謝を送ります。

わたしはこの機会を借りて、総聯と在日同胞の正義の活動を積極的に支持、声援している日本の良心的な人士や平和愛好的な人民、各国の外交使節にも朝鮮労働党と共和国政府、そしてわたし自身の名で深い謝意をあらわします。

総聯と在日朝鮮人運動は、新たな全盛期をひらくためのこの一〇余年間の闘争を通じて大きく飛躍し、みずからを保存し維持する段階をこえてより高い目標をめざして前進する全面的発展期にはいりました。

このような時点で開催された総聯第二五回全体大会は、強盛総聯建設の遠大な抱負と理想を実現するための愛国、愛族の進軍を加速化するうえで重要な意義をもつ意義深い会合となるでしょう。

こんにち、総聯の基本的任務は各階層の同胞大衆の力を一つに結集して在日朝鮮人運動の新たな全盛期、総聯隆盛の新時代をさらに力強くきり拓いていくことです。

偉大な思想と血縁の情によってかたく団結した同胞の無限の力は、総聯と在日朝鮮人運動の永遠なる勝利の保証です。

これは、総聯と在日朝鮮人運動の歴史によって実証された絶対不変の真理であり、また第二四期総聯活動の誇らしい総括でもあります。

総聯は、愛国、愛族に燃える広範な同胞大衆の無限の力を唯一無二の原動力にして総聯隆盛の新時代を成功裏にきり拓かなければなりません。

総聯組織に提起される課題は第一に、総聯のすべての活動を同胞第一主義へ志向させ、一貫させていくことです。

同胞第一主義は偉大なチュチェ思想、人民大衆第一主義を在日朝鮮人運動の実践に具現した思想です。

チュチェ思想を指導思想としている総聯は当然、同胞第一主義組織になるべきであり、同胞第一主義のスローガンをかかげていかなければなりません。

総聯の各級組織と団体、事業体は、在日同胞の民主的民族権益の擁護者、代弁者として自主権と生存権、発展権を擁護、拡大するための闘争をつねに基本としてとらえるべきです。

総聯の活動家と同胞は、血と汗をもって総聯組織をうちたて、同胞の子女の学びの場を命を賭して守った第一世の念願を寸時も忘れず、教育権、企業権、生活権擁護の炎をさらに強く燃えあがらせるべきです。

各級の総聯組織と団体は、権利擁護活動を愛国、愛族の獲得物を守るための重大な問題とみなして徹底的に対応し、同胞の権益擁護のための大衆運動の幅をさらにひろげなければなりません。

総聯は、共和国の最高人民会議代議員をはじめとする在日同胞の祖国への往来をさまたげる日本当局の不当な制裁措置を撤回させるための闘争も強力に展開すべきです。

わが共和国政府は今後も、海外同胞権益擁護法にしたがって在日同胞の民主的民族権利と利益を擁護、保障するための国家的対策を徹底的に講じるでしょうし、同胞の自主権、生存権、発展権をしっかり保障するための特例措置をつぎつぎと実行するでしょう。

総聯の各級組織と団体、事業体は、あつい血縁の情を抱いて在日同胞の生活上の便宜をはかるための奉仕、福祉活動にも全力をつくすべきです。

異国の同胞を片時も忘れることなくあらゆる愛と恩情をそそいだ金日成主席と金正日総書記の意を体して、貴重な在日同胞の福利のために国の億万の財貨をもかたむけたいのがわたしの真情です。

総聯は、すべての事業と活動を展開するにあたって、同胞の要求と利益、便宜を最優先、絶対視し、同胞の生活と密着した奉仕、福祉活動を根気よくくりひろげ、その過程を通じて総聯組織に対する信頼度を強め、大衆的基盤を大幅にひろげなければなりません。

同胞生活相談所の運営を正常化し、結婚、就職、高齢者、障がい者問題をはじめとして同胞の生活上の要求を真心をこめて解決しなければなりません。

困難なときほど同胞のなかにより頻繁に、より深くはいって、同胞社会に徳と情をもってたがいに助け思いあう相互扶助の美風がみなぎるようにすべきです。

総聯は、在日同胞の生命や健康を見守る活動に万全を期するべきです。

地震と津波、台風がしばしば発生する日本で、同胞の生命と健康、住居を安全に守ることより緊切で重要なことはありません。

総聯は、各級機関と学校、同胞の家屋の耐震性も全般的に確かめて対策を講じ、自然災害がよく発生する地域の同胞に対してはいっそう気づかい、格別の関心をかたむけて、一人の同胞も不祥事にあうことがないようにすべきです。

総聯の先制的な対策と真心こもった奮闘により、世界的な大流行伝染病による同胞社会の被害状況はさほど大きなものではありませんが、絶対に自己満足したり気をゆるめたりすることなく、同胞の生命、安全保障にひきつづき全力をつくして、すべての同胞が無病息災にすごすようにしなければなりません。

総聯組織に提起される課題は第二に、民主的民族教育を在日朝鮮人運動の未来に責任をもつ教育、同胞が子女を安心してまかせる教育に強化発展させることです。

民主的民族教育は、総聯と在日朝鮮人運動の生命線であり、在日同胞社会の存立と将来がかかっている万年大計の愛国事業です。

それゆえ総聯の民主的民族教育は、徹頭徹尾、自分の領袖、自分の祖国、自分の民族をはっきりと認識させることに重点をおかなければなりません。

そのためには、教育活動家の隊列を総聯の愛国偉業の未来に責任をもつ職業的革命家の隊伍として精鋭化することに注力しなければなりません。

在日本朝鮮人教職員同盟は、すべての教員を新世紀の教育革命方針でしっかりと武装させ、彼らの教育者としての水準と能力を向上させることに重点をおき、指導と援助を着実におこなわなければなりません。

総聯の教育活動家は、在日朝鮮人運動の明日の運命に責任をもっているという大きな誇りと使命感を自覚し、民族教育の燦然《さんぜん》たる開花期を先頭にたってきり拓かなければなりません。

民族教育で主体性を確立し、世界的な教育発展の趨勢《すうせい》に即して教育の内容と方法をたえず革新すべきです。

各級学校で政治思想教育と民族性教育を確固と優先させながら、同胞の活動と生活に必要な知識と技術を教える方向で教育内容をさらに改善しなければなりません。

生徒や学生の年齢、心理的特性にあう新しい授業法、多様な課外教育方法も積極的に編みだし、たがいに共有しなければなりません。

総聯の各級学校の生徒、学生数を決定的にふやすべきです。組織全体がとりくんで生徒、学生うけ入れ活動と朝鮮大学校進学指導活動を責任をもっておこなうとともに、幼稚園の園児数をさらにふやし、準正規教育網の運営や拡大にも深い関心を払わなければなりません。

在日本朝鮮人教育会と各級組織や団体、事業体は、民族的自尊心をかけて同胞の子女に十分な教育条件と環境を保障するための活動をねばり強く展開すべきです。

父会《アボジ》、母会《オモニ》だけでなく総聯のすべての組織が民族教育事業を愛国事業の第一とし、学校を愛し支援する運動を一貫してくりひろげ、民族教育の正当性と生命力が遺憾なく発揮されるようにすべきです。

とくに、朝鮮大学校の事業をさらに改善、強化しなければなりません。

朝鮮大学校は金日成主席と金正日総書記がみずから建て、掌中の珠のように大事にしていた民主的民族教育の最高学府であり、この世にまたとない海外同胞大学です。

朝鮮大学校は、総聯の愛国偉業の未来を担ってたつたのもしい中核をより多く、よりりっぱに育てて、在日朝鮮人運動の一〇〇年の大計をしっかりと保証しなければなりません。

総聯の活動家と在日同胞はどこでどんな仕事をしようともつねに朝鮮大学校を心に抱き、総聯の継承者育成事業を物心両面から積極的に支援すべきです。

総聯組織に提起される課題は第三に、在日同胞社会の民族性を固守するための旋風をまき起こすことです。

民族性は祖国の人民も強くなければなりませんが、海外に住んでいる同胞であるほどより強くなければなりません。

民族を特徴づける第一の表徴はその民族の血統であり、第二の表徴は言語です。祖国と遠く離れた異国の地に住んでいる同胞にとって民族の血統を固守するところに愛国の真の姿があり、朝鮮語で話す時間はすなわち愛国で生きる時間です。

総聯は、同胞のあいだに血縁的つながりを結ぶ手段である朝鮮の言葉と文字を好んでつかうことが民族性固守の出発点、愛国の第一歩になるということを銘記し、総聯の組織と団体、機関と学校、家庭など同胞社会のどこでも美しく、優れた朝鮮の言葉が高らかに響くようにしなければなりません。

わが民族のすぐれた伝統と文化、風習が綿々とうけ継がれるようにすることにも深い関心を払うべきです。

総聯の出版、宣伝機関は、わが民族が創造した悠久《ゆうきゅう》の歴史と燦然たる文化遺産、単一の血統と高尚な良風美俗を紹介、宣伝することに時間と紙面をおしんではなりません。

総聯の新しい世代が、団結力と開拓の精神が強く、不正義を憎む朝鮮民族のたくましい気質と、目上の人を敬い、隣人とむつまじくすごし、父母妻子を愛する朝鮮民族のすぐれた良風美俗を純潔にうけ継いでいくようにすべきです。

同胞の家庭で古くから伝統的にひき継がれている民俗祝日に民族料理をつくって食することを極力奨励し、朝鮮学校でも生徒、学生に朝鮮服の仕立てやキムチの漬け方をはじめ民族料理をつくる方法もよく教え、民族音楽、舞踊サークルも盛んに運営すべきです。

同胞たちが民族服を愛し、好んで着るようにしなければなりません。

朝鮮チマチョゴリは、外国で国旗がなくても朝鮮人であることがわかるわが民族の象徴です。在日朝鮮人女性と朝鮮学校の女学生のあいだで朝鮮チマチョゴリを着るのが同胞社会のりっぱな風潮、一つの慣例になるようにすべきです。

総聯は民族性固守を全組織的、全同胞的な運動として力強くくりひろげて、在日同胞が世代を継いで異国の地に住んでも絶対に同化しない朝鮮の顔、民族の顔として脚光を浴びるようにすべきです。

総聯組織に提起される課題は第四に、わが国家第一主義時代にふさわしく、祖国の自主的統一と社会主義建設の全面的発展に特色ある寄与をすることです。

わが国家第一主義時代はわが共和国が歴史のあらゆる挑戦を果敢にのりこえ、国の尊厳と地位を高い境地にひき上げた自尊と繁栄の新時代です。

総聯の各級組織と在日同胞はこのような時代に生きている公民としての誇りと栄誉を胸にきざみつけ、祖国統一と国の全面的発展のための愛国事業に奮起すべきです。

祖国統一はこれ以上ひきのばすことのできない民族至上の課題であり、総聯と在日同胞に提起されているもっとも重大な愛国事業です。

総聯の祖国統一活動は本質上、金日成主席と金正日総書記がうちだし堅持してきた一つの朝鮮路線を擁護し、貫徹するための聖なる愛国闘争です。

総聯と在日同胞はわが党と共和国政府の祖国統一路線と方針を積極的に支持、擁護し、それを内外にひろく宣伝しなければなりません。

総聯は、民族大団結の旗じるしのもとで「民団」をはじめ組織外の同胞との民族団結事業を強化して統一愛国勢力をいっそう拡大し、彼らとの共同行動、共同闘争を活発に展開しなければなりません。

総聯は、海外にある朝鮮同胞組織との民族的きずなと連携を緊密にし、全民族的な統一戦線を形成するうえで海外中心軸としての役割をりっぱに果たすべきです。

総聯は、自主、民主、祖国統一のための南朝鮮人民の正義の活動を積極的に支持、声援し、米国と南朝鮮好戦勢力の分裂主義策動を糾弾、排撃する闘争をねばり強く展開しなければなりません。

いま、わが祖国は社会主義建設の全面的発展期にはいっています。

日進月歩で、時間を争って見違えるほど変貌するのが社会主義祖国の誇らしい現実です。

総聯と在日同胞は、社会主義祖国を断固擁護し、文明、富強の国家建設に積極的に寄与すべきです。

在日同胞は、たとえ身は異国の地にあっても心のなかに祖国を抱いて生き、社会主義祖国の絶対的な支持者、徹底した擁護者にならなければなりません。

建国の当初から今日にいたる長きにわたってわが共和国を支える礎石となり、大黒柱となったわが人民の不屈の群像のなかには、在日同胞の姿がありありときざまれています。

総聯と在日同胞は、祖国の強盛と繁栄に役立ってきた誇るべき伝統をうけ継いで、社会主義強国建設に特色ある寄与をしなければなりません。

総聯はチュチェの革命偉業、総聯の愛国偉業に有利な国際的環境をもたらすための対外活動を能動的にくりひろげなければなりません。

こんにち、総聯の対外活動の基本的任務は自主、平和、親善の理念のもとで日本をはじめとする世界各国人民のあいだにわれわれの支持者、共鳴者の隊伍をたえず拡大し、総聯と在日同胞社会の平穏と安定をはかることです。

総聯は、日本各界の人士との活動を伸縮自在におこない、民主勢力、朝鮮の統一を支持する連帯組織との活動に力を入れて、広範な日本人民のあいだでわが共和国と総聯に友好的な支持者、共鳴者の隊伍をひきつづき拡大しなければなりません。

各級組織と団体は、地域の対外活動にも相応の力を入れて、地方自治体が在日同胞の民主的民族権利と利益を擁護するための総聯の活動を積極的に支持し、協力するようにすべきです。

総聯は、駐日外国代表部との活動を用意周到におこなうとともに国際舞台に積極的に進出して、わが共和国の国益を断固擁護し、総聯組織と在日同胞の愛国、愛族活動に対する支持賛同の声がより大きく響くようにすべきです。

総聯隆盛の新しい時代を拓く重大な闘争課題を確実に遂行するためには、新たな環境と時代の要求に即して総聯を組織的、思想的にいっそう強化しなければなりません。

何よりもまず、チュチェの思想論をゆるぎなく堅持し、在日朝鮮人運動の前進の原動力を倍加させるための思想教育に第一義的な力をそそがなければなりません。

総聯隆盛の新しい時代への近道はただ一つ、同胞の心を一致させ彼らの精神力を最大限に発揮させるところにあります。

偉大性教育、愛国主義教育、朝鮮民族第一主義教育、在日朝鮮人運動の歴史と伝統についての教育、信念教育は総聯の思想活動の基本内容です。

総聯は、新しい世代をはじめ同胞のあいだで偉大性教育をいっそう強めることによって、祖国から遠く離れた異国の地でも金日成主席と金正日総書記の不滅の思想と慈愛深い歴史が永遠に力強く流れるようにすべきです。

思想教育の内容をどれ一つもおろそかにすることなく着実におこない、偉大性教育をしながらも愛国主義教育、信念教育をおこない、朝鮮民族第一主義教育をしながらも在日朝鮮人運動の歴史と伝統の教育をおこなわなければなりません。

とくに、愛国主義教育をわが国家第一主義と密接に結びつけて着実におこなうのが重要です。

総聯の各級組織と機関は、民族最大の祝日と共和国創建記念日、総聯結成記念日などに際し、実情にあわせて国旗掲揚式を恒例化しなければなりません。

各級学校も、わが国家の象徴物についての教育を強めるとともに、入学式や卒業式をはじめとするさまざまな契機に生徒、学生が愛国歌をうたったり自分の手で国旗も掲揚したりして、彼らの大切な夢がつねに社会主義祖国とつながるようにしなければなりません。

資本主義社会の日本でおこなわれる総聯の宣伝、文化活動には、公式化された方法や万能の処方などあり得ません。

総聯は、思想活動において形式主義を徹底的に根絶し、同胞が呼応し共感する教育方法をたえず探究、適用しなければなりません。

出版、宣伝物の浸透力と牽引力を不断に強めなければなりません。

朝鮮新報社と朝鮮通信社は、新聞とインターネットを通じてより多くの同胞に祖国と同胞に関するニュースを迅速に伝え、われわれの文化が中断することなく波及するようにすべきです。

在日本朝鮮文学芸術家同盟と金剛山《クムガンサン》歌劇団をはじめとする各宣伝、文化担当機関と芸術団体の機能と役割をさらに強め、地方歌舞団の公演と各種文芸サークル活動を活発におこなって、同胞社会が朝鮮の歌謡、朝鮮の拍子、朝鮮の踊りでにぎわうようにすべきです。

つぎに、総聯中央をはじめとする各級組織と団体、事業体を一心団結のとりで、愛国、愛族の堅固な城石としてかためるべきです。

総聯を一心団結のとりで、愛国、愛族の堅固な城石としてかためるということは、外部のあらゆる攻撃や非難から社会主義祖国を断固擁護し、同胞の生と幸福をしっかりと守る鉄壁のようにつくることを意味します。

在日朝鮮人運動の参謀部である総聯中央常任委員会の指導力を全面的に強化しなければなりません。

総聯中央は、組織内にチュチェの思想体系、指導体系を確立する活動を第一の生命線とし、すべての事業と活動をただ金日成主席と金正日総書記の遺訓通りに実行しなければなりません。

各級組織と団体、事業体に対する政策的指導を強め、組織の内部活動に大きな力をそそぐことで、隊伍の一心団結を強め、中核の代がしっかりひき継がれるようにすべきです。

総聯の各県本部の組織掌握力と実践力をたえず強めなければなりません。

県本部は、在日朝鮮人運動の地域的指導単位であり、総聯中央の地域別補佐単位です。

各県本部は、下部単位に対する事業体系を整然とうちたて、指導と援助を日常的におこなうことによって、中央の決定と指示がりっぱな結果をもたらすようにすべきです。

各本部の地域差をなくすための活動も目的意識的におこなって、中小本部が立ち上がり威力を発揮する新しい姿をつくりださなければなりません。

支部重視、分会重視の思想を確固と堅持し、すべての基層組織を愛国、愛族の光彩を放つ生気はつらつとした組織に強化しなければなりません。

支部を各階層の同胞のなかにしっかりと足をすえた支部、同胞中核が主動的な役割を果たす支部にしなければなりません。

各支部は、非専従活動家を積極的にひき入れて彼らの活動力をさらに高め、支部競争運動を持続的に展開することによって、すべての支部が全体大会の決定を貫徹するうえで実際的な実行単位としての使命を果たすようにすべきです。

同胞の基本生活単位であり、末端基層組織である分会が奮発してこそ、すべての組織が強化され、同胞社会の万事が順調にすすむようになるのです。

分会建設のもっとも理想的な目標は、偉大な真理で団結し、あつい情がかよいあうあたたかい同胞コミュニティーにすることです。

総聯は、分会代表者大会を全体大会におとらず重視し、分会の活動家の政治意識を高めるための活動を深化させて、すべての分会を健全かつ血気旺盛な組織にしなければなりません。

すべての分会は、分会強化のための四大課題を一貫して堅持し、愛国、愛族創造運動を根気よく展開して、同胞の暮らしているすべてのところで和睦と団結、愛国、愛族の熱気がたえずもりあがるようにすべきです。

また、総聯の階層別大衆団体の戦闘力をいっそう強めなければなりません。

資本主義社会の日本で家業と生存の重い負担を背負っていても、ひたすら祖国と民族のための道に自身の貴重なすべてのものをおしみなくささげている同胞商工人と新しい世代の青年、同胞女性のあつい真心と愛国心をぬきにして総聯の繁栄と栄える同胞社会は考えられません。

総聯の大衆団体は、思想教育団体としての任務をつねに自覚し、すべての会員や同盟員が前世代の気高い精神をゆるぎなくひき継ぐようにするとともに、同胞の志向と要求を反映した大衆運動を盛んにくりひろげる過程を通じて自己の隊伍を強化すべきです。

同胞商工人は昨日も今日もかわらぬ総聯の基本大衆であり、在日朝鮮人運動の主力部隊でもあります。

商工会をはじめとする経済団体は、同胞商工人の企業を保護し、活性化するための適切な対策を適時に講じ、世界経済の発展動向や趨勢をいちはやく把握し、専門化の水準を高めて、同胞の商企業活動を実利が得られるように助けるべきです。

在日本朝鮮青年商工会は、金正日総書記によって結成された青年商工人や学父母の世代を網羅している在日朝鮮人運動の主力部隊の後続隊です。

青年商工会は、結成初期にかかげたスローガン「裕福な同胞社会のために」、「子どもたちの未来のために」を青商会運動の基本種子、永遠なるテーマとしてとらえていかなければなりません。

また、新しい制服を着て朝鮮学校にかよう在日朝鮮学生少年の明るい姿に総聯の未来が映るということをつねに銘記し、民族教育支援活動をひきつづき先頭に立って主導しなければなりません。

総聯隆盛の新時代をめざした栄誉ある進軍路で先鋒隊、突撃隊の旗じるしは当然、同胞青年がかかげなければなりません。

在日本朝鮮青年同盟は、各級組織の自立性と独自性の向上に重点をおき、同胞青年の心理的特性にあう多様な大衆運動を力強くくりひろげることで、同胞社会を若さによって躍動する青年の舞台、新世代の舞台としてにぎわうようにすべきです。

在日本朝鮮留学生同盟も日本の大学にかよう同胞青年学生との活動をねばり強く展開して、彼らが朝鮮の精神、民族の魂をもって生きるように導くべきです。

在日本朝鮮民主女性同盟は、すべての在日同胞女性の権利と利益を代表する総聯の最大の大衆団体です。

子女に祖国愛を植えつけ、民族的自尊心を育んでくれる初の師も同胞女性であり、同胞の子女の美しい夢を叶え、民族教育の花園を労を費やして手入れする園芸師もほかならぬ在日朝鮮人女性です。

女性同盟の各級組織は、朝鮮学校を拠点にすべての愛国、愛族活動を組織、展開し、在日同胞社会を民族性が強く、むつまじい一つの大家庭につくりあげるうえで大きな役割を果たすべきです。

女性同盟は、愛国事業の実践できたえられた若い同胞女性たちを積極的におしたてて彼女らが代を継いで在日朝鮮人運動の片方の車輪をしっかりとおしすすめるようにすべきです。

つぎに、在日朝鮮人運動の指揮メンバーである総聯の活動家の活動方法と作風に根本的な転換をもたらさなければなりません。

総聯の活動家は在日同胞の運命をみずから担い、愛国の道を歩む職業的な政治活動家であり、わが祖国がもっとも大事にし、おしたてる海外の革命同志です。

わが祖国は総聯の活動家に、日本に住む朝鮮人の尊厳と運命を全的に託しており、すべての活動家が不退転の覚悟と熱情を抱き、祖国と民族からあたえられた使命と本分をまっとうすることを期待しています。

すべての総聯活動家は正しい大衆観点を確立し、骨身をおしまず各階層の同胞との活動をりっぱにおこなわなければなりません。

総聯の活動家は同胞大衆をもっとも大切で有力な存在とみなし、天のごとく敬い、つねに同胞のなかに深くはいって彼らの力を信じ、彼らに依拠して活動すべきです。

つねに同胞とともにいながら、肉親と家事を相談するように同胞たちと膝をまじえてもちあがった問題の解決方途をみいだし、彼らの精神力を奮起させて万事を解決していくことを慣習化しなければなりません。

自分の管下の同胞たちの心を隅々までくみとり、それにあわせてもろもろの活動方法を駆使して大衆との活動を斬新におこなわなければなりません。

総聯の活動家は同胞たちをかぎりなく尊敬し、同胞大衆を鑑としてつねに自身を省みながら絶対に初心を忘れてはなりません。

すべての総聯活動家は「同胞に滅私奉仕しよう」というスローガンをより高くかかげて、同胞たちの幸せな生活と安泰のために心魂をかたむける誠実かつ勤勉な忠僕にならなければなりません。

同胞への熱烈な愛と献身、活動家と同胞のあいだに行き交うあたたかい情はすなわち総聯の力です。

総聯の活動家は同胞の要求が一〇〇、一〇〇〇であってもどれ一つとしておろそかにしてはならず、すべてを最高のレベルで解決するために靴の底がすり減るほど走りに走らなければなりません。

総聯の活動家は独り暮らしの孤独な同胞には孝心のあつい子どもになり、生活上の苦衷をなめる同胞にはむつまじい兄弟、姉妹になり、むし暑いときには涼しい風に、寒いときには焚き火になって同胞の面倒をみなければなりません。

総聯の活動家は、生活に困っている同胞であればあるほどもっと気づかい、性根がゆがめられた同胞であればあるほどもっと近寄って彼らの生活上の苦衷や心のわだかまりを解いてやり、高い人格とひろい度量をもってすべての同胞を懐《ふところ》に抱いて愛国、愛族の道に導かなければなりません。

すべての総聯活動家は、わが同胞のあらゆる夢と理想をりっぱにかなえてやろうとする祖国の切実な頼みを肝に銘じ、同胞へのあつい愛と献身的奉仕精神をもって、在日朝鮮人運動の新たな勝利にむけていっそう力強く邁進《まいしん》しなければなりません。

総聯重視、海外同胞重視はわが共和国の永遠なる国策です。

わが党と共和国政府は、金日成主席と金正日総書記の愛国遺産である総聯を何よりも大事にし、あらゆる面から守るでしょうし、格別な情をかたむけて「祖国の愛はあたたかい」の歌声がチュチェの海外同胞運動史とともに永遠に鳴り響くようにするでしょう。

わたしはすべての大会参加者が、総聯隆盛の輝かしい設計図にそって貴重なわが同胞のために、愛するわが次世代のために、勇気百倍してすすむであろうことを確信しつつ、総聯第二五回全体大会が在日朝鮮人運動の新たな全盛期の高峰をめざしてつきすすむ偉大な転換の里程標としてりっぱに飾られるよう期待します。

祖国解放戦争参戦者はわが共和国のもっとも英雄的な世代である

―戦勝六九周年記念行事でおこなった演説―

二〇二二年七月二七日

尊敬する祖国解放戦争参戦者のみなさん。

革命の大先輩とこの意義深い席をともにしている戦勝革命史跡部門の講師と活動家、人民軍軍人と青年大学生、革命学院の生徒のみなさん。

親愛なる平壌《ピョンヤン》市民のみなさん。

愛する人民のみなさん。

同志のみなさん。

大きな自負と大切な追憶を抱いてふたたび迎えた勝利の七・二七です。

世紀的な奇跡が生まれたあの日から二万五二〇三日の長い歳月が流れましたが、戦勝の歓喜と栄光がまさに昨日のことのように思われ、毎年そうであったように、今日のわれわれの感激と自負はかぎりないものです。

同志のみなさん。

わが祖国に不滅の栄光と名声をもたらした偉大な戦勝節を熱烈に祝います。

尊敬する老兵のみなさん。

国の事情も困難なうえに、このまえは保健医療危機にまでみまわれた状況にあっても、今日このようにみなさんがお体を大事にしてくれてありがたいかぎりです。

本当にありがとうございます。

同志のみなさん。

いま、全国は祖国の自主権と栄誉を守って青春も生命もおしみなくささげて戦った人民軍烈士と革命烈士の輝かしい生をふりかえり、彼らの偉大な精神と気概が永遠に生きつづけることを願いつつ、崇高な敬意を表しています。

数多くの有名無名の参戦烈士がすでに他界し、この場に同席できなかった老兵たちも多いのですが、彼らは自分たちが血をもって、命を賭して守った祖国の懐《ふところ》に抱かれており、この瞬間、われわれとともに栄光の夜を迎えています。

わたしは、参戦老兵たちが健康で長生きして今後もこのように誇らしい老兵大会がひきつづき開かれることを望みつつ、党と政府の委任により、わが人民にとわに偉大な戦勝を祝う特典とこのうえない栄光を与えた一九五〇年代の勝利者に崇高な敬意を表するとともに、わが社会主義国家の存立と発展の礎石をもたらし、こんにちもわれわれに精神的支柱として大きな力になってくださる全国の老兵たちと戦時功労者たちに心からのあつい挨拶を送ります。

あわせて、わが参戦老兵たちの家族と、老兵たちの健康や生活を見守って心血をそそぎ、真心をつくしているありがたい方すべてに謝意を表します。

またこの席を借りて、帝国主義の侵略を撃退する同じ塹壕《ざんごう》でわが軍隊と人民と生死をともにし、貴い血をおしみなくささげた中国人民志願軍烈士たちに崇高な敬意をあらわし、志願軍の老兵たちにもあつい挨拶を送ります。

同志のみなさん。

七月二七日は、わが国家の意義深く喜ばしい祝日のなかでも勝利を記念する格別に誇り高い祝日です。

どの国、どの人民にとっても、自分の運命をけっする戦争で勝利したことほど誇らしく輝かしい栄光と栄誉はありません。

祖国解放戦争は、わが共和国にとって領土と人民を死守するための生死存亡の祖国防衛戦であり、第二次世界大戦以降、民主主義陣営と帝国主義陣営が対立した両極間のはじめての激烈な対決戦でした。

アメリカ帝国主義が自国の軍隊のみならず膨大な追随国の軍隊まで朝鮮戦争に投入したという事実自体が、朝鮮戦争の熾烈《しれつ》さと国際的性格を示すものです。

創建後二年しかならない新生国家の幼弱な軍隊が、地球上のもっとも暴悪なアメリカ帝国主義侵略軍とその追随国軍を相手にするのは文字通り衆寡《しゅうか》敵せずの戦いでした。

しかし、歴史が厳正に記録した通り、一挙にわが領土を併呑《へいどん》し、自分の支配圏を拡大しようとしたアメリカ帝国主義の傲慢《ごうまん》な侵略の野望は、最初から前代未聞の強力な反撃とはかりしれない勇敢さに直面し、三年間にわたる苦戦の末、停戦協定の調印で完全に挫折してしまいました。

朝鮮戦争でアメリカ帝国主義とその同盟国の軍事力は甚大な敗北を喫したのです。

共和国の尊厳と名誉、自主権を死守し、国家の自主的発展の環境を守りぬき、アメリカ帝国主義者の世界制覇戦略の実行を阻止し、新しい世界大戦を防いで人類の平和を守ったところに、わが民族史と世界戦争史に堂々たる地位を占める祖国解放戦争での勝利の大きな意義があります。

地球の東方の一角で反帝闘争のもっともするどい最前線を固守した偉大な祖国解放戦争の勝利こそ、侵略者に対する守護者の勝利、不正義と反動に対する正義と進歩の勝利であり、いかに強大で、優勢な侵略者でも決死抗戦に立ち上がった軍隊と人民にはかなわないという哲理を実証した人類史的な勝利です。

この伝説の奇跡を生んだ主人公がまさにここにおられる老兵のみなさんであり、みなさんがいまも忘れていない数多くの戦友たちです。

勇敢な戦火の祖国防衛者たちが砲煙弾雨のなかで肉弾となって開いた無数の殲滅《せんめつ》の道を経て勝利という大きな栄光が生まれ、進撃の先頭に高くかかげた共和国旗は英雄朝鮮の息子、娘たちの貴い鮮血でより濃く染まり、英雄性と勝利と正義の象徴として、反帝闘争の不滅の旗じるしとして全世界に広く知られるようになりました。

同志のみなさん。

いまのように国情が困難をきわめているとき、生死存亡のきびしい戦争危機に躊躇《ちゅうちょ》することなくたちむかった老兵世代の不屈の気概がより大切なものとして胸にせまります。

周知のように祖国解放戦争参戦者は、誰もが平凡な若者でしたが、祖国を守る戦場ではけっして平凡でない民族のりっぱな息子と娘たちでした。

職場と学園であまりにも純朴だった人々が勇躍軍隊に志願し、アメリカ帝国主義侵略軍と勇敢に戦うことができたのは、まさに自分の党、自分の政権に対する信頼、われわれはかならず勝つという信念がかたく、新しい国の主人、新しい生活の主人としての権利を守ろうとする意志が強かったからです。

われわれの老兵世代はありがたい自分の制度、自分の故郷と職場、自分の父母兄弟への愛をもって、またそれをすべてうばおうとする敵への憎悪をもってきびしい試練や胸のいたむ犠牲を果敢にのりこえ、無比の集団的英雄主義を発揮して残忍かつ野蛮な侵略者に恐怖と絶望をあたえました。

素朴かつ平凡な人間が自分のものを守って死をも辞さず決起すれば、どんなおどろくべき奇跡が創造されるかを如実に示したのがわれわれの偉大な祖国解放戦争でした。

このように血を流して祖国の尊厳と名誉、領土と自主権を守りぬきましたが、一生涯かわることなく、私心を去って堅実かつ剛直に祖国のために献身し、つぎの世代に愛国的人生の模範を示したところに、われわれの参戦老兵にのみ見られる真の人間像、高潔な品性があるのです。

有名無名の祖国解放戦争参戦者がつみあげた不滅の功労をぬきにしては、戦勝世代がささげてきた一点の曇りもない純潔な献身的服務をぬきにしては、われわれの貴重な社会主義制度とこんにちに至ってより強大になる偉大なわが国家を考えることができません。

じつに参戦老兵たちは、歴史の風波のなかでも確固不抜なわが共和国の礎石をかためたもっとも英雄的な世代であり、百折不撓《ひゃくせつふとう》の偉大な朝鮮人民の典型です。

みなさんが一生涯発揮してきた忠実性と勇敢さ、愛国心はこんにち、数千万の人民のなかでそのまま脈うっており、一九五〇年代のきびしい戦火のなかで生まれた偉大、かつすぐれたその特質を自分の遺伝性として身につけているので、朝鮮革命は世代を継いでも、いかなる困難のなかでも挫折や後退を知らず、自分の偉業を自分の力でねばり強く開拓していくのです。

同志のみなさん。

われわれにとって戦勝の日は、たんにすぎさった英雄時代の抗戦史を記念し、ふりかえってみる慶祝の日として、追憶のみにとどまるものではありません。

この日はもっとも苛烈をきわめた年代にもっとも偉大な勝利をもたらした歴史の体現者、目撃者のまえで、こんにち、われわれの闘争がその偉大な伝統の継承であると堂々と自負できるかどうかをふりかえって、信念と勇気をかため、熱情と闘志を強める貴く意義のある契機です。

こんにち、われわれには戦勝世代が七〇年前にとどろかせた国家の栄光と栄誉を、現時代の高さにあわせていっそう輝かせ、つぎの世代へとしっかりとひき継がせるべき重大な歴史的責任が担わされています。

戦勝世代がそうであったように、われわれもつぎの世代のために不断に奮闘しなければなりません。

戦火の英雄精神をしっかりとうけとめて国防力をさらに強化することは、共和国の国益守護と自主的発展の根本的保証です。

祖国解放戦争時期から核の威嚇《いかく》をためらいなく加えてきた米国と鋭く対峙してきた朝鮮革命のこれまでの歴史的環境は、何よりもまず、わが国家の自衛力を相応の水準にひき上げることを求めました し、われわれは困難な闘争を通じてこの切実な歴史的課題を実現しました。

わが共和国が戦後ほぼ七〇年間にわたるきびしい反米対決のなかで社会主義を固守し、自衛のための戦略的潜在力を強力に備蓄したのは、祖国解放戦争で達成した勝利におとらぬ、それよりもっと偉大な勝利であります。

しかし、われわれはここにとどまるわけにはいきません。

わが民族の現代史にもっとも重大な危害をおよぼした米国は、こんにちもわが共和国に対する危険な敵対行為を中止していません。

アメリカ帝国主義は「同盟」強化という美名のもとに、南朝鮮当局をあおりたてて自殺的な反共和国対決へとそそのかす一方、われわれとの軍事的対決を追求し、根も葉もない「脅威説」を執拗に喧伝しています。

ありもしないわれわれの「脅威説」を考案し、それを「信憑性《しんぴょう》」があるように流布《るふ》させた後、われわれを圧迫するための名分にするのがまさにアメリカ帝国主義の体質化した政策実行の手法です。

アメリカ帝国主義は、最近も国際的に反共和国世論をしつこく拡散させ、いつものようにわが国家を地域情勢の安定を破壊する「張本人」、「危険国家」と言いふらしています。

わが武力の平常の行動をすべて「挑発」、「威嚇」とミスリードしている米国が、わが国家の安全を極度におびやかす大規模の合同軍事演習を公然とおこなっている二重的行為は文字通り強盗さながらのものであり、これは朝米関係をこれ以上逆戻りさせることのできない限界に、激突状態に追いこんでいます。

アメリカ帝国主義が、わが国家に対する国際的な認識と世論をあやつって「悪魔化」することに固執しているのは、世界平和の攪乱者としての彼らの侵略的正体をおおいかくし、不法無道な敵視政策を正当化するための常套《じょうとう》手段にすぎません。

すでにわたしは、国家の安全を確実に保証するためには、対話にも対決にもすべて準備していなければならず、とくに対決にはいっそう手抜かりなく準備していかなければならないと言明しました。

アメリカ帝国主義の傲慢さはむかしもいまもかわりありません。

アメリカ帝国主義とは思想と武装をもってあくまでたちむかわなければなりません。

朝鮮民主主義人民共和国は、米国とのいかなる軍事的衝突にも対応しうる徹底した準備ができていることを今一度確言します。

米国がひきつづきわが国家のイメージを傷つけ、われわれの安全と根本的利益を甚だしく侵害しようとするなら、かならずより大きな不安と危機を甘受せざるを得なくなるでしょう。

わが共和国政府はこの機会を借りて、力に対する不正常な強欲や過信におちいりはげしく動揺し、米国の対朝鮮敵視政策の実行に奔走《ほんそう》している南朝鮮の保守「政権」と好戦分子にも厳重に警告したいと思います。

戦勝節を祝う花火が打ち上げられるこの夜、この瞬間にも、二五〇余キロの前線の南側では憎むべき対決者、無頼漢たちが軍事的に暴走してわが国家をおびやかすさまざまな軍事行動をくりひろげています。

今年政権の座についた南朝鮮の保守「政権」は、歴代のどの保守「政権」をもしのぐ極悪非道な同族対決政策と事大主義的売国行為を追求し、朝鮮半島の情勢を戦争瀬戸際に追いやっています。

いま、南朝鮮の新「政権」は、またもやわれわれの政権と軍隊を「主敵」と定め、同族対決状況にそなえるという過剰な恐怖にかられてさまざまな悪態をついて、あらゆる悪事を働き、不適切な行為をとっています。

彼らは「力による平和」と「力による安保」を公然と唱えており、わが国家の戦争抑止力を無力化させる「先制打撃」も辞さないとうそぶいています。

この時刻にも南朝鮮は、われわれに比べた自分らの軍事力の劣勢を少しでも挽回しようとして兵器開発および防衛産業強化策動にいっそう熱をあげ、米国の核戦略装備を大々的にひき入れようとしており、いろいろな名目の軍事演習を拡大しています。

しかし、最近になってみずからの安保に関してより頻繁になっている南朝鮮の連中の虚勢を張る発言やさまざまな醜態は、核保有国の目と鼻の先で生存しなければならない宿命的な不安感からでたものとみなすべきでしょう。

南朝鮮当局者たちが自分勝手に吐く虚勢じみた発言が南の国民には信頼できる鉄桶《てっとう》の安保態勢と先進軍事力として認識され、慰めになるかも知れませんが、わたしにはなすすべも知らず戦々恐々としているぶざまな格好にしか見えません。

南朝鮮の連中が何らかの「韓国型三軸システム」という概念を定立して核心戦力を培養すると騒ぎたて、やみくもにつきすすんでいますが、南朝鮮はわれわれに比べた軍事的劣勢を宿命的なものとしてうけ入れざるを得ず、いつまで経っても絶対に挽回することはできないでしょう。

自分らが実際に一番おそれる絶対兵器を保有しているわが国家を相手に軍事的行動を云々するのは不当千万なことであり、危険きわまる自滅行為です。

南朝鮮の「政権」と軍部のならず者がわれわれとの軍事的対決をたくらみ、ある種の特定の軍事的手段や方法にたよって先制的にわれわれの軍事力の一部分を無力化したり、破壊することができると思うなら、とんでもない。

そのような危険な企図は即刻強力な力によって膺懲《ようちょう》されるでしょうし、尹錫悦《ユンソギョル》「政権」と彼の軍隊は全滅するでしょう。

南朝鮮の保守「政権」は、はじめから甚だ度をこしたことと、みずから危険をまねくようなことは熟慮すべきだということを手遅れにならないうちに自認すべきです。

われわれは、尹錫悦が執権前と執権後のさまざまな契機に吐いた妄言や醜態をはっきりおぼえています。

また、南朝鮮の軍部のならず者が最近吐きだした分別のない放言も聞いているし、米国とともにおこなう注目すべき軍事的行動を一つも見逃さず注視しています。

これ以上、尹錫悦と軍部のならず者が演ずる醜態と虚勢ぶりを黙って座視するわけにはいきません。

いつまでも強盗さながらの論理でわれわれの自衛権行使に言いがかりをつけ、われわれの安全をおびやかしながら軍事的緊張を激化させるいまのようなふるまいをつづけるならば、相応の代価を払うことになるでしょう。

もっとも危険な俎上《そじょう》の大統領、もっとも大きな危険にさらされた「政権」という指弾を避けようとするなら、より熟考し、口先より頭をもっとつかうべきであり、ときを選ばずわれわれに言いがかりをつけようとせず、一番よいのはいっさいわれわれを相手にしないほうが上策でしょう。

同志のみなさん。

いまわれわれの武装力はいかなる危機にも対応しうる万端の準備ができており、わが国家の核戦争抑止力もまた絶対的なみずからの力をその使命に忠実に、確実に、迅速に動員しうる万全の態勢を整えています。

老兵たちが血をもって守ったこの地の安全と、この国の制度と主権は、いっそう強固になった自衛的防衛力と強靭《きょうじん》な精神によって徹底的に保証されているということを確言します。

われわれはより強くなるでしょう。

わが共和国政府は、ますます強くなる徹底した軍事力と透徹な反帝反米、対南対敵精神をもってわが国家と人民、われわれの自主権を鉄のごとく守りぬくでしょう。

敵の悪辣《あくらつ》な軍備拡張策動と危険な軍事的企図をより徹底的に制圧粉砕すべきわが革命の情勢は、われわれの軍事力のよりすみやかな変化を求めており、この歴史的課題の責任ある実現のためにわが党中央は最近、国家防衛力の発展戦略に関する任務を確定し、正確な実行へと導いています。

戦争は力と力のはげしい衝突ではあるが、勝利はつねに愛が熱烈で信念の強い側にあり、これは先端軍事技術が総動員されるこんにちの戦場でもかわることがありません。

われわれの人民軍は強大さと百戦百勝の源である政治的、思想的優越性を強く発揚させることにつねに大きな力を入れて、不屈の革命精神と無比の勇敢さ、強い闘志によっておそるべき打撃力を発揮する世界一の強兵になるでしょう。

すべての人民は戦勝世代のように一身上の苦楽をみな祖国の運命と結びつけ、愛国の道に衷情《ちゅうじょう》をつくす精神をもって前進途上に横たわる困難に果敢にたちむかい、不屈の意志をもって社会主義建設に奮闘すべきです。

反帝階級闘争はすなわち自分自身の運命を守り、祖国を守る戦いだということを瞬時も忘れず、透徹した階級意識をもって各自の持ち場や職場で革新的成果をおさめるとき、われわれの創造と建設は加速化するでしょうし、敵対勢力にはさらなる打撃となるでしょう。

戦勝世代の英雄精神をりっぱにうけ継ぎ、祖国の百年の大計を偉大な勝利につないでいくべき継承者、交代者はわれわれの新しい世代です。

わが党と政府は、数百万の青年たちを祖国解放戦争参戦者がゆずりわたした精神的バトンをしっかりとうけ継いでいく熱血の革命家、愛国闘士として育てることにつねに第一義的な力を入れるでしょう。

すべての青年は、戦場でいかに勇敢に戦い、自分の国旗をいかに死守すべきかを教えてくれた老兵世代のように、祖国防衛の聖なる道に血潮たぎる心をささげなければならず、社会主義建設の各部門で青春の熱情と集団的英雄主義を発揮して奇跡と偉勲をたて、自分の時代をいま一つの新しい英雄時代に輝かせなければなりません。

全国の戦勝革命史跡部門の講師と活動家は、人民と人民軍将兵、育ちゆく新しい世代に金日成主席とわが党の卓抜した戦勝指導業績と一九五〇年代祖国防衛者たちの英雄的闘争精神を深く植えつける力強い宣伝者、教育者としての責任と本分をまっとうしなければなりません。

同志のみなさん。

歳月が流れ山河がかわっても、英雄的な闘争精神によって世代と世代が一つの血筋でしっかりと結ばれ、つきることのない一つの生命体をなしているところにわが国家、わが人民特有の不敗の力があるのです。

偉大な戦勝の歴史と伝統をしっかりとつないでいくわが共和国はつねに必勝不敗でしょう。

もっともきびしい年代にわが国家と民族を救い、未来を守りぬいた祖国解放戦争参戦者の功績は無窮に繁栄するわが共和国とともに永遠に輝くでしょう。

尊敬する老兵のみなさん。

われわれは英雄的な戦勝世代の精神と気概をうけ継いでより力強く、より強靭にたたかうことによって、みなさんが死守したこの地に強大かつ繁栄する社会主義楽園をかならずうちたてるでしょう。

重ねて言うことですが、老兵のみなさんが傍《そば》にいてくださるだけでもわれわれにはじつに大きな力となり鼓舞になります。

くれぐれもご健康に留意することを再三願うとともに、なにとぞ貴重なお体を大事にして長生きされることを切にお祈りします。

同志のみなさん。

偉大なわれらの七・二七万歳。

栄えあるわが祖国―朝鮮民主主義人民共和国万歳。

防疫戦争での勝利を強固にし国家と人民の安全をいっそう確実に保証しよう

——全国非常防疫総括会議でおこなった演説——

二〇二二年八月一〇日

全国の防疫および保健医療部門従事者のみなさん。
国境と前線、海岸地帯に派遣された党代表と軍部隊の指揮官のみなさん。
国家非常防疫司令部と非常防疫師団、連隊、大隊の指揮メンバーのみなさん。
防疫活動に寄与した支援者のみなさん。
親愛なる同志のみなさん。

あれほど困難をきわめていた防疫戦争はいままさに終結し、今日われわれはついに勝利を宣言することになりました。

共和国領土に悪性伝染病がはいったときからは一〇〇余日、伝染病が全国的規模へと急速にひろまることにそなえて、わが国での防疫活動を最大非常防疫システムに移行させたときからは九一日という時間が経ちました。

この期間、全党、全国、全人民は、剛毅《ごうき》な意志と必死の努力をもってきびしい伝染病危機を打開し、防疫形勢を安定、回復させるうえで大きな成果をおさめました。

わが党と政府は現在の防疫状況を評価し、科学研究部門が提出した具体的な分析資料にもとづいて、国に生じた悪性伝染病危機が完全に解消されたという結論に到達しました。

最大非常防疫システムが稼動してからいままでの状況をまとめてみると、悪性伝染病が発生した当初、一日数十万人に達していた発熱者数が一ヵ月後には九万人以下に減り、持続的な減少傾向を維持して七月二九日からは悪性ウイルス感染者と疑われる発熱者が一人も発生しませんでした。

この期間、死者は計七四人で、致命率においては世界保健医療界の空前絶後の奇跡となるきわめて低い数値が記録されました。

全国的な感染者の発生数は昨日まで一二日間もゼロを記録し、最後の全快者が報告されたときからも七日間が経ちました。

これで、わが領土を最短期間内に悪性ウイルスのない清潔地域にするというわれわれの非常防疫闘争の目標が達成されました。

国内で悪性伝染病の再発を根源的に防止できる条件が整えられたことも、防疫危機の収束を確信しうる有力な根拠となります。

まず、最後の感染者たちがみな全快し、ＰＣＲ検査においても陰性と判明したため、わが国では新型コロナウイルスの伝染源が完全に除去され、全社会的に防疫規定遵守《じゅんしゅ》の気風が確立し、消毒活動がさらに強化されて悪性ウイルスが伝播《でんぱ》しうるいろいろなルートが遮断されました。

そして、わが国にステルスオミクロン変異ウイルスがはいったルートを科学的に最終確証し、それにもとづいてこれに対する遮断と封鎖、監視がより強化され、ゴミを発見し次第すぐ収去、焼却、埋没処理する秩序と、輸入物資に対する防疫学的安全性を保証する活動が深化して、外部からいかなる変異ウイルスもはいりこめないようにしたことがいま一つの重要な根拠だと言えます。

この期間、悪性伝染病感染者がみなステルスオミクロン変異ウイルス「ＢＡ・２」による感染者と判明することによって、いかなる新しい変異型や亜型も発生したり、はいってこなかったということが確認されました。

これらの事実からして、わが国に生じた悪性伝染病事態が収束したことを十分に確信することができます。

わたしは、わが国家、わが人民が史上初の保健危機にうち勝ち、ついにとりもどした安定と平穏をうれしい気持ちで確かめるこの場で、党中央委員会と共和国政府を代表して、領内にはいった新型コロナウイルスを撲滅し、人民の生命、健康を保護するための最大非常防疫戦で勝利を勝ちとったことを宣言します。

全世界を破局的な状況に追いこんだ世界公共分野の最高の危険事態から国家と人民の安寧をしっかりと守りぬき、われわれが直面したもっとも重大かつ脅威的な挑戦をこのように短期間にとりのぞいたのはいま一つの輝かしい勝利であり、また、わが党と国家と人民の偉大な力を今一度全世界に誇示した歴史的なできごとです。

これに関連してわが党と政府は、この五月一二日から稼動した最大非常防疫システムを今日から緊張、強化の正常防疫システムに防疫等級を落とすことにします。

わたしはこの場を借りて、不屈の信念と強靭《きょうじん》な忍耐、真の団結によって安危存亡の事態から自分自身とみなの安寧と平穏、そして子どもたちの健康と笑顔を守りぬき、今回の防疫大戦を成功裏に終結した全国の人民と人民軍将兵に熱烈な祝賀を送ります。

同志のみなさん。

喜びと誇りがみちあふれる瞬間ですが、なぜかこの席に立つと、ここに来るまであれほど心を重くおさえていた形容しがたい重圧感と責任感が改めて感じられます。

この九一日間はわれわれの闘争領域でけっして長くない期間ですが、一日一日が一年、一〇年のように感じられる息の詰まる緊張の連続であり、文字通りきびしい戦争でした。

世界的な大流行病の発生当初から超特級の非常防疫障壁を構築し、頑強《がんきょう》に堅持しながら二年以上も平穏をたもっていたわが国に悪性ウイルスがはいりこんだという現実をまえにして、率直に言って心は錯綜《さくそう》していました。

それは、わたしには命懸けで無条件に守らなければならない人民がいたからです。

うれしいときも、苦しいときもわたしを支持し、困難なときにさえわたしを励まし、いつも後押しして立ち上がらせてくれる「人民」という存在は、わたしにとってたった一人も絶対に失うことはできず、失ってもならない血肉のようなものでした。

日に数十万人もの感染者が急増する目前の危機は、国の運命がこのままつきるのかという最悪の場合をも見通して最大限に自覚し、決死の覚悟で奮発しなければならないきわめて危急の国家最大の危機事態でした。

防疫基盤と保健医療土台が脆弱《ぜいじゃく》で防疫経験もない状況下で、国家の安全と数千万人民の生命を直接おびやかす横暴な悪性ウイルスとの戦争で勝つためにはどうすべきか、一分一秒を争う時間獲得戦において、これに対する反応力さえなかった国家機関が機敏に動き、正確な機能と役割を果たすようにするためにはどうすべきか、また、そのために国家の活動全般と人民生活に重なるきびしい試練の局面を逆転させるためには果たして何からどうすべきかという重い歴史的課題は、わが党の指導力を今一度冷徹に検証する試金石となりました。

しかし、はじめて直面した国難にもわが党はわが人民の大いなる信頼を胸に秘め、人民に奉仕する自己本然の姿勢と立場に忠実であったし、また特有の決断力ある強力な政治的指導力を正しく発揮しながら国家の防疫紀綱を確立し、ウイルス撲滅闘争を勝利へと導きました。

同志のみなさん。

党と人民が血縁的に結ばれた堅固な信頼は、偉大な奇跡を生みだしました。

今日、われわれが防疫戦争での勝利を宣言するようになった厳然たる現実は、われわれの政策と闘争方針が正しかったことをはっきりと実証しています。

言いかえれば、われわれのおさめた高貴な勝利は、わが党の防疫政策の勝利であり、わが国家の危機対応戦略の勝利であり、わが人民特有の強靭さと一心団結の勝利であり、朝鮮式社会主義の制度的優位性によってもたらされた偉大な勝利です。

わたしはこれを誇らしげに、堂々と確言することができます。

つねに人民を第一とし、彼らの観点と立場にたって、彼らの利益に合致する政策を採択し実施するのはわが党の一貫した活動原則です。

悪性伝染病が境内にはいった当初からわが党と政府は、最大非常防疫システムを稼動するとともに、伝染病発生の状況管理と伝播根源の遮断、人民生活の安定などきわめて適時的で危機を打開できる最善の方策を講じました。

しかし、いかに正しい政策であっても、その実行を保証しうる全人民的な高度の組織性と自発的一致性、意識的奮発なくしては完璧な結果を期待し得ないものです。

けっして容易には獲得し得ない最大非常防疫戦での勝利について考えるとき、わたしは党と政府の防疫政策を全的に支持、共感し、一致団結して支えてくれたわが人民の労苦について真っ先に思いうかべます。

莫大な損失を甘受しながら各面から幾重に構築した防疫障壁にすきまが生じ、一旦わが境内に悪性ウイルスが流入し拡散した緊急状況下で焦眉の課題となったのは、伝染病伝播状況を安定的に抑制、管理し、感染者を至急に治癒させて、伝播根源を最短期間内に除去することでした。

そのため、やむを得ず全国的に地域別遮断、封鎖と単位別隔離の措置を強力に実施する一方、全住民集中検病、検診を厳格におこなって発熱者をもれなくさがしだして隔離治療する活動を同時にすすめました。

これは国の一部分やいくつかの地域ではなく、全領域においてすべての往来と移動が禁止され、正常な生活と活動のリズムがみだれて国家活動のみならず、各家庭、各公民の生活において以前より困難や隘路《あいろ》が数倍に増加することを意味しました。

しかし、わが人民は、非常防疫に関連して示達されるすべての規定と指示をわが党の意志としてうけ入れ、国のための愛国事業、自分の家庭と自分のための当然の義務、本分とみなしながら自発的かつ良心的に遵守し、かならず実行するりっぱな気風を示しました。

すべての公民が一身上の問題や家庭のことを欣然《きんぜん》と後回しにし、いささかの動揺や軟弱さ、悲観や恐怖もなしに防疫勝利に対する信念と楽観にみちて特有の強靭さをいっそう如実に発揮しました。

このような人民を一日もはやく、一刻もはやく悪性病魔の危険から救いだすために、党と政府は、国家予備薬品を解いて全国に供給する活動を最優先的かつ緊急に推進することで、すべての発熱者に必要な薬品が行き届き、科学的な治療戦術と方法を確立、適用するようにしました。

その結果、われわれは最大非常防疫システムを稼動した五日目からは、全国的な伝染病の拡散形勢を抑制、管理できる安定的局面にかえ、非常防疫戦の勝勢を確実に保証できるようになりました。

党と政府は、防疫状況の変化によって人民の不便と苦衷を和らげ、国家活動と経済活動におよぼす悪影響を減らすために、防疫政策と指針を能動的かつ合理的に調整する活動もおこないました。

最大非常防疫期間をふりかえると、封鎖と撲滅闘争を並行し、国家的に薬品の保障と供給対策を強く講じたこと、そして防疫活動において厳格性に科学性を結びつけ、積極的な住民生活保障対策をたてたことが悪性ウイルスによる被害を最小化し、防疫大勝をはやめるうえで大きな意義があったと言えます。

しかしより重要なのは、わが人民特有の高度の組織性と自覚的一致性が、党と政府の正しい防疫政策と指針を徹底した実行と完璧な結果へとつながるようにしたところにあります。

党と政府に対する信頼感においても、国情に対する理解力においても、そして公民的義務に対する誠実さと困難を克服する忍耐力においても、わが人民ほどすばらしい人民はいません。

いまだにワクチン接種を一回も実施していないわが国で、猛威をふるっていた伝染病拡散事態をこのように短期間に克服し、防疫安全を回復して全国をまたきれいなウイルス清潔地域にしたのは、世界の保健医療史に特記すべき驚異的な奇跡です。

これは明らかに、朝鮮式の人民的かつ科学的な防疫政策と、これを実行するために一致して呼応した全民合勢の偉大な勝利です。

最大非常防疫戦での勝利はまた、わが国の社会主義制度特有の優越性と威力をぬきにしては考えられません。

わが国は全人民が国家と社会の主人として思想意志のうえで統一団結しているため、いかなる危機が生じても全国、全人民が一挙に立ち上がって強力に対処できる底知れない力をもっています。

国のすべての部門、すべての単位が国家の決定、指示に絶対的にしたがい、一糸みだれずに歩調をあわせることこそが、われわれの社会特有のもっとも重要な政治的、制度的優越性です。

それに「一人はみんなのために、みんなは一人のために」という集団主義精神と、人の悩み事を自分のものとし、困難なときほどもっと思いあう徳と情が全社会に支配しているため、われわれの制度は他人がもっていない不敗の力を発揮するのです。

このような制度的な土台があったので、最大非常防疫システムに移行するという党と政府の決定が示達されると、即時に全国を市・郡別に封鎖し、活動単位、生産単位、生活単位別に隔離する措置が徹底的に実行され、より強力な防疫規律と秩序、紀綱が確立されて、その後の防疫戦で戦略的主導権をにぎることができました。

そして、党組織と政権機関が総決起して人里離れた哨所《しょうしょ》や家庭にまで薬品を提供し、熱病にかかった人々の健康に気を配るとともに、封鎖期間に各種の移動奉仕隊を組んで住民の生活上の不便を最大限に軽減したのもわれわれの制度でなくては想像すらできないことです。

今回、わが国の保健医療制度の人民的性格と生命力があますところなく発揮されました。

わが国の保健医療の物質的技術的土台は弱くとも、すでに確立されたわれわれの方式の医療サービスシステムが効率的に稼動することによって、膨大な防疫課題、治療課題が成功裏に達成されました。

医師区域担当制と救急医療サービスシステム、遠隔医療サービスシステムなどの人民的かつ先進的な医療サービス制度にもとづいて発熱者の掌握と全住民検病、検診活動が毎日おこなわれ、隔離および治療が確実に実施されたのは、全国的範囲で防疫形勢の安定化をはかり、伝染源を一掃するうえで大きな作用をはたしました。

防疫戦争での勝利をもたらすうえで一番苦労し、功績をたてたのは、防疫部門や保健医療従事者です。

たとえ本然の任務ではあっても、危険な悪性伝染病とのたたかいで第一線塹壕《ざんごう》にたっている防疫部門や保健医療従事者の負担と苦労が一番大きかったと言えます。

われわれの防疫、保健医療戦士たちは、党と国家からまかされた人民の生命を守る防疫戦にためらいなく一身をなげうち、誰も尻込みしたりくじけたりせず、自分の任務をあくまで忠実に遂行しました。

あつい人間愛、患者のために自分をささげるかぎりない犠牲的精神、革命任務に対する強い責任感と誠実さが、われわれの防疫、保健医療従事者が自分を支え、悪性病魔とのたたかいに献身奮闘できるようにした精神力でした。

最大非常防疫期間、全国的に住民世帯と人員に対する検病、検診をおこない、発熱者をさがしだして全快させる活動に毎日七万一二〇〇余人の保健医療従事者と一一四万八〇〇〇余人の衛生熱誠活動家が動員され、数千人の保健医療部門経歴者が自発的に参加し、みながこのような精神をもって懸命に努力しました。

とくに、党中央軍事委員会の特別命令をうけて首都に派遣された人民軍軍医部門の戦闘員が、人民死守の前線ですぐれた功勲をたてました。

党の信頼と期待に無条件こたえようとする忠誠の熱情と人民への熱烈な愛情にみちた軍医部門の戦闘員の献身的な努力によって、首都の薬品供給が安定し、伝染病形勢が逆転しただけでなく、党に対する人民の絶対的な信頼と軍民一致の高貴な伝統が守られました。

わたしは、軍医部門戦闘員が昼夜をわかたず党中央の命令をりっぱに貫徹したことに対して、また首都市民が心から人民軍を自分の生命の恩人、肉親とみなしていることに対して非常に満足に思っています。

今回の保健危機にあたって、わが国で感染者に比べて死者の数が特別に少ないのは、われわれの防疫、保健医療従事者が限界をこえる努力と献身をもって党と政府の防疫政策、保健医療政策を決死の覚悟で貫徹したからです。

全国の防疫、保健医療従事者は、平時の数十倍もの過重な負担のなかでも毎日二四時間、防疫哨所や治療哨所を離れず、身も心もおしみなくささげました。

党と人民に忠実なわれわれの保健医療従事者のなかには、病気のわが子と夫の介護よりも先にうけもった住民世帯や患者に真心をつくした医者や看護師、不足する医薬品を自力で解決し、生活必需品まで用意して患者に力と勇気をあたえた医療従事者が少なくありません。

とくに感動を禁じ得ないのは、自分の病態をよく知っていながらも人間生命の守護者としての本分をまず考え、防疫戦の勝利と患者の完治のために生命の最後の気力までつくした防疫、保健医療従事者の善行です。

彼らは、祖国解放戦争時期の火線軍医や看護師、千里馬《チョンリマ》時代の赤い保健医療戦士におとらぬわれわれの時代の真の保健医療従事者、愛国者です。

わが党と政府は最大非常防疫期間だけでなく、非常防疫戦がはじまった初期から前線と国境、海岸をはじめとする国の防疫哨所をしっかりと守っている戦闘員の献身と功労についてもいつも考えています。

党と政府の特命をうけて非常防疫戦の最前線に派遣された党代表と党指導グループ、封鎖、遮断勤務に動員された数多くの軍人と安全、保衛部門の活動家、労農赤衛軍の隊員、各地の防疫哨所のメンバーは、国家と人民の安寧を守っているという責任感と使命感を深く自覚し、猛暑や豪雨のなかでもあらゆる難関に耐えぬき、防疫障壁を鉄のようにかため、全社会的な防疫規律遵守気風を確立するうえで大きな寄与をしました。

今回の最大非常防疫期間に保健医療従事者と防疫最前線の戦闘員の間で発揮された犠牲的精神は、わが党の闘争史と祖国の歴史に歴々と記録されるでしょう。

朝鮮式社会主義制度の優越性と生命力は、最大非常防疫期間にわが人民のあいだでよりあつく、より強く発揮された共産主義的な美徳や美風によって集中的にあらわれました。

全国が悪性病魔の脅威に直面したきびしいとき、党と政府がもっとも心配したのは、数千万の人民の健康とともに、高度の封鎖、遮断措置によってわが人民がやむを得ずなめなければならない不便と苦衷でした。

それで党中央は、苦しいときほどたがいに助け思いあうわれわれの社会の徳と情を、いかなる最新医科学技術よりも威力ある防疫大勝の秘訣とみなし、すべての党員と人民がわれわれの第一の共産主義的美徳と美風をより高く発揚するよう呼びかけました。

党と社会主義制度の懐《ふところ》のなかで集団主義と人間愛を空気のように呼吸しながらつちかったわが人民のあいだで美しいおこないが発揮されるのはよくある美談ですが、今回の防疫戦に記された感動的な事実は、われわれの社会のあたたかみと貴さをより深く痛感させています。

この場で、その感動的な美談と高潔な人間像をすべて列挙できないのがじつに残念です。

いくつかの代表的なことだけをあげますと、悪性伝染病に苦しむ人民に薬品や食品を送るために徹夜で奮闘した工場の従業員や幹部もおり、家財をおしみなく持ちだして用意した物資を寮や大学の寄宿舎、育児院、愛育院に提供した人々もおり、援助の必要な世帯、困っている隣人に私心を去って食糧や副食物、必需品をわけあたえた住民もいます。

このようなありがたい支援者は、中央や地方、工場や農漁村のどこにもおり、またそのなかには尊敬する参戦老兵をはじめ平凡な勤労者、人民班長、扶養女性、幼い少年団員にいたるまで各階層の人々がいます。

いまのような困難な状況下で自分より同志と隣人、集団を先に思い、とくに自分は腹をすかしながらも誠意をつくすこのような美徳の世界は、けっして金や財産をもってしてはその真価をはかれないわれわれの社会の和睦と人間的絆を如実に示しています。

このように党中央と志や情をともにし、他人のために献身することを喜びとし、誇りとする世界でもっともすばらしいわが人民の姿から、わたしは何ものにも比べることのできない大きな力を得、このような人民とともにいるならいかなる困難や試練にもうち勝ち、かならず勝利しうるという確信をさらにかためました。

全国が党と政府のまわりに一心同体となってひとしく動き、集団主義にもとづく徳や情が国風となっていること、これが朝鮮式社会主義特有の優越性であり、威力であり、まさにこのために今回のような類例のない防疫危機を容易に打開し、大勝をもたらすことができたのです。

わたしは党中央委員会と共和国政府を代表して、重大な保健危機から国家と人民の安寧を守りぬくための最大非常防疫戦の勝利をはやめることに力と知恵と真心をつくし、奮闘し、活躍した全国の防疫、保健医療従事者を高く評価し、防疫障壁を守って奮戦したすべての軍人と活動家、勤労者、防疫活動を物心両面から声援した支援者に深い感謝の挨拶を送ります。

同志のみなさん。

今回、われわれは非常防疫戦線だけでなく、経済部門や国家活動全般でも勝利をおさめました。数年つづきの防疫状況に重なった悪性伝染病事態は、国家、社会生活と経済建設に莫大な障害となり、甚大な混乱をまねきうる災難となりましたが、これらすべてを頑強に克服し、正常活動をたもちながら予定していた発展速度をたがえることなく保障したこと自体が大きな勝利となるのです。

わが党は、国家防疫活動を最大非常防疫システムに移行することを宣言しながら、わが人民の堅忍不抜の精神力と創造力を信じて非常防疫戦と計画された今年の事業を中断することなくおしすすめることを決定しましたが、その課題がりっぱに実行されました。

今年の経済活動の最急務とおしたてた農業生産で一番重要な営農工程が、予定の期日内に円滑に遂行されました。

今回の最大非常防疫戦は一年の営農で要となる春季にはじまったため、農業勤労者の生産活動に直接的な障害をもたらし、一番忙しい田植え時に国家的な労働支援も予定通りにおこなえない状況がつくりだされました。

しかし、新しい農村革命綱領実現の初年度である今年、かならず自分の責任と本分を果たそうとする覚悟と熱意にみちているわれわれの農業勤労者は、以前には想像すらできなかった強靭な精神力を発揮して、熱病にもうち勝ち、膨大な田植えの課題ももっぱら自力でくりあげて完了するめざましい成果を創造しました。

これは全国の勤労者を大いに励まし、困難な防疫戦闘を展開している人民にとっては快報となりました。

首都の大規模住宅建設や連浦《リョンポ》温室農場建設をはじめとする重要建設に決起したすべての建設者は、防疫学上の要求がよりきびしくなり、輸送や資材供給が順調でない状況下でも、計画されている工事日程を力強くおしすすめることによって、所定の期間内に工事を完了しうる確固たる保証をもたらしました。

金属、化学、電力、石炭、機械をはじめとする基幹工業部門と鉄道運輸部門、軽工業部門でも、労働力や資材の提供がいつもより何倍も困難でしたが、日別、旬別、月別生産計画を基本的に遂行して、経済全般の停滞を防ぎ、今年度の目標達成へと大きく前進しました。

非常危機の状況下でも全般的な国家活動の円滑性を保障したことはいま一つの貴重な成果です。党、行政、経済機関、司法、検察部門と安全、保衛、国防部門では、最大非常防疫システムの稼動にあわせて非常時事業システムを迅速に樹立し、盲点と空間、偏向をさがしだして対策をたてながら、自分の活動を伸縮自在に、効率的におこなううえで実践的な経験をつみました。

とくに、党組織と政権機関をはじめとする各部門と単位の幹部が党と政府の指示に絶対服従し、人民的施策を確実に実行する過程を通じて、人民大衆第一主義政治を具現し、人民のために滅私奉仕するということがどんなものであるかを実際の行動によって体得したことが非常によかったと思います。

今回、突発的な保健危機を克服する過程にわれわれの活動には欠点があらわれわれ教訓もくみとりましたが、これは今後直面しうるさまざまな危機に円滑にそなえるうえで貴い元手となります。

大きくみれば、われわれが得た教訓は二つにまとめられます。

一つは、防疫活動が長期化するほどささいな気の弛《ゆる》みや油断も許すことなく、高度の緊張を堅持すべきであるということ、もう一つはどんな代価を払っても国家危機対応能力、防疫能力建設を手ぬかりなくすすめるべきであるということです。

実際、われわれが以前から堅持してきた防疫規定と指針にしたがったなら、今回の防疫危機の起点となった金剛《クムガン》郡前線地帯での発熱者の発生もその地域内で十分遮蔽《しゃへい》、抑制することができたでしょう。

しかし、最初は二人からはじまった悪性伝染病が防疫部門に内在する気の弛みや油断というすきに乗じて首都圏にまではいり、全国に拡散するという重大な事態が生じました。

数千数万の人々を動員して前線と国境、海岸に水ももらさぬ封鎖網を張り、全人民的な防疫形勢を構築したのに、まさか悪性ウイルスがはいるすきまがあるものかと気を緩め、自己満足して緊張をほぐしていたこと自体が、今回のような深刻な挑戦と危機をもたらした張本人であると言えます。

自己満足、安逸怠惰、「まさか」病が伝染病の初期流入状態を判断できなくした重要な原因となりました。

「まさか」ではなく、「万一」という姿勢にたってささいな異常徴候も国家の運命と直結させて考察し、瞬発的な対応力を発揮し、不測の事態に直面しても沈着さと責任感を維持しながら自信をもって活動したならば、全国への伝染病の拡散は十分さけられたはずです。

今回の防疫戦争を通じて切実に感じたのは、科学的な思考と行動を離れて形式主義的かつ機械的な仕事の仕方と活動態度をとりつづけるなら、今後到来する保健危機にみまわれるのはさけられないということです。

この教訓を絶対に忘れてはなりません。

また、最大非常防疫システムが稼動した当初、誰もが感じたことですが、悪性ウイルスの検査と診断、科学的な治療戦術を適時かつ正確に確立、実行できなかったせいで、十分に防ぐことができる人命被害までこうむり、内部での伝染病の拡散を迅速に抑制できなかったばかりか、迷信じみた虚説までひろがって防疫と治療活動に少なからぬ混乱をまねきました。

防疫のすべての要素を科学的原理にあわせて根源を突き止め、結果を予測、予断して能動的かつ臨機応変に対応できず、物理的封鎖のみを追求して機械的に活動した結果、人民の生活上の不便や経済活動の不振を増大させ、まえもってできることも後を追って収拾しなければならなくなったのです。

この他にも、われわれの保健医療と防疫の実態、さらに言えば、われわれの保健医療と防疫のインフラと技術力、物質的準備状態が建国以来、わが党と国家が一貫して堅持してきた保健医療、防疫政策にふさわしく発展せず、不測の事態をまえにして機敏に対応できるように準備を整えていないことなど、いろいろな問題点があります。

われわれが体験したように、一旦発熱者が各所で発生した際、防疫部門、保健医療部門の必須対応能力がいかに緊要かつ切実なのかを骨身にしみるほど感じなければなりません。

結局、防疫能力はすなわち国家の安全保障能力であり、人民の生命守護の能力です。

これまでの経験からして、われわれが国家発展をうながし、社会主義建設をおしすすめるうえでつねに重視し予測すべき客観的な危機は三つにわけることができます。

戦争危機、伝染病危機、自然災害、これが国家の存立と発展、人民の安寧のためにかならず責任をもって対処すべき三大危機です。

戦争を防止するための抑止力に関連してはわが党と国家がはやくからもっとも大きな力を入れており、自然災害を最小化するための動員力、潜在力も警戒心をもって整えています。

一番問題となるのは、世界的な保健危機に対処するための防疫能力建設です。

それで党中央委員会第八期第五回総会は、国家防疫能力の建設をわれわれに提起される焦眉の課題として示しました。

国家防疫能力の建設に関する主要政策的課題がすでに全部確定、示達されているため、大体の要点だけいくつか強調したいと思います。

われわれが最大非常防疫戦の勝利を宣言したからといって、伝染病伝播の危険性が完全に解消されたり、国家非常防疫活動が完了したとみなしてはなりません。

毎日マスメディアを通して報じられているように、いま世界的な保健危機状況とわが国周辺の伝染病危機はいまだ収束しておらず、安心して防疫措置を緩和するのはあまりにも時期尚早です。

わが境内にはいったステルスオミクロン変異ウイルスより強い伝播力と免疫回避力をもちながらも重症度と致命率が大きくかわっていない一〇余種の亜型が、世界各地にあいついで出現し、これによる感染者数が急増し、死者数もひきつづきふえている有様です。

それに、危険性の高いサル痘ウイルスが数十ヵ国へ拡散して国際的公衆保健非常事態が宣言され、気候変動による各種の伝染病の発生可能性も人類を不安にさせています。

これは、われわれが所期の成果に陶酔して自己満足したり、油断する根拠が一つもないということを示しており、国家と人民の安寧をしっかりと守るための非常防疫戦がひきつづき強化されるべき必要性を強調しています。

われわれは、今回の最大非常防疫戦での成果と勝利を強固にしながら、世界的な保健危機が収束するまで、防疫障壁をしっかりと固守し、防疫活動をより強くおこなわなければなりません。

何よりもまず、全人民的な防疫意識と警戒心を強めることに然るべき注意を払うべきです。

防疫戦の主人は広範な大衆であり、防疫戦の勝敗も人々の自覚によって決定されるだけに、すでに確立されている全社会的な防疫雰囲気が絶対に弱まったり、低調にならないように防疫宣伝と教育を各面から強化することが切実に必要です。

勝利した今日より偉大であろう明日の勝利のために、われわれは勝利という言葉を大切にすべきであり、それよりも自覚と実践に力を入れるべきです。

いま、最大非常防疫戦の勝利に陶酔して気の弛みや油断、警戒心の欠如がよみがえる余地があるのですから、各党組織と勤労者団体組織、行政、経済部門、法律執行機関はいずれも警戒心を高めて、大衆的な防疫意識と危機意識を堅持することに力を集中しなければなりません。

いかに強力な防疫宣伝や解説活動も型にはまったようなことをくりかえせば、かえって倦怠と慢性化をまねくようになります。

ですから、世界的な防疫状況の変化に応じた資料とわれわれの防疫実態に対する分析にもとづいて、実際的に大衆のあいだで防疫意識を強め、防疫遵守気風を深化させうる宣伝戦、思想戦を強化しなければなりません。

これと同時に、防疫指針と規律に反する行為との組織的、行政的、法的闘争を適時におこなって、われわれの防疫闘争が大衆の自覚性に強力な法律的保証が裏打ちされた確実かつ信頼できる活動となるようにすべきです。

次に、鉄のように構築された防疫障壁の維持、強化にひきつづき注力して、いかなる悪性ウイルスも二度とはいれないようにすべきです。

国境と前線、海岸と海上、空中に対する多重の封鎖障壁を全般的に再点検し、大流行病の変動特性に即して、補強すべきものは補強し、新たに遮断すべきものは遮断して封鎖の完璧を期することが重要です。

ここでも封鎖、遮断勤務を直接遂行するメンバーに対する思想動員、鼓舞、激励とともに、勤務条件および生活の保障に主な力を入れて、われわれの防疫の最前線が思想的精神的にも、作戦的戦術的にも、防疫学的にも完璧であるばかりでなく、責任感や警戒心においても最高の水準を維持するようにすべきです。

先にも述べたことですが、国家の防疫能力の建設に拍車をかけるのはわれわれに提起されている重大な課題の一つです。

いま、国際的な憂慮をかもしだす公衆保健非常事態も深刻なものですが、これにおとらぬ挑戦的な保健危機が周期的かつ反復的に発生するものと予測されています。

今後もこのような保健医療の悪夢が再現される危険がないと断定し、安心する根拠は何もありません。

われわれが今回の防疫戦争で勝利したからといって、いまの状況が困難をきわめているからといって、防疫能力の建設をおろそかにしたり、遅らせることはおろかな行為であり、取り返しのつかない結果をまねきかねません。

わが党の政治理念である人民大衆第一主義の要求からしても、人間をもっとも大切にするわれわれの制度の本性からしても、また今回の保健危機がのこした深刻な教訓からしても、防疫能力の建設を強化して、かならず世界的水準にひき上げなければなりません。

これは、わが党と政府の確固不動の意志です。

今回、われわれが創造的に実施した防疫政策と指針、蓄積された経験と教訓を総合的に体系化し、これにもとづいてわれわれの防疫をより先進的かつ人民的な防疫として完璧に発展させるうえで提起される理論的実践的、科学技術的問題に対する研究をひきつづき深化させなければなりません。

国家の防疫システムと秩序をいっそう完備し、防疫陣と物質的技術的手段を充実させるための活動を先を見とおして、現実に即しておしすすめなければなりません。

とくに力を入れるべき課題は、専門防疫従事者を養成しその水準を高める活動、科学的な検査、測定設備を開発、装備する活動、専門隔離治療施設を全国各地に設置する活動を緩めることなく計画的におしすすめることです。

すでに示した通り、各地の製薬工場と高麗薬工場、医療機器工場を近代化し、能力を拡大し、医療用消耗品工場、防疫医療品工場を新設する活動をおしすすめるべきです。

人民への医療サービスの水準を高められるように全国の病院を近代化し、薬局を標準通りに整えるための活動も段階別に着実に展開すべきです。

こうして、わが人民がもっとも優れた社会主義制度のもとでもっともりっぱな保健医療制度、防疫制度の実質的な恩恵と保護をうけ、無病息災で長生きする幸福な人民になるようにすべきです。

同志のみなさん。

防疫部門、保健医療部門に提起された重要な政策的課題を遂行するうえで、その直接の担当者である党の赤い防疫戦士、保健医療戦士の役割がきわめて重要です。

今回、わが人民は最大保健危機をのりこえながら、そして防疫、保健医療従事者の献身的な闘争ぶりを目撃しながら、保健医療従事者を新しい目で見、この世で一番りっぱなわれわれの制度の守護者、人民の生命を守るたのもしい保護者とみなすようになりました。

防疫、保健医療従事者は人民のこの信頼、この評価を何ものにもかえられない一番大切な財産とし、これにこたえるためにひきつづきいっそうの努力をかたむけなければなりません。

党からあたえられた任務に対するかぎりない忠実性、あつい人間愛、患者につくす真心を体質化し、われわれの制度の優越性を防疫実践、保健医療実践にりっぱに具現することに心身共にささげる真の共産主義者にならなければなりません。

同志のみなさん。

われわれは試練のなかで今一度強くなり、今後より多くの挑戦と困難が横たわるとしても果敢にのりこえ、よりいっそう強くなるでしょう。

三か月前、わが国の領内に悪性ウイルスが流入、伝播したという事実が公表されたとき、今日のような日がこんなにはやく来るとは誰も想像できませんでした。

党へのかぎりない忠誠心、いかなる苦難も笑顔できりぬけていく不屈の意志をもち、ひたすらわが党のみを信じて果敢に立ち上がったありがたい人民とその人民の一心団結した力があったがゆえに、われわれは今回の保健危機も絶望と挫折の峠ではなく、発展、跳躍の機会とし、より大きな勝利をめざして前進することができました。

わたしは、つねにかぎりない力と勇気をあたえてくれるわが人民の信頼と鼓舞、激励を心からありがたく思っており、このようなすばらしい人民の安寧と幸福のためなら生命をもなげうって奮闘し、また奮闘していく決心をかためています。

われわれは、今回はっきりと誇示されたわれわれの底知れない潜在力を最大限に発揚させて、非常防疫戦線だけでなく、社会主義建設の各分野でより大きな成果をもたらすために力強くたたかっていかなければなりません。

史上最悪の危機を果敢に克服したわが人民の不屈の精神力をさらに発揮させ、昇華させるならば、われわれがうちだした今年の闘争目標はもちろん、第八回党大会が示した五ヵ年計画の目標も成功裏に達成されるでしょう。

われわれの闘争と未来への確固たる信念と楽観をもって国家と人民の安全を確実に保証し、朝鮮式社会主義の全面的発展をなしとげるための歴史的大業を力強くおしすすめていきましょう。

最後にこの席を借りて、もっとも尊敬し愛する人民に今一度敬虔な気持ちで挨拶をささげたいと思います。

何とぞみなさんのご健康と安寧と全国すべての家庭の安泰を心からお祈りいたします。

偉大なわが人民万歳。

首都の防疫危機を平定した人民軍軍医部門の戦闘員を祝う

―朝鮮人民軍軍医部門の戦闘員のまえでおこなった演説―

二〇二二年八月一八日

首都の防疫戦場で勇敢にたたかった英雄的な軍医部門の戦闘員諸君。

今日、われわれは何らかの総括をおこなったり、特別な課題を提示する会議のためにここに集まったわけではありません。

ただ誰よりも一番苦労をした諸君に直接会って大きく表彰もし、ともに記念写真も撮りたいと思ったからです。

防疫危機が解消され、諸君が首都の街を離れたという報告をうけてからこの数日間、どうしたわけかわびしい思いがし、諸君のことが忘れられず、何かできることはなかったのかというみたされぬ思いで一杯でした。

とりわけ、数千人の戦闘員が市民たちに迷惑をかけまいとして公式の歓送儀式もなしに深夜や明け方に静かに発ったという報告をうけて、党の軍隊、人民の軍隊としての道義に忠実であろうとする諸君がより奇特に思われ、何かをもっとしてあげたい気持ちになりました。

諸君が誰のためにたたかったのか、どんなにたたかったのかという真正の評価は、戦闘任務を果たして人知れず発つ諸君を見送った人民の目にたたえられていたあつい涙が物語っています。

人民の真心こもったこの評価は、千金万金をもってしても得られないもっとも高貴な評価であり、革命軍隊の軍人だけがうけられるもっとも誉れ高い表彰です。

わたしは、諸君が帰隊したことを後で知らされてたいそう残念がったという首都の住民の心まであわせて、諸君とこのように直接顔をあわせて激励もし、諸君の苦労と偉勲が全国に知れわたるように改めて大きく評価もするつもりで、今日、軍医部門の戦闘員を集めるよう命令したのです。

軍医部門の戦闘員諸君。

わたしは当然、このような機会をつくるべきでしたが、諸君に本当に申し訳ありません。

犠牲を覚悟して人民を守るのが諸君の本来の任務ですが、諸君の健康と安寧もやはりわたしにとっては一つも失えない血肉に等しいものなので、防疫闘争の全期間、悪性ウイルスとじかに遭遇しなければならなかった諸君への心配も非常に大きかったのです。

そのため、首都防疫戦場を守っていた諸君がこのように元気で、活気にあふれている姿を目にすると、どんなにうれしいかわかりません。

それゆえ、防疫戦で勝利した諸君に祝賀の挨拶よりも先に、みながあの危機を踏みこえてこのように元気なのが本当にありがたいという言葉を述べるものです。

諸君。このたびはじつにりっぱにたたかいました。

党と祖国、人民の名において諸君にあつい感謝を送ります。

先の全国非常防疫総括会議でも軍医部門戦闘員の闘争の成果を評価しましたが、諸君はこの九一日間、首都防衛戦、人民防衛戦で不屈の信念と勇気をもって献身し、たいへんな苦労をしました。

諸君がたたかった首都圏地域は、国家防疫闘争の勝敗を決する要の中心戦闘地域でした。

わたしはいまも、あの日の危急のとき、諸君を首都防疫戦闘に投入する命令書に署名していた瞬間が忘れられません。

今日、このように諸君とむかいあってこの場に立つと、国をおそった突発的な伝染病の拡散によって国家最大防疫危機事態が発令され、そのため首都は言うまでもなく、全国がまるでどこかに消え去ったかのようにひっそりとしていたあの五月一四日と一五日の夜、一人の人影も見られない閑散とした街を見てまわりながらひき裂かれるような心の痛みをやっとこらえていたこともまざまざと思いだされ、史上はじめての保健事態で薬局に医薬品が必要に応じて供給されず、長い列をつくってこみあう住民たちの姿をただ眺めているほかなく気を揉んでいた瞬間、そして毎日のように爆発的に急増する伝染病伝播《でんぱ》状況に対する報告をうけていた瞬間も思い起こされ、もっとも困難なときにわが軍隊に運命のように心と信頼をそっくり託したかったあの日々のわたしの心情を改めてふりかえるようになります。

国が直面した危機に対処して、国家防疫システムを最大危機対応システムに移行させてから四日目の五月一五日、党中央委員会政治局と党中央軍事委員会は、国につくりだされた保健事態を分析し、悪性伝染病の伝播形勢に断固抗して全面的かつ重大な決心を採択し、その重要な措置の一環としてほかならぬ諸君、人民軍軍医部門の戦闘員を首都死守戦に呼びかけました。

諸君は今回の保健事態を平定する戦闘の全期間、並々ならぬ努力によってわが党が期待した以上にわが軍隊の堅忍不抜の精神と百戦百勝の戦闘力、党軍の気高い品格と美しい節操をあますところなく発揮しました。

顧みるに、人民軍がこのたびおこなった首都防衛戦闘は、はじめから終わりまでじつに申し分のない満点の作戦でした。

国が危急の状況に直面した際、戦争のために準備された人民軍軍医部門が第一線に立ったこと自体が、全国の非常防疫雰囲気に自信を加え、熱病の伝播を憂慮していた人民に勇気をあたえるうえでも、防疫戦況を逆転させるうえでも大きな意義をもちました。

実際、人民軍軍医部門の戦闘員がいなかったなら、今回の最大非常防疫戦はさらにきびしさをまし、困難になったかも知れません。

国家の危機管理において中枢となり、最後のとりでとならなければならない首都がかえって防疫形勢がもっとも危険だった時期に、首都の党組織はもとより、国家機関も適時に対応できずにいる状況下で、わが党中央が信じたのは人民軍軍医部門だけでした。

諸君は自分の献身的な努力と闘争によって、非常防疫戦の要となっていた首都の医薬品の供給活動に軍医部門の精鋭兵力を電撃的に進入させた党中央の決心が正確で、党中央の信頼と期待が無駄ではなかったことをはっきりと実証しました。

誰もがはじめて直面した危機であって不安感も大きかったあのとき、諸君が発揮した勇敢さと犠牲的精神は、自分の司令官の心中を一番よく知り、その志にしたがう道では何もためらわないわが軍人の人一倍の忠誠心から噴出した精神的特質でした。

社会の各階層、老若男女を相手にして医薬品を迅速に提供し、治療状況にまで関心をむけるのは誰でもはじめてのことでしたが、すべての戦闘員は党中央の命令に対する絶対的な忠実性、人民への無条件的な愛情と献身の精神をもって、薬局で働く専門医療従事者も考えがおよばなかった具体性ときめ細かさ、真心をもってりっぱなおこないを発揮しました。

諸君はけっして、軍服を着ている医療従事者だけではありませんでした。

わが党にかぎりなく忠実な革命戦士、人民の息子、実の兄弟、これが九一日間の聖なる戦闘期間に平壌《ピョンヤン》市民の脳裏に焼きつけられた軍医部門戦闘員の真の姿でした。

首都の薬局に派遣された諸君がうけた命令は、医薬品の運搬と供給を安定させることでしたが、すべての戦闘員が人民の生命守護と健康保護のために全力をつくしました。

誰もが連日の徹夜勤務で筆舌につくしがたい肉体的および心理的疲労が極度に達していたなかでも、猛暑をものげず医薬品を求める世帯を訪ねて奔走《ほんそう》し、掌握した発熱者が完全に治るまで訪ねつづけて真心をつくすことを当然の本分とみなしました。

伝染病の治療薬だけでなく、健康の回復によい補薬を手に入れて参戦老兵や戦傷栄誉軍人、功労者の家庭を訪ねたこと、瀕死の患者の蘇生をはかって自分の血を輸血し、自分の口で詰まった気道を開けたこと、供給をうけた戦闘食糧をためらわずにわけあたえ、親から送られた現金をおしみなくはたいて生活の困難な世帯に主副食物をわけあたえたことなどの所業は、どれもが人民を大いに感動させました。

しかし、これよりもさらに殊勝に思えるのは、人民に接するたびに、人民に対するたびにつねにあつくみちあふれたわが軍隊の真心でした。

わが人民は自分が病気になったとき、薬や食品をあたえてくれたことだけで人民軍を息子や兄弟と思うのではありません。

一つの家族よりもっとやさしく気を配り、真心をつくして見守り、自分のすべてをささげる軍人たちの孝道を肌で感じたので、ありがたいわが軍隊、わが息子、わが孫と親しく呼んでいるのです。

軍医部門戦闘員のなかには家庭の不祥事と重態におちいった父母妻子のことを知りながらも、神聖な使命感をもって心痛や苦衷に耐え、首都市民に情をそそいだ軍人がいるかと思うと、持病に苦しみながらも献身の道を歩みつづけて犠牲になった指揮官や隊員もいます。

このようなおこないは、命令だけではとうてい実行することも望むこともできない美挙であり、ひたすらわが軍隊の気高い精神的、道徳的品格によってのみ発揮され、説明しうることです。

今回、軍医部門戦闘員の美挙のなかでいくつかの事実を話しましょう。

首都の党組織を通じて何回も提起されたことですが、人民の間で人民軍はひどすぎるという苦情ならぬ苦情を申したてることがたえませんでした。

人民は、軍医部門戦闘員の他の行為に対してはすべてありがたく思いながらも、自分たちの素朴な誠意をなかなかうけ入れようとせず、水と空気さえあればよいという姿勢と態度に対してはたいへん寂しがり、残念に思ったとのことです。

しかし、わたしはいかなる状況下でも人民にいささかの負担もかけてはいけないというわが人民軍固有の精神的、道徳的紀綱を今回の首都非常防疫戦でも固守したのは当然であり、たいへんすばらしいことだと評価します。

そしてある軍人たちは、以前国に罪をおかしたことで薬局に来るのをはばかっていた住民世帯にも薬品を送り、われわれの制度の恩恵がもれなく行き届くようにしたとのことですが、本当によいことをしました。

たんに命令をそのまま実行する軍人としてだけではなく、党の意図と政策をよく知り、政治的に正しく思考し行動することのできるこのようなりっぱな気風、政治思想強兵の真面目《しんめんぼく》を再確認することができたのをわが党は何より一番うれしく、満足に思っています。

医薬品供給単位への医薬品運搬をうけもった戦闘員も、昼夜をわかたず首都の街や村を走りまわって必須薬品を機動的に保障しながら、すすんで人民のためによいことを多くしました。

このような人民軍の高潔かつ献身的な精神的品格が、首都市民を伝染病恐怖の危機のなかから立ち上がらせた不死の力となり、共産主義的美徳と美風を全社会的にいっそう昇華、噴出させた起爆剤となったと思います。

わたしは、今回の非常防疫戦で軍医部門の戦闘員がみずから発揮した行為と闘争成果についての報告をうけるたびに、このようにりっぱな人たちを軍隊に送った両親や兄弟はどんなにたのもしく思い、また妻と子どもはどんなに誇らしく思うだろうかと考えながら、もっとおしたて、もっと評価したい気持ちでした。

たとえ生命をねらった銃弾は飛びかわなくても、人命をおびやかすウイルスを撲滅するたたかいにためらうことなく身を挺して人民を守った諸君は、こんにちの火線軍医、戦闘英雄です。

諸君の決死的なたたかいによって、党の命令なら水火をも辞せず死線をのりこえるわが軍隊の戦闘的面貌が遺憾なく発揮されたばかりでなく、われわれの社会の根本である軍民大団結の貴い革命の財産がしっかりと守られました。

また、わが軍隊が敵との軍事衝突だけでなく、時々刻々国家の安全と人民の生命、財産をおびやかす非軍事的な挑戦にも堂々とたちむかって勝利することのできる完璧な能力を遺憾なく示しました。

わたしは、党中央軍事委員会の特別命令をうけ入れた将官から軍官、兵士にいたるすべての戦闘員が、党と革命への忠実性、人民への献身性、国家への愛国心を最大限に発揮して勇敢にたたかって防疫における大勝をはやめるうえで赫々《かっかく》たる貢献をしたことに対し、党総書記として、共和国武力の総司令官として非常に誇らしく思い、高く評価します。

軍医部門の戦闘員諸君。

今回諸君が切実に感じたことでしょうが、人民軍に対する党と人民の期待はとても大きく、軍医部門の戦闘能力を向上させるのは平時も戦時も不可欠の要求として提起されています。

とくに、人民軍軍医部門の近代的発展と戦闘準備の完成が戦争の遂行でもつ意義はいつにもまして大きくなっています。

わが軍隊が熾烈な戦争状況下で自分の力量をひきつづき保存してこそ、目的とする軍事戦略的任務を遂行できるという見地からすれば、軍医部門の役割はきわめて重要です。

人民軍の軍医部門は今後、戦争遂行の人的潜在力を保障するうえでうけもっている本来の使命に即して党の軍事医学思想と方針を貫徹し、国の保健防衛線を強化発展させるうえで先頭に立たなければなりません。

今回の非常防疫戦で発揮された強い忠誠心と愛民精神、高尚な人間性に発達した医科学技術が結びつくとき、いかなる治療戦闘にも公共保健危機にもゆうに対処することができます。

人民軍軍医部門の原種場である林春秋《リムチュンチュ》軍医大学は当然、軍医陣の育成と軍陣医学の発展で先導的、中核的役割を果たし、教育活動全般を一新させるうえでも旗じるしをかかげ、全国の模範にならなければなりません。

大学は、教職員、学生の医科学理論水準や臨床技術水準を高めることに重点をおいて現代教育学の原理にあわせて教育の内容と方法、手段を不断に革新し、すべての卒業生を戦時の軍医療を自立的かつ円滑に保障できる有能な野戦軍医、野戦名医に育てなければなりません。

新たな戦争環境と世界軍陣医学の発展趨勢《すうせい》に即してわれわれの方式の野戦治療法をさらに研究、完成し、医療設備と器材を近代化することにも力をそそいで、軍医部門の戦闘準備完成に積極的に寄与すべきです。

大学は、今回の最大非常防疫戦での成果に絶対に自己満足することなく、すぐれた経験は奨励、拡大し、欠点は是正、補強するとともに、党活動と教務行政活動をいっそう強めていかなければなりません。

人民軍総政治局と各級党組織は、軍医部門の戦闘員が発揮したりっぱな闘争気風をもって全軍を教育し、模範を一般化するための政治活動を着実におこなうべきです。

軍医部門の戦闘員諸君。

今回の最大非常防疫戦に参戦して人民のためのわが軍隊の献身的闘争の道のりに顕著な足跡をのこしたのは人民軍軍医部門戦闘員の光栄であり、人一倍の栄誉です。

この九一日間に諸君が戦闘記録帳につづってきた忠誠と愛国、愛情と献身の足跡は忘れがたい追憶として末永く伝えられ、祖国と人民のための服務の一生を永遠に正しく導いてくれるでしょう。

諸君は党中央の信頼と期待をつねに銘記し、今後もこのようにりっぱな足跡をひきつづきのこすためにねばり強く努力して、政治的、思想的に、技術的、実務的に万端の準備を整えていなければなりません。

諸君。

人民の軍隊、この神聖かつ栄えある呼びかけにいつも堂々とこたえるために党に忠実で、人民に献身するわが革命軍隊―朝鮮人民軍の戦闘的道のりにはつねに勝利と栄光があるのみです。

わたしは今日、最後の一滴の血をもささげて断固たたかってわが国家と制度、人民の安全と安寧を無条件守るという党の重大命令をうけ入れ、並々ならぬ努力をもって悪性ウイルスを撲滅し、防疫の不退の線をあくまで守りぬいて誉れ高い勝利者となった軍医部門の戦闘員と、わが党と国家の歴史に末長く記録される意義深い勝利の記念写真を撮りたいと思います。

諸君のような忠実な将兵とともに革命をおこなうのは本当に光栄かつ誇らしいことです。

諸君。

偉大なわが国家のために、

偉大なわが党のために、

偉大なわが人民のために、

偉大なわれわれの尊厳と名誉のために忠実に服務しましょう。

朝鮮民主主義人民共和国最高人民会議第一四期第七回会議でおこなった施政演説

二〇二二年九月八日

親愛なる代議員のみなさん。

尊敬する常任委員長同志、そして最高人民会議副議長同志。

傍聴者のみなさん。

栄えあるわが祖国の創建記念日を控えて招集された今回の最高人民会議第一四期第七回会議では、党と国家の主要政策を実現するうえで重要な意義をもつ法的武器を整えました。

とくに、すべての朝鮮人民の総意によって国家核武力政策に関する法令が採択されたのは、国家防衛手段として戦争抑止力を法律的に保有することになったことを内外に宣布した特記すべきできごととなります。

これで国家と人民の永遠なる安全と万年大計の未来も確実に保証できる政治的、制度的装置が設けられるといういま一つの重大な歴史的偉業が達成されました。

わたしは、朝鮮革命の現局面と情勢発展の推移からしても、共和国核武力の使命からしてもきわめて重大な歴史的時期に核武力政策が法制化されたと認めつつ、すべての代議員たちがもっとも責任重大なときにもっとも責任ある決定を全会一致で採択してくれたことに対しありがたく思っています。

あわせて、人民の代表として国家主権を磐石《ばんじゃく》のごとくうちかため、朝鮮労働党第八回大会の示した闘争目標を達成することに力と知恵、熱情をかたむけている代議員のみなさんにあつい激励の挨拶を送ります。

同志のみなさん。

人民大衆の自主性を実現するための社会主義建設は、高い段階へと深化するほど帝国主義のさらなる挑戦や抵抗に直面するものです。

侵略と略奪を本性とし生存手段としている帝国主義が存在するかぎり、戦争の根源は終息せず、歴史の発展において自主と平和を志向する社会主義と帝国主義の間の対立と闘争は不可避なものです。それゆえ、社会主義のたえまない発展と繁栄をなしとげるうえでいかなる侵略的脅威もうけることのない条件と環境を整えることはもっとも重大で死活の要求として提起され、これを実現するためには敵を圧勝できる絶対的力をもたなければなりません。

すでにわが共和国は、反帝闘争のとりで、社会主義の強固なとりでとしてあらゆる敵対勢力の干渉や圧力にもびくともせず、自分の時間表にしたがって自衛的国防力の建設を強力におしすすめて、アメリカ帝国主義が一方的に核で威嚇《いかく》していた時代に終止符をうちました。

そして今日は、核武力政策を法律的にも完全に固定化させるという歴史的大業をなしとげました。

今回、国家核武力政策を法制化したことは、共和国政府の自主的決断と不屈の国権守護、国益死守の意志に対するいっそう明確な誇示となります。

われわれの核兵器は、建国当初から世界最初の核使用国であり、世界最大の核保有国である米国の核威嚇にさらされてきたわが共和国が自己の尊厳と安全を守りぬき、核戦争による危険を完全に除去するために数十年にわたる苦難にみちた血みどろのたたかいによってかちとった抑止手段、絶対兵器です。

いま、米国はわれわれの核と自衛力の強化が世界平和と地域の安全にとって重大な脅威となるという途方もない詭弁を弄して国際舞台でわが共和国政権を「悪魔化」するための世論操作に執着し、われわれを心理的に、物理的に制圧するために追随勢力までことごとく動員した史上最悪の制裁、封鎖や政治的、軍事的攻勢を執拗にくりひろげています。

米国のねらう目的は、われわれの核そのものを除去することにもありますが、究極的には核を捨てるようにし、ひいては自衛権行使まで放棄または封じこめようとしており、わが政権をいつかは崩壊させることにあります。

米国は、史上最大の制裁、封鎖によってわれわれに困難な環境をもたらし、力がつき果てるようにし、われわれをして国家の安定的発展環境に対する不確信性と脅威を感じざるを得なくして、われわれに核を選択した代価について考えさせ、党と政府に対する人民の不満を誘発、惹起《じゃっき》してわれわれがみずから核を捨てざるを得なくしようとたくらんでいます。

とんでもない。

これは敵の誤判であり、誤算です。

一〇〇日、一〇〇〇日、一〇年、一〇〇年かけて制裁するなら、制裁してみなさい。

いまの困難を瞬時たりともまぬかれようとして、横道にそれて、国の生存権や国家と人民の将来の安全がかかっている自衛権を放棄するわれわれではありません。いかなるきびしい環境にさらされても米国によってつくり出された朝鮮半島の政治的軍事的形勢のもとで、さらに核で対峙する敵国である米国を長期的に牽制しなければならないわれわれとしては絶対に核を放棄することができません。

わが人民は、アメリカ帝国主義者の常套的な説教と詭弁と制裁、圧迫、軍事的威嚇に屈して間違った選択をし、悲惨な末路をたどって悲劇的な終末を味わった二〇世紀、二一世紀の数多くの歴史の事件をよく知っています。

われわれの世代は自分一個人の安楽を追求するために、直面したこんにちの困難をまぬかれるために敵の狡猾《こうかつ》な説教や執拗な圧迫に屈し、わが共和国政権と次世代の安全を保証する核を貸付にして恵まれた経済生活環境を追求しないでしょうし、千辛万苦《せんしんばんく》に耐えてもわれわれは自分の選択をかえないでしょう。

そうして、共和国の発展史にもっとも偉大かつ強靭《きょうじん》な世代とならなければなりません。

米国は絶対に、絶対に、わが国家を相手にみずからの企図を実現することも、わが人民の選択をかえさせることもできないでしょう。

果たして時間は誰の側にあるのでしょうか。

いま困惑しているのは敵のほうであって、われわれには何も困ったことがありませんし、われわれはいくらでもいまのこの環境のもとで自分の力で、自分の方式で生きていくことができます。

米国の野獣じみた対朝鮮敵視政策によってわが人民が苦痛をなめる時間が長くなることに正比例してわれわれの絶対的力はひきつづき加速的に強化されており、彼らが直面する安保脅威も正比例して増大しています。

共和国の核武力は、わが国家に対する米国とその追随勢力の不当な政治的軍事的挑発を抑止し、将来的な威嚇を管理するうえでみずからの重大な使命を責任をもって遂行するでしょうし、今日まさにこれについて国法として明示しました。

自主と自尊、人民の運命をもっとも大事にし、それに危害をおよぼす敵対行為を絶対に許さず、決心さえすれば無条件にあくまでなしとげるわが共和国であるがために、このように国家核武力政策を法制化する大胆な政治的決断をくだすことができたのです。

覇権主義がはなはだしく横行するこんにち、真の自主強国、正義の国家とはどんな国であり、悪の帝国である米国に堂々とたちむかっていくわが共和国の不敗の気概がいかに強いものかを世界は改めて深く認識することになるでしょう。

同志のみなさん。

二挺の拳銃からはじまった朝鮮革命が今日にいたるまで歩んできた苦難にみちた長い道のりをふりかえると、その道に凝縮されたもろもろの思いが胸にせまって心があつくなるのを禁じ得ません。

成果はじつに大きくても、全人民のおしみない支持、声援や高貴な血と汗、形容しがたい苦労とひきかえたものであるため、よりいっそう重く、大切に感じられます。

実際、帝国主義連合勢力と単独でたちむかってもっとも野蛮的かつ横暴な制裁圧殺策動を粉砕するとともに、共和国核武力を建設し、戦闘態勢を完成するということは、耐えがたい苦痛と国難を甘受し、のりこえなければならない生死をわかつ決戦でした。

それだけ愛するわが人民と子どもが困苦欠乏に耐え、貴重なわれわれのすべての家庭がきびしい生活難を克服しなければなりませんでした。

より大きな勝利をめざすやむを得ない選択ではありましたが、あまりにも大きな代価を覚悟し、結果を容易に予測し得ない前人未踏の険しい道でした。

しかしわが人民は、自国の人民に対する信頼だけではじまったわが党の偉業を強く支持し、あらゆる千辛万苦に耐え、一意専心して支えてくれました。

国家核武力建設の歴史的大業を成就するうえでわれわれの科学者、技術者が大きく貢献しましたが、耐えがたい持続的な苦労に耐えぬきながらも絶対に屈せず、勝利を確信してくれたわが人民でなければ核保有の道を最後まで歩むことができなかったでしょうし、またわが共和国は核武力政策を法制化する日を迎えることもできなかったでしょう。

朝鮮人民固有の特出した、熱烈な強靭さと愛国心は結局、あらゆる困難をのりこえ、わが国家の栄光となんぴともあえて手出しできない尊い威厳を最高の境地にいたらしめました。

わたしは、党と政府を代表して全国の人民に心からの感謝の挨拶をささげます。

同志のみなさん。

全人民の一致した意思と鉄の意志をこめて、核武力政策を法律的に固定させたことはじつに大きな意義をもちます。

核武力政策を法制化することによって、わが国家の核保有国としての地位は不可逆的なものとなりました。

今後もしわれわれの核政策がかわるようなことがあれば、世界がかわり、朝鮮半島の政治的、軍事的環境がかわらなければなりません。

先に核を放棄したり非核化するようなことは絶対にあり得ず、そのためのいかなる協商も、そのプロセスで互いに駆け引きし交換する物もあり得ません。

核はわれわれの国威であり、国体であり、共和国の絶対的な力であり、朝鮮人民の大きな誇りです。

地球上に核兵器が存在し、帝国主義がのこっており、米国とその追随勢力の反共和国策動がつづく以上、われわれの核武力を強化する道のりは終わらないでしょう。

共和国の核武力はすなわち祖国と人民の運命であり、永遠なる尊厳であるというのがわれわれの確固不動の立場です。

われわれの核をめぐってこれ以上駆けひきできないように不退の線をひいておいたことに、核武力政策の法制化がもつ重大な意義があるのです。

核武力政策の法制化によってわが共和国政府の平和愛好の立場とわが国家核武力政策の透明性、当為性がいっそう確実なものになりました。

侵略と戦争のない世界で平和に暮らそうとするのは人類の念願です。

しかし、平和は願うからといっておのずと訪れるものではなく、それは帝国主義の専横を抑止できる力によってのみ獲得し守りぬくことができるのです。

わが共和国が核武力政策を法制化したのは、自主権と平和を侵害し破壊する帝国主義者に対する正義の打撃となります。

共和国核武力は、他国の内政に干渉したり、覇権を追求するためではなく、帝国主義の暴政からわが領土や人民、自尊を守り、世界の平和と安全を守るために存在し使用されるのであり、したがってわが国に友好的に対し平和を願う国と人民には絶対に脅威になりません。

核兵器はその特性からして、管理や運用などに関する基準と原則が法律的に正しく規制されていなければなりません。

さもなければ統制不能な状態で他の目的に乱用されたり、不純な利益の実現に盗用されたりして、いつなんどき人類におそろしい核の惨禍をこうむらせるかも知れません。

わが共和国は、核武力政策に関する今回の法令に核武力の使命と構成、それに対する指揮統制、使用原則と使用条件、安全な維持、管理および保護など具体的な条項を明らかにしました。

したがって、正義と平和を愛する人類の念願に全的に合致し、今後誰もわが核武力を非難したり疑問視したりすることはできないでしょう。

朝鮮式社会主義の全面的発展のための歴史的進軍を確実に保証できる法律的武器を整えたのは、今年に達成された輝かしい勝利と成果とともに全人民的な闘争気概を非常に高めるうえで画期的な契機となります。

今年、共和国政府には第八回党大会の示した五ヵ年計画遂行の坦々たる大路をかためるべき重大な課題が提起されています。

これを遂行するにあたってどの事業も未曽有《みぞう》の試練と難関をともないましたが、われわれのたたかいはより果敢で、前進的であったし、より貴い結実をもたらしました。

建国以来はじめて直面した脅威的な公共保健事態を、一心団結、一心同体の頑強な闘争によって短期間に克服し、全国をふたたび清潔地帯にかえて国家と人民の安全を守りぬいたのは今年、われわれが獲得した大きな勝利となります。

全世界の疑惑をはねのけ、前代未聞の防疫大戦を成功裏に速戦即決することによって、社会主義制度の政治的、思想的威力と優越性をあますところなく示し、これは全国人民の信念と自負心を倍加させ、社会主義建設にいっそう奮闘するよう積極的に激励しました。
最大の防疫危機状況に自然災害まで重なりましたが、全人民がいささかの悲観と落胆、恐怖と絶望もなくいっそう奮起して当面の営農と重要建設をはじめとする今年の膨大な闘争課題を強力におしすめてきたのも、当然自負すべき奇跡のような成果です。

自立経済の柱である金属、化学、電力、石炭、鉄道運輸をはじめとする基幹工業部門と人民の生活向上と直結した各部門でも、攻勢的な闘争によって生産計画の遂行でりっぱな成果をおさめました。

経済活動をはじめ国家活動全般に対する統一的な指揮と管理がさらに深化し、社会主義的性格が復元されており、数十年先を見とおす展望的な中長期的な事業が設計、推進されて、国の経済発展と人民の福利増進のための土台と元手がきずかれています。

科学技術事業が実用的な計画と目標にしたがって現実的問題の解決へと確実に転換し、国の教育事業が均衡的に、有用な人材育成の方向にそって発展しており、保健医療部門でいかなる防疫危機、保健危機にも対応できる貴重な実践的経験がつまれたことなど、今年にはいって社会主義文化建設でも有意義な改善が見られました。

今年の闘争でなしとげられた勝利と成果は、わが共和国が各分野で主客観的な挑戦をはねのけ、停滞と逡巡《しゅんじゅん》、挫折を知らず、全面的発展、全面的復興へと力強く前進していることを如実に実証しています。

同志のみなさん。

自主と正義の旗じるしをさらに高くかかげたわが共和国は、時代と歴史に対し重大な使命を担っており、これはより果敢な闘争と前進、より大きな勝利を求めています。

核武力政策を国法として固定化させたわが共和国の政治的決断に恐れをなしたあらゆる反動勢力が、より常軌を逸するあくどい態度をとるであろうことは疑う余地がありません。

威嚇や恐喝、制裁と甘言の常套手段をもって、いつかはわれわれの核武装を完全解除させ、われわれの体制を崩壊させうると妄想する敵対勢力の体質的本能が改造されない以上、われわれの前途に横たわっている挑戦と障害は絶対にとりのぞかれません。

世界は、社会主義強国へ向かうわが人民の選択がいかに固守されるか、朝鮮がみずからの決心をいかに実践に移すか、この地でどんな驚嘆すべき奇跡がまた起きるかを刮目《かつもく》するでしょう。

試練の峠でいっそう強くなり、勝利により大きな勝利を重ねながらたえまない発展や前進をとげるのは、わが共和国が歩んで来た道のりで証明された自己固有の特質です。

われわれはこの不変の法則にしたがって今後もひきつづき強くならなければならず、われわれの選択した道でかわることなく、目標とした闘争課題を無条件かつ完璧に遂行しなければなりません。

こんにち、共和国政府には党の示した路線と政策をしっかりと堅持し実行するとともに、各分野において国家の地位にふさわしい新しい革新と発展をとげるべき課題が提起されています。

国家防衛力の建設を最優先、最重視して無限の絶対的力をつちかい、共和国の武力をより不敗のものにするのは、わが共和国政府に提起されている第一の革命課題です。

わが国の地政学的特性と戦略的地位からしても、朝鮮革命の現情勢からしても、帝国主義の侵略武力に比べたわが国家の確固たる軍事的優勢は必須不可欠の要求として提起されています。

近年、われわれが公開した一定部門の国防の発展を見て、間もなく自分たちが直面する大きな不安に気づいた米国は、いま極悪な制裁、封鎖策動を執拗に追求する一方、朝鮮半島周辺に自国の核攻撃兵器を大々的に投入し、厳重な脅迫的な武力示威の行動をしています。

南朝鮮の現「政権」も、みずからの軍隊の軍事的劣勢を挽回するためにわれわれを抑制するという強盗さながらの論理を主張し、「韓米拡大抑止力」の実行力を高めて「韓」米連合防衛態勢を強化するだの、いわゆる「韓国型三軸打撃システム」を構築して「抑止力」と「対応力」を高めるだのと騒ぎたて、地域の軍事的緊張をさらに激化させる危険な軍事行動と軍備の近代化を本格化しています。

大きな憂慮を呼び起こすこれらの事実は、わが国家周辺の軍事的情勢が長期性をおび、悪化しつつあるということと、したがってわれわれがこれに徹底的にそなえていなければならないということを示唆しています。

しかし、敵の策動と緊張、激化した情勢はかえって、われわれには軍事力をよりはやく飛躍させうるりっぱな条件と環境、そしてより重要なのは自衛力強化の正当性とその優先的強化のやむを得ない名分を提供することになりました。

共和国の国防省と国防工業は、いまの局面を軍事力強化の好機とするでしょう。

われわれの国防工業は、党大会の示した国防発展戦略思想を体してみずからの計画的な発展方向を正確に堅持しつつ、現代戦に相応する新世代武力装備の開発を本格的に積極化していかなければなりません。

もっとも重要なのは、わが核武力の戦闘的信頼性と作戦運用の効果性を高めることができるように戦術核運用空間を不断に拡張し、適用手段の多様化をより高い段階で実現して核戦闘態勢を全面的に強化すべきです。

また、先端戦略と戦術兵器システムの実戦配備活動を不断におしすすめ、国の戦争抑止力を一段と強化するために総力を集中すべきです。

わが国家特有の政治的思想的威力をいっそう強化し、すべての分野で遺憾なく発揮させなければなりません。

全人民が一つの思想意志、徳と情によってかたく団結し、祖国の富強繁栄に寄与するために身も心もささげて働くのは、わが国でしか見られない優越性であり、この地のすべての偉大な奇跡を生みだす原動力です。

朝鮮式社会主義の不敗の力、わが国家の第一の武器である一心団結の威力を思想意志、道徳信義のうえでさらに強化すべきです。

わが党の人民大衆第一主義政治を国家活動全般にりっぱに具現し、全人民が国家と社会の主人として政治に積極的に参加するように主権活動を深化させなければなりません。

社会の全構成員にわが思想、わが制度、わが文化、わが生活が一番だという誇りと自負心を深く抱かせ、わが社会の集団主義的気風と共産主義的美徳と美風がひきつづき強く発揮されるようにすべきです。

全人民が国家の利益、共通の利益を先に考えて公民的義務に誠実であり、国の発展と繁栄のために愛国の心をささげる真の社会主義勤労者として生き、たたかってこそ、わが祖国はつねに微動だにせず、富強になるでしょう。

すべての人民と人民軍将兵を透徹した主敵観、対敵観念をもって社会主義祖国を固守する階級の前衛闘士、先兵に育て上げることに大きな力を入れて、われわれの政治思想陣地、階級的基盤を強固にすべきです。

共和国政府は、国家経済発展の五か年計画を完遂し、その成果をつぎの段階へと拡大するための闘争を強力におしすすめるべきです。

五か年計画をかならず遂行して朝鮮式社会主義の全面的発展のための土台を確実にきずき、食糧問題、一般消費財問題をはじめとする人民生活の向上に関わる切実な問題を円滑に解決することは、共和国政府に提起されたもっとも重要な革命課題です。

五か年計画は国の経済活動実態と現実的可能性にもとづき、持続的な経済上昇と人民生活の明確な改善と向上へとすすむことを目標にしています。

五か年計画が完遂されれば、経済活動システムと部門間の連係、自立的土台が整備補強されて国の経済全般が成長の軌道に乗り、人民の食衣住の問題を解決するうえで実質的な変化が起こるようになるでしょう。

実際、この一年八か月の間、整備補強戦略にしたがって国家経済の命脈と全一性がさらに強化され、経済管理において不合理な問題がかなり是正され、生産の正常化と改造、近代化、原料や資材の国産化が積極的に推進され、とくに平壌《ピョンヤン》市の五万世帯住宅の建設と地方建設、農村建設が力強く展開されて、住宅問題を解決しうる確固たる展望が開かれました。

第八回党大会が示したとおり、二〇二五年末には二〇二〇年の水準より国内総生産額は一・四倍以上、一般消費財の生産は一・三倍以上伸びるとしても、五ヵ年計画を遂行するのは国の経済発展と人民の生活向上を促進し、つぎの段階のより壮大な闘争に確信をもってすすむことのできる保証となります。

いま、われわれのまえにつくりだされた経済的難関はきびしいものですが、人民の運命と生活に責任をもっている共和国政府は、五ヵ年計画を遂行するための正確な闘争方向を提示し、強力に組織、実行してかならず成功的な結実をもたらさなければなりません。

国の経済司令部である内閣は、経済活動全般を徹底的に掌握し、ともにおしすすめていく方向で経済建設と経済発展を正しく調整しなければなりません。

内閣は国の経済活動を統轄《とうかつ》するだけに、人民経済全般を同時に、均衡的に成長し、発展させるための作戦と指揮を正しくおこなうことが重要です。

……

内閣は、国家経済の根幹をなす重要部門に注力する一方、他の経済部門と人民生活全般に対してすべて関心をむけ、責任をもって指導しなければなりません。

国の経済活動を内閣に集中させる体系と秩序がますます厳格にたてられている現実に即して、生産活動、経済活動の全般的実態をつぶさに把握し、経済部門間の有機的な連係と協同を円滑に保障し、立ちおくれた部門をもりたてるための実務的対策を適時に講じて、国家経済活動の均衡性と円滑性、効率性が保障されるようにすべきです。

近い将来に食糧や一般消費財の問題を解決するため、農業生産と軽工業の発展にひきつづき主な力をそそがなければなりません。

わが党と政府の経済政策はいずれも、人民の物質経済的需要を円滑にみたし、人民に裕福でうらやむことのない生活を享受させるためのものです。

われわれが一貫して推進している社会主義建設も、文字どおり人民が望み描き見る理想社会をうちたてるためのたたかいであり、そのたたかいが深化するほど人民が肌で感じる実質的な結果が現実にあらわれなければなりません。

人民生活で基礎的な問題さえもまともに解決できず、ひきつづき人民に苦労させるようでは、そのような経済活動は何の必要もありません。

人民生活を安定、向上させるうえで急務となるのは、食の問題、消費財の問題を解決することです。

五か年計画期間に国家の穀物生産計画を無条件に遂行して人民に食糧が十分に行きわたるようにし、軽工業生産を質、量ともに高めて必須消費財、基礎食品の問題を円滑に解決しなければなりません。

そのためには、農業を安定的にいとなみ、生産性を高め、穀物の生産構造を改め、穀物買付と食糧供給活動を改善するのが重要な課題として提起されます。

営農の条件と環境がますます不利になることが予測されるため、それにそなえる対策を講じなければなりません。

気象、気候の変化にかかわりなく高くて安定した穀物の収量を保障できるように、種子革命をはじめとする科学技術的対策をたてることを営農のキーポイントとしてとらえ、全国が総動員して農村を労働力の面で支援し、年間の農事に必要な営農物資を円滑に提供しなければなりません。

とくに、幹部たちが不利な気象、気候条件を既定事実として、農業生産全般を確かめながらそれに応じて農業を科学的かつ計画的に指導しなければなりません。

農業生産で跛行性を減らし、安定度を高める重要な方途の一つは、灌漑施設を復旧、完備するところにあります。

全国各地でこわれたり、老朽化したものは復旧、整備し、増設すべきものは増設しながら、灌漑施設を改造するための活動を二〜三年内に無条件に完了しなければなりません。

今年から小麦の栽培面積と生産量をふやしていますが、今後毎年、これをひきつづき拡大するとともに、生産された小麦をよく保管、加工、処理することを並行させて、人民の食生活構造を改善しようとする党と政府の政策が効果をあらわすようにすべきです。

……

新しい時代の農村革命綱領をかかげて農村の振興をうながさなければなりません。

農村の振興はすなわち社会主義農村問題の解決であり、社会主義の防衛戦です。

新しい時代の農村革命綱領に示されているように、農村を振興させるうえで第一義的な課題は農業勤労者を啓発させることです。

農村革命の主人である農業勤労者の意識水準を改造してこそ、彼らが新しい時代の農村革命綱領に対する正しい認識をもち、その貫徹で核心的かつ主動的な役割を果たすことができ、激変する時代の要求に即して社会主義農村をいっそう開花発展させるうえで大いに寄与することができます。

農業勤労者の思想意識領域を広げるためには、農村に先進性、近代性を植え付けなければなりません。

農業生産を科学化、近代化、情報化し、農作業の機械化を高い水準で実現することをはじめ、農業生産の環境を近代的に改造するための活動を力強くおしすすめることによって、農業勤労者の思想意識で変化が起こるようにするだけでなく、すべての農村を富裕な農村にかえなければなりません。

住宅建設を基本にして地域的地帯的特性に即して農村建設計画を正しく定め、段階別にきちんと遂行してわが国の農村の急速な振興が実際に目に見えるように、農民が肌で感じるようにすべきです。

国の水産業をもりたてて人民により多くの魚が行きわたるようにすべきです。

水産部門では海洋漁労、浅海養殖を活発におこなうとともに、すべての河川や湖水で稚魚放流と囲い網養魚をはじめとするいろいろな養魚活動を大々的に、根気よく展開しなければなりません。

ここで重要なのは、水産資源の保護増殖の状況に対する調査を科学的かつ定期的におこなったうえで水産物の生産を計画的にふやすことです。

消費財の問題を解決するための軽工業革命に拍車をかけなければなりません。

……

消費財の品質向上は、軽工業革命における種子であり、基本的方向です。

当面の計画遂行にのみ汲々としながら日ごとに文明化する人民の要求と志向を無視し、立ちおくれた消費財をひきつづき生産するなら、国の軽工業実態は悪循環におちいるようになり、絶対に発展を期待することができなくなります。

軽工業部門では科学者、技術者、労働者の視野を広げ、たえず技術技能水準を高め、原料資材の質的な保障と生産工程の近代化、品質監督業務に対する要求の度合いを高め、人民の評価を基準として消費財の質を徹底的に保証しなければなりません。

全国の地方工業をもりたてて、地方がかわり、自力で発展する新しい時代をきり拓くべきです。すべての市・郡の地方産業工場がその役割を果たすと、国の経済発展と人民生活の向上で少なからぬ問題が解決されます。

金化郡《クムファ》の地方産業工場を近代化し、地元の原料源をもって郡内の需要をみたしていく実践的経験を全国の市・郡に拡大する活動を強力におしすすめるべきです。

これと関連して国家的に推進委員会を設け、設計と施工をはじめ市・郡地方産業工場を近代化するための活動をしっかりとおしすすめるべきです。

そして、各市・郡の能力が弱い現状のもとで地方産業工場を近代的に整備してからは独り立ちできるように原資材の提供対策を講じ、初期投資もおこなうべきです。

各地方産業工場も製品の品質向上に第一に力を入れて、郡内住民の生活に実質的に寄与すべきであり、拡大再生産をすすめて工場を自力で運営しなければなりません。

国家経済発展五か年計画を遂行するうえで、基幹工業部門は当然ひきつづき旗じるしをかかげて人民経済全般を牽引すべきです。

基幹工業部門は自立経済の礎石、柱であり、この部門で生産的高揚が起きてこそ人民経済全般が活気づき、つぎの段階への経済発展も確実に見とおすことができるのです。

それゆえ、党と政府は金属工業と化学工業をもりたてるためにすでに多くの資金を支出し、電力工業をはじめとする各基幹工業部門の近代化と能力の拡張、生産正常化に必要な経済実務的対策もひきつづき講じていくつもりです。

金属工業と化学工業をはじめとする基幹工業部門では、整備と補強戦略による計画を頑強に実行する一方、どんなことがあっても生産計画をかならず遂行して、人民経済の成長と発展の原動力、潜在力をいっそう強固にきずかなければなりません。

とくに、労働力管理、設備管理、技術管理を定期的に先を見とおしてりっぱにおこなって、各種の設備事故による経済的損失が生じないようにし、国家の立場にたって生産、消費上の連係を強めて基幹工業部門が円滑に動くようにしなければなりません。

人民経済の各部門、各単位では節約はすなわち増産であり、愛国であるという立場で労働力とエネルギー、資材、敷地などを最大限節約しながら最大の実利が得られるように経営管理、企業管理を改善して、国家経済の発展と人民の生活向上に実際に寄与しなければなりません。

国の経済発展と人民の生活向上で重要な意義をもつ展望的な事業を設計し作戦をたて、計画的に、段階別におしすすめるべきです。

国の経済状態が困難であるからといって、当面の生産にのみ汲々とするのは保身であり、後退であり、革命をおこなわないというあらわれです。

すべての事業を大小にかかわりなく遠い将来にもわれわれの子孫が存分にその利益を享受できるように設計し、作戦をたて、創造することを信条として奮闘する人が真の愛国者です。

真に人民につくし、祖国の富強繁栄のためなら遠大な理想と目標をかかげなければならず、その実現のためのたたかいを同時に頑強におしすすめなければなりません。

平壌市五万世帯住宅の建設と大規模温室農場の建設をはじめとして、今後わが人民によりよい生活条件をもたらすためのプロジェクトにひきつづき大きな力をそそがなければなりません。

われわれが今後もひきつづきスケールの大きい対象を思いどおりに建設するためには、中央と地方に能力の大きい建材生産拠点を構築し、仕上げ建材をはじめとする良質の建材を自力で生産、供給しなければなりません。

われわれは将来を見とおした大建設作戦をたえず展開し、成功裏に完結するとりくみを通じて、人民の長年の宿願が一つひとつりっぱに実現していくわが国家の発展ぶりと洋々たる前途を誇示しなければなりません。

国の東海《トンヘ》と西海《ソヘ》を結ぶ大運河建設をはじめとする展望的な経済活動に対する科学的な見積もりと正確な推進計画をたて、一旦はじめてからは国家的な力をそそいでかならず成功をもたらさなければなりません。

現段階において共和国政府が力強くおしすすめるべき重要なことは国土管理と災害防止活動です。日ごとに深刻化する災害性異常気象の影響による莫大な人的、物的被害はいま、世界的な難問題となっており、わが国でも毎年災難が生じています。

水を治めるのは天気を治めることであり、治水活動は中長期的な事業です。

いま、治水事業は川床をさらい、川岸に擁壁をきずくことに止まっていますが、科学的な中長期計画、言い換えれば治水戦略をたてて実行しなければなりません。

国の河川の水調節能力を正確に判定し、それにもとづいて緩衝地点も造成しながら水利調整システムを完備するなど水の管理を科学化しなければなりません。

……

自然災害を最小化するための国家的な災害防止能力を強めることにひきつづき大きな力をそそぎ、さしあたっては大水が発生する場合、人々の救助に必要な人員と機材をすべての道・市・郡に十分にそなえておかなければなりません。

森林復旧戦闘と砂防渓流工事、海岸防潮堤工事、道路改修をはじめとする国土環境保護と管理事業を全国的規模でより力強くおしすすめるべきです。

同志のみなさん。

教育と科学技術、保健医療事業を重視し、その発展に力を入れるのは共和国政府の一貫した政策です。いまわれわれには、より多くの人材、実際に能力のある人材と、現実で懸案となっている問題の解決に役立つ科学技術上の成果がいつにも増して切実に求められています。

共和国政府は人材戦略、科学技術発展戦略を国家の全面的復興のための核心戦略とし、その実現を強くおしすすめていかなければなりません。

現在、国の教育事業は質的水準において発展する世界的趨勢と時代のニーズに追いつかずにいます。教育の目的が実践能力をそなえた有能な人材の育成に指向されず、たんに教育そのもののための教育、点数評価のための教育にのみかぎられているので国家発展に実際に役立っていません。

教育部門では、生徒、学生が現実で実際につかえる生きた知識をより多く習得することに時間と努力をかたむけられるように科目を正しく選定し、全般的一二年制義務教育の質を決定的に高めて、生徒、学生の実力をいちじるしく高めなければなりません。

金策《キムチェク》工業総合大学をはじめとする各技術大学の教育水準を不断に向上させ、世界的水準にひき上げてすべての卒業生を有能で錚々《そうそう》たる科学技術人材に育てなければなりません。

中央と地方のすべての教員、生徒、学生に教育条件、実習条件、学習条件を円滑に保障することに国家的な力をひきつづきそそがなければなりません。

科学技術の水準と役割を強め、技術人材資源を効果的に増進し、管理すべきです。

……

科学技術を発展させるためには研究手段と人材が準備されていなければならないので、これにつねに国家的な関心を払い、この問題を解決するための実質的な対策を講じなければなりません。

つねづね強調することですが、科学研究部門では件数をみたすようなやり方を徹底的に警戒し、一年間に数件でも国の経済に実際的に寄与する完璧な科学技術上の成果をださなければなりません。

各部門、各単位では、全人民科学技術人材化の重要な拠点である科学技術普及の場の運営状況を定期的に点検し、着実に総括しながら科学技術普及活動を不断に深化させて、集団的技術革新運動を活性化しなければなりません。

……

全国的に科学技術上の成果を共有するため情報を交換し、科学技術資料の閲覧を円滑に保障する活動、すすんだ単位と科学者、技術者を優遇、評価する活動に力を入れて、全社会に科学技術重視気風がみなぎるようにすべきです。

わが人民の生命と健康を保護し、増進できるように医療奉仕活動をひきつづき改善すべきです。

今回の公共保健事態を経過しながらわが国の保健医療の現状が全面的に評価され、その水準と能力向上の切迫さが強く実証されました。

人民の生命と健康が第一という観点のもとで医療奉仕活動におけるさしせまった問題から解決しなければなりません。

国がすべての医療品を自力でみたすことができない状況下で、人民の治療と健康増進に必要な医療品は輸入してでも円滑に提供しなければなりません。

これとともに、必須医療品などの各種医薬品を国内で生産、供給することができるように製薬工場と医療機器工場、医療用消耗品工場の新設や近代化を積極的におしすすめ、道・市・郡病院を一新させ、薬局を標準通りにりっぱに整えるための活動を計画的におしすすめるべきです。

保健医療部門ではすべての医師、看護師が人間生命の守護者としての資質と共産主義的な品格を身につけるようにすべきです。

今回の悪性ウイルス撲滅闘争期間に万人を感動させた医療部門従事者の犠牲的な献身の精神世界を誰もが積極的に見習うように奨励することによって、「真心」という二文字をあつい心をもって体得したすばらしい医療従事者を国のどこでも見られるようにすべきです。

医科学技術を世界先進水準に発展させることに力をそそぎ、人民的かつ先進的で効率的な医療奉仕制度を完備すべきです。

国家防疫能力の建設をおしすすめなければなりません。

現在ももちろん、今後も悪性伝染病がひきつづき発生しうるさまざまな可能性が存在するため、これは一刻も遅らせることのできない国家の重大事です。

党中央委員会第八期第五回総会と全国非常防疫総括会議で提示された国家防疫能力建設に関する課題を、個別に検討しながら徹底的に実行しなければなりません。

とくに、国家的に境外の流動的な伝染病状況とその特性をつねに鋭く注視し、もしそれが流入する場合にはすぐに発見し制圧できる能力を養うことに関心を払わなければなりません。

……

最近、世界保健機関と各国の保健医療専門機関は今年の冬に新型コロナウイルスの伝播《でんぱ》とともに危険な流行性感冒にも徹底的にそなえなければならないと警告しています。

そしてわれわれの防疫専門家は、今年の五月と六月に悪性伝染病を経過しながらわが国の人々に形成された抗体価が一〇月頃には落ちるものと見ています。

それゆえ、ワクチン接種を責任をもって実施するとともに、一一月にはいってからは全住民が自分の健康保護のためにマスクを着用するよう勧告すべきです。

……

同志のみなさん。

現在の国際情勢は正義と不正義、進歩と反動の間の矛盾、とくに朝鮮半島をめぐる勢力構図が明らかになり、米国が唱える一極世界から多極世界への転換が顕著に加速化していることを示しています。

わが共和国は、現在の国際情勢の発展趨勢と自主強国の地位にふさわしく対外関係を主動的に発展させるでしょう。

対外活動部門ではわが党の尊厳死守と国威向上、国益守護を共和国外交の第一の使命としてかわることなくとらえて、国際関係において提起される諸問題を朝鮮革命の利益にあうように解決しなければなりません。

周辺諸国との友好協力関係をいっそう拡大発展させ、帝国主義者の侵略と干渉、支配と従属を排撃し、自主と正義を志向するすべての国、民族と思想と体制の違いにかかわらず協力しながら対外関係を多角的に発展させなければなりません。

これとともに、わが国を尊重し、友好的に遇する資本主義諸国とも多方面にわたる交流と協力を発展させていくための外交戦を模索しなければなりません。

共和国政府に提起されている以上の課題を貫徹し、こんにちの輝かしい勝利を社会主義建設のさらなる勝利につないでいくためには、国家建設と国家活動において党の唯一的指導体系を徹底的に確立しなければなりません。

共和国政府は、党の路線と政策、方針を絶対的基準としてすべての活動を組織、指揮し、その活動を党政策実現へと確実に志向させなければなりません。

すべての政府機関は党の決定と指示をいささかの理由や口実も設けず無条件にうけ入れ、間違いなく実行する革命的気風を確立し、提起される問題を党に報告し、結論を得て処理することをいかなる場合にも違えることのできない鉄則としなければなりません。

人民政権機関の機能と役割を強めなければなりません。

社会生活の各分野を包括している政権機関の活動はたいへん複雑かつ膨大であり、それだけ任務と役割はきわめて重要です。

すべての政権機関は当該地域で尊厳ある共和国政権を代表し、人民の生活に責任をもっているという使命感を銘記し、その本分を忠実に遂行しなければなりません。

自分の地域、自分の単位に課された党と政府の政策、指示を全的にうけもって徹底的に実行するための作戦と指揮を責任をもっておこない、機関、企業、協同団体、住民の事業と活動が円滑に、効率的におこなわれる条件と環境を積極的につくらなければなりません。

党と政府の人民的施策がすべての子どもや世帯に等しく行き届くように献身的に努力し、飲料水や焚き物をはじめ人民の生活上の問題につねに関心を払い、いささかの不便や苦衷も感じないようにまえもって綿密な対策をたてなければなりません。

革命の指揮メンバーであるすべての幹部は、不退転の思想的覚悟と決心をもって奮闘すべきです。われわれの社会で幹部は文字通り僕にならなければなりません。

幹部という呼び名はけっして何らかの名誉や職権ではなく、人民に奉仕すべき本来の使命を離れては幹部の存在価値について考えることができません。

幹部が安楽にすごし暖衣飽食すれば、それはもう社会主義ではなく、人民により大きな苦労をさせることになります。

すべての幹部はみずからのポジションが党と革命、祖国と人民のためにより重い荷物を背負ってより多くの苦労をする職責であることを絶対に忘れてはならず、片時も油断することなく強い責任感をもって自分の任務にかぎりなく誠実でなければなりません。

新しい仕事が提起されれば回避したり、適当にその場をつくろおうとせず、すすんで身を挺して緻密に作戦をねり、指揮し、率先垂範の気風を発揮してりっぱな結実をもたらさなければなりません。

仕事で責任感と役割を強め、党と人民のまえに堂々たる姿で生きるために自身を不断に精神的、道徳的に修養、鍛練し、革命と仕事しか知らず、その本分をりっぱに果たす実際に必要な幹部にならなければなりません。

……

代議員のみなさん。

われわれは間もなく栄えある朝鮮民主主義人民共和国の創建七四周年を迎えることになります。

この意義深い日を迎えてわが共和国は、尊厳ある自主強国の威容をいっそうはっきり示すいま一つの特筆大書すべきできごとを自分の誇らしい歴史に燦然《さんぜん》としるしました。

われわれの崇高な理念、われわれの聖なる偉業が成功と勝利のより高い壇上に上がるほど、われわれはさらなる試練と逆境を真っ向からのりこえなければなりません。

こんにち、われわれの闘争はたぐいのない極難をともない、われわれの前途にいかなる挑戦が横たわるか知れません。

しかし、わが共和国はいささかの躊躇《ちゅうちょ》や動揺もなく確実に前進しており、今後もひきつづき前進し、より強くなるでしょう。
それはわれわれの偉業も、われわれの思想も、われわれの路線もすべて正義であり、真理であり、われわれにはこの世の誰もうちこわすことのできない、党と人民大衆が鉄のごとく結ばれた一心団結の偉大な力があるからです。
同志のみなさん。
勝利はかならずわれわれのものであり、われわれがみな奮起すればするほどその勝利はさらにはやまるでしょう。
みなが一心同体となって朝鮮労働党中央委員会のまわりにかたく団結し、
愛する母なるわが共和国のかぎりない繁栄のために、
偉大なわが人民の福利増進のために、
朝鮮式社会主義の勝利の前進のためにいっそう力強くたたかっていきましょう。
朝鮮民主主義人民共和国万歳。

金正恩

朝鮮労働党総書記
朝鮮民主主義人民共和国国務委員長
朝鮮民主主義人民共和国武力最高司令官

金正恩著作集 3

発行日　二〇二三年一月八日

編集者　チュチェ思想国際研究所
〒一七〇-〇〇一四
東京都豊島区池袋一-七-一四-三〇二
電話　〇三-三九八一-三一九二

発行所　株式会社　白峰社
〒一七〇-〇〇一三
東京都豊島区東池袋五-四九-六
電話　〇三-三九八三-一三一二

ISBN 978-4-938859-38-1